P9-CET-772

CAPITALISME CONTRE CAPITALISME

Du même auteur

AUX MÊMES ÉDITIONS

Le Pari français
1982,
coll. « Points Politique », n° 127

Un pari pour l'Europe
1983

Crise, Krach, Boom
en collaboration avec Jean Boissonnat
1988

MICHEL ALBERT

CAPITALISME CONTRE CAPITALISME

ÉDITIONS DU SEUIL
27, rue Jacob, Paris VIe

Je tiens à exprimer ici mon amicale reconnaissance à Jean-Claude Guillebaud et à Alexandre de Juniac. Ce livre est aussi leur œuvre.

M.A.

ISBN 2-02-013207-9

Introduction

Aujourd'hui, et pour la première fois dans l'Histoire, le capitalisme a vraiment gagné. Sur toute la ligne. C'est une question réglée. Peut-être la plus grande question du siècle.

La victoire du capitalisme s'est déployée sur trois fronts.

La première bataille s'est jouée en Angleterre avec Margaret Thatcher et aux États-Unis avec le président Reagan. Ce fut une bataille intérieure contre l'interventionnisme étatique qui polluait le capitalisme. La fille de l'épicier et l'ancien comédien ont ainsi mené ensemble la première *révolution conservatrice* en matière de politique économique, la révolution de l'*État minimum*. Son principe le plus voyant : moins d'impôts pour les riches ; si les riches – à commencer par les capitalistes – payent moins d'impôts, la croissance de l'économie sera plus vigoureuse et tout le monde en profitera. En 1981, aux États-Unis, le gouvernement fédéral prélevait jusqu'à 75 % des revenus les plus élevés d'un citoyen ; en 1989, le taux d'imposition maximal était passé à 33 %. Au Royaume-Uni, le taux d'imposition sous les gouvernements travaillistes avait atteint 98 % pour les revenus du capital. Avec Margaret Thatcher, ce taux maximum est passé à 40 %. Jamais réforme financière n'avait été aussi populaire à travers le monde. Dans des dizaines de pays, elle a changé le sens des rapports historiques entre l'État et le citoyen. Depuis deux siècles, la pression fiscale n'avait cessé de monter, surtout dans les pays développés. Cette évolution est aujourd'hui renversée et nous assistons au contraire à une course mondiale à l'allégement fiscal. C'est bien une révolution.

La deuxième victoire du capitalisme a été d'autant plus éclatante qu'elle fut à la fois frontale, totale et obtenue sans livrer bataille. Depuis un siècle, le capitalisme était confronté au communisme. Depuis près d'un demi-siècle, cette confrontation, qui opposait principalement les États-Unis à l'URSS, dominait toutes les relations internationales. Le 9 novembre 1989, les jeunes Allemands de l'Est qui osèrent franchir le mur de Berlin étaient les hérauts de plus de 300 millions de frustrés des pays communistes de l'Est. Frustrés de liberté, mais aussi de supermarchés, c'est-à-dire de capitalisme.

Quant à la troisième victoire, il a suffi d'une bataille de cent heures sur le flanc sud de l'Irak pour la gagner à mille contre un. C'est d'abord la victoire conjointe de la force et du droit, celle des États-Unis, appuyés de vingt-huit pays dont huit pays musulmans et soutenus à l'ONU même par l'URSS et la Chine communiste. C'est aussi une victoire du capitalisme sur les hallucinations de populations privées de développement économique par les dictatures qui les oppriment. Parions que, désormais, le sort en est jeté : un jour ou l'autre, les foules trompées par Saddam Hussein emprunteront la même route que les masses communistes. Vers le capitalisme.

*

Cette victoire du capitalisme éclaire d'un jour nouveau l'*histoire* économique du monde. Elle en transforme profondément la *géographie*.

Dès lors que l'effet d'aveuglement, la « nuit sibérienne » du communisme ont été dissipés par les lumières du réel, *tout notre passé* se découpe en deux temps implacablement contrastés :

– Avant le capitalisme, tout au long de l'histoire, le monde entier, tous les pays – y compris les civilisations les plus brillantes – étaient semblables à ce qu'on appelle aujourd'hui le tiers monde. Un monde où les hommes naissaient « naturellement », biologiquement, un peu comme les bêtes, et mouraient en moyenne avant trente ans, victimes des famines périodiques, des épidémies liées à la sous-alimentation et de l'immémoriale oppression du Sacré, c'est-à-dire du Pouvoir.

La France, oui, la France elle-même, avec son agriculture si

« riche », a souffert de véritables famines jusqu'à la veille de la Révolution de 1848 !

C'était le monde de la pénurie, la préhistoire de l'économie.

– La fonction historique inouïe du capitalisme a été, depuis environ trois siècles, de commencer à faire reculer la pénurie, la famine et l'oppression des tortures sacrificielles. Cette révolution a commencé dans les pays de tradition judéo-chrétienne. Elle s'est répandue, amplifiée et accélérée depuis un siècle en Extrême-Orient, partout fondée sur la même systémique institutionnelle à base trinitaire : *le capitalisme, c'est-à-dire la libre fixation des prix sur le marché et la libre propriété des moyens de production* (je n'en donnerai pas d'autre définition car ces deux lignes me paraissent dire l'essentiel) ; les droits de l'homme et pour commencer la liberté de conscience ; l'évolution progressive vers la séparation des pouvoirs et la démocratie.

Après l'ancien temps de la pénurie permanente, le nouveau, celui du développement économique, ne fait que commencer. A travers la triple victoire historique du capitalisme, on voit se dessiner – mieux, se sculpter – les deux dimensions nouvelles de la *géographie* économique du monde.

En premier lieu, après avoir été, depuis près de vingt ans, suspendu comme une épée de Damoclès sur nos têtes, le problème de l'approvisionnement pétrolier – c'est-à-dire de l'oxygène de notre vie économique – est désormais physiquement réglé pour longtemps. La question n'est plus de savoir si nous en aurons assez, mais à quel prix, et si nous n'en rejetons pas trop dans l'atmosphère. La nouvelle géographie énergétique sera moins celle des forages pétroliers que des énergies alternatives et des outils de lutte contre la pollution.

Bien plus importante est la « disparition » du contenu même de la notion de tiers monde, depuis la fin de la guerre froide. Aussi longtemps que le communisme osa défier le capitalisme sur son propre terrain, celui de l'efficacité économique, on pouvait, en feignant d'y croire, conserver la trilogie : pays capitalistes – pays communistes – tiers monde.

N'oublions pas que Khrouchtchev n'étonnait personne lorsqu'il déclarait en 1960 à la tribune des Nations unies qu'en l'an 2000 l'économie soviétique aurait rattrapé celle des États-Unis ! Jusqu'à une époque récente, des centaines d'universités à travers le monde ont continué à enseigner ce genre d'âneries.

Maintenant que les masques sont tombés et que chacun a pu constater sur place l'arriération lamentable des économies communistes, il faut, à l'évidence, les classer dans la même catégorie que les autres pays sous-développés. De sorte que la trilogie fait place à une simple dualité : d'une part les pays développés ou en développement rapide, qui sont tous des pays capitalistes ; d'autre part les pays sous-développés, c'est-à-dire les pays pauvres. L'expression « tiers monde » n'a littéralement plus de sens.

Certes, il ne suffit pas d'instaurer le capitalisme dans un pays pour le lancer sur la voie du développement économique ; il y faut aussi un minimum de règles et donc un État efficace et non corrompu. Certes, il y a des pauvres – et même, on le verra, parfois de plus en plus de pauvres – dans certains des pays capitalistes les plus avancés, en particulier aux États-Unis. Notons toutefois ce détail au passage : l'obésité, assurément, est un problème national de santé aux États-Unis, mais là-bas, ce sont les pauvres qui sont obèses...

Voici donc la liste des pays capitalistes, développés ou en développement rapide :

– l'Amérique du Nord, y compris le Mexique et le Chili, si vigoureux sur leur nouvelle lancée ;

– l'ensemble des pays d'Europe occidentale, qu'ils appartiennent à la CEE (Communauté économique européenne) ou à l'AELE (Association européenne de libre-échange) ;

– le Japon et les nouveaux pays industrialisés (NPI) d'Asie : la Thaïlande, la Corée du Sud et les autres « dragons », Taiwan, Hong Kong et Singapour.

Un point c'est tout.

Cette liste soulèvera sans doute bien des objections. Par exemple :

– Pourquoi ne pas classer l'Arabie Saoudite et les Émirats parmi les pays capitalistes développés alors qu'ils sont si riches ? Parce que leur richesse n'est pas gagnée sur les marchés, mais pompée dans le sol. Ce qui les a d'ailleurs dispensés, jusqu'à présent, de se soumettre aux règles de la démocratie et de la séparation des pouvoirs.

– Pourquoi opposer le Mexique au reste de l'Amérique latine ? Parce que c'est lui qui s'en est séparé depuis quelques années en ouvrant son économie aux échanges extérieurs, allant même jusqu'à conclure un accord de libre-échange avec les États-Unis. Le Chili, lui aussi, décolle après avoir soumis son économie aux lois du marché. Mais dans les autres pays d'Amérique latine, beaucoup de fortunes continuent à se constituer en dehors des règles du jeu capitaliste, car elles échappent aux lois de la concurrence et de l'économie de marché. Ce qui a pour effet de maintenir ces pays sous le joug de l'inflation et du sous-développement.

– Pourquoi ne pas retenir l'Afrique du Sud sur cette liste ? Parce que la démocratie y fait désormais ressortir, à la place de l'apartheid social, un véritable apartheid économique. Mais à propos de l'Afrique on ne sait pas assez que ce continent du malheur comporte un pays qui, depuis plusieurs années, a entrepris de jeter un pont entre l'Afrique du Nord et l'Europe du Sud ; c'est le Maroc.

Étonnante simplification d'un monde que l'on dit voué à une complexité croissante ! La nouvelle géographie économique mondiale apparaît tout à coup comme la plus simple, la plus binaire. Son manichéisme n'est-il pas intolérable ?

D'autant plus que la situation d'hégémonie – mieux, de monopole – dont jouit aujourd'hui le capitalisme en tant que système est absolument contraire à sa nature. En effet, le capitalisme – on l'a déjà répété – a pour premier fondement le marché, c'est-à-dire la concurrence. Or, le voici tellement fort, si triomphant, qu'il n'a plus de concurrent.

Parce que sa victoire est totale, il a perdu son propre miroir et ses faire-valoir. Ni la démocratie, ni le libéralisme, ni le capitalisme n'ont l'expérience du monopole. Comment gérer ce qui n'est pas contesté ?

*

Plutôt que de hasarder des hypothèses, regardons les réponses concrètes qui sont données, dans différents pays capitalistes, à des questions précises. Arbitrairement peut-être, j'en ai retenu dix, particulièrement intéressantes par la variété des réponses qui leur sont apportées, mais surtout parce que, sur chacune d'entre elles, on constatera que le capitalisme n'est pas homogène, mais qu'au contraire il s'est différencié en deux grands modèles qui s'affrontent, « capitalisme contre capitalisme ».

1. *L'immigration*

L'immigration sera peut-être le plus grand sujet du débat politique au XXIe siècle dans la plupart des pays développés. Ce sujet intéresse particulièrement les capitalistes, car la main-d'œuvre immigrée revient presque toujours moins cher, à rendement égal, que la main-d'œuvre nationale. Cela explique probablement pourquoi les États-Unis, après avoir longtemps pratiqué une politique restrictive de quotas, sont maintenant un pays de plus en plus ouvert à l'immigration, surtout d'origine latino-américaine. Une loi de 1986 a permis de légaliser la situation de 3 millions de clandestins et une autre loi de 1990 prévoit d'augmenter l'immigration légale de 470 000 à 700 000 par an en 1995. Et cela, alors que les mécanismes intégrateurs du *melting pot* ont fait place à une néotribalisation de groupes allogènes, qui se soucient moins de devenir de vrais Américains que de renforcer leur « identité culturelle ».

Pourquoi donc le Japon capitaliste demeure-t-il, lui, un pays si fermé ? La densité démographique est assurément un facteur essentiel, mais pas le seul. Les mauvais traitements que ce pays inflige aux Coréens et aux Philippins immigrés seraient impensables aux États-Unis ; de même que serait impensable au Japon le sondage selon lequel un Américain sur deux souhaite que le chef d'état-major interarmées, le général Colin Powell, un Noir, soit le prochain vice-président de George Bush si celui-ci est réélu en novembre 1992.

A l'exemple des États-Unis, l'Angleterre accorde largement

un statut de quasi-citoyenneté aux Indiens et aux Pakistanais immigrés. Rien de tel en Allemagne, où le droit du sang détermine l'appartenance à la nation et où une loi de 1990 privilégie l'homogénéité culturelle allemande : les Allemands ressentent un devoir de solidarité envers tous les peuples de langue allemande, mais ils ne peuvent concevoir d'intégrer leurs immigrés turcs...

Modèle anglo-saxon d'un côté, modèle germano-nippon de l'autre.

2. *La pauvreté*

Question souvent liée à l'immigration, la pauvreté est l'une de celles qui opposent le plus profondément les différents pays capitalistes. Dans leurs représentations et dans leur organisation. Qu'est-ce qu'un pauvre ? Dans la plupart des sociétés humaines et des époques de l'histoire, le pauvre a été le plus souvent traité comme un pauvre type, un bon à rien, un raté, un fainéant, un suspect, voire un coupable. Quel est, aujourd'hui encore, le pays dont on pourrait dire que ses privilégiés de l'emploi n'ont pas tendance à voir dans le chômeur, sinon un incorrigible paresseux, du moins un individu qui a manqué de courage pour s'adapter aux conditions du marché du travail ? C'est en tout cas l'opinion largement dominante dans les deux plus puissants pays capitalistes, les États-Unis et le Japon.

Conséquence : aucun de ces deux pays ne s'est doté – ni n'envisage de se doter ! – d'un système de protection sociale comparable à ceux qui ont été établis en Europe il y a près d'un demi-siècle, alors que notre revenu par tête était inférieur des deux tiers ou des trois quarts à ceux de l'Américain ou du Japonais d'aujourd'hui.

D'où vient une différence aussi radicale dans l'organisation des sociétés ? Peut-être de ce qu'une certaine tradition européenne considère le pauvre plutôt comme une victime que comme un coupable, et cela dans une perception multidimensionnelle où s'additionnent l'ignorance et l'indigence, la désespérance personnelle et l'impuissance sociale.

Pourrons-nous continuer à payer notre protection sociale ? La question se pose partout, dès lors que les deux grands du capitalisme mondial en font l'économie. En France avec plus d'acuité que partout ailleurs.

3. *La sécurité sociale est-elle favorable au développement économique ?*

Cette question se situe en amont de la précédente et elle est tout autant sujette à controverse. Pour les capitalistes reaganiens ou thatchériens, la réponse est évidemment négative : rien de tel que la sécurité sociale pour créer un esprit d'assistés qui favorise la paresse et l'irresponsabilité. A noter cependant que, malgré dix ans d'effort, Mme Thatcher n'a pratiquement pas pu toucher au Service national de santé. Quant aux capitalistes japonais, ils considèrent que la sécurité sociale n'est pas une affaire de l'État, mais de l'entreprise... à condition qu'elle soit assez riche pour l'offrir à ses salariés, ce qui n'est guère le cas dans les PME. Ici, le capitaliste japonais est d'accord, même si son entreprise finance des assurances sociales facultatives.

Au contraire, dans la zone alpine, au Benelux et en Scandinavie, la sécurité sociale est traditionnellement considérée par tous comme la juste conséquence du progrès économique et même, par beaucoup, comme une institution favorable au développement économique : au-dessous d'un certain seuil de pauvreté, l'exclu devient irrécupérable. C'est pourquoi les pays européens les plus développés (RFA, France, Royaume-Uni, Pays-Bas, Danemark) garantissent un revenu minimum.

C'est encore sur cette tradition qu'il faut s'appuyer pour gagner les élections. Mais le débat est ouvert, particulièrement dans la CEE, où la sécurité sociale est de plus en plus souvent considérée comme pesant sur les frais généraux de l'économie nationale et donc sur sa compétitivité. Même en Suède, le fameux « modèle suédois » est aujourd'hui récusé par le gouvernement social-démocrate lui-même, pour cette raison.

A l'inverse, l'absence de sécurité sociale est jugée de plus en plus insupportable par une fraction croissante (mais toujours minoritaire) de la population américaine.

Partout, la logique du capitalisme est aujourd'hui, d'une manière ou d'une autre, confrontée à celle de la protection sociale.

4. *La hiérarchie des salaires*

Elle est, *a priori,* un levier d'efficacité irremplaçable dans la logique du capitalisme. Si l'on veut que les travailleurs travaillent, il faut les payer d'après leur rendement individuel, un point c'est tout. De même pour les recrutements et les licenciements. L'un des principaux assureurs américains s'est rendu célèbre par son « tableau de Noël » : il y reporte les noms de ses collaborateurs, avec l'évaluation de ce que chacun lui coûte et lui rapporte ; puis il en tire les conséquences. Ajoutons, pour les âmes sensibles, que cela n'offusque personne. D'ailleurs, depuis la révolution conservatrice anglo-saxonne au début des années quatre-vingt, les écarts de revenus, qui étaient, sur le long terme, en voie de réduction dans l'ensemble des pays développés à l'époque où l'interventionnisme étatique et la protection sociale étaient encore considérés comme des signes de progrès, ont recommencé à augmenter aux États-Unis, en Angleterre et dans de nombreux pays qui suivent l'exemple anglo-saxon. C'est le cas notamment en France, où une majorité estime que, pour renforcer la compétitivité économique, il faut élargir la hiérarchie des revenus.

Mais, dans d'autres pays capitalistes, au contraire, les entreprises s'efforcent de contenir la hiérarchie des salaires dans des limites souvent étroites. C'est le cas au Japon où toutes les décisions sont prises collectivement, y compris la fixation des rémunérations, et où le patriotisme d'entreprise est un facteur de mobilisation plus puissant que le salaire. De même dans l'ensemble des pays que je désignerai comme les « pays alpins » (Suisse, Autriche, Allemagne). Mais, dans tous ces pays, la tradition est remise en cause. De véritables conflits opposent, au sein des professions et des entreprises, les jeunes talents impatients de se valoriser aux vieux chefs qui refusent de perdre leurs prérogatives.

5. *La fiscalité doit-elle favoriser l'épargne ou l'endettement ?*

En France, l'opinion se prononce encore en faveur de l'épargne, même si nous épargnons de moins en moins.

En Allemagne et au Japon, l'épargne est considérée comme une vertu nationale que la fiscalité favorise largement. Ce sont, par excellence, des pays fourmis. Les États-Unis sont, au contraire, le pays cigale. Les symboles du succès personnel s'expriment par des signes extérieurs de richesse, surtout depuis la « nouvelle révolution conservatrice ». C'est pourquoi la fiscalité favorise l'endettement : plus vous vous endettez et moins vous payez d'impôts, alors pourquoi s'en priver ?

Les résultats sont impressionnants dans les années quatre-vingt : le taux d'épargne des ménages en pourcentage du revenu disponible a diminué de plus de 13 % à 5 % aux États-Unis et de 7 % à un point bas de 3 % en Grande-Bretagne.

Dans ce domaine, fondamental pour l'avenir de chaque pays, le modèle anglo-saxon s'oppose radicalement au modèle germano-nippon. Depuis de nombreuses années, les États-Unis et le Royaume-Uni sont financés par le Japon et l'Allemagne. Pourquoi ? Parce que le taux d'épargne des ménages depuis une dizaine d'années a été environ *deux fois* plus élevé en Allemagne et au Japon qu'en Grande-Bretagne et aux États-Unis.

Il est évident qu'un tel écart est intenable à long terme. L'un des défis les plus redoutables du capitalisme anglo-saxon va être de convaincre les électeurs qu'ils doivent réapprendre à épargner, comme au bon vieux temps du puritanisme. Quelle affaire ! D'autant plus que cet écart – on le verra – concentre à lui seul les causes et les conséquences les plus profondes du conflit entre les deux capitalismes.

6. *Vaut-il mieux avoir davantage de réglementation et de fonctionnaires pour l'appliquer ou moins de réglementation et davantage d'avocats pour faire des procès ?*

Toujours et partout, les capitalistes qui réussissent, ceux qui font des profits, s'insurgent contre les réglementations. Pendant près d'un demi-siècle, ils n'étaient guère entendus : l'interventionnisme étatique proliférait un peu partout, notamment dans l'Angleterre travailliste, où il a suscité et popularisé la réaction thatchérienne. Depuis lors, la déréglementation est devenue un véritable article de foi, le point n° 1 du credo néoconservateur.

Aujourd'hui, cette question donne lieu à deux types de débats en sens contraire :

En Angleterre et surtout aux États-Unis, on s'est rendu compte, notamment en raison de la désorganisation du transport aérien et de la faillite des caisses d'épargne, que les principaux gagnants de la déréglementation sont bien souvent les *lawyers,* ces avocats qui ne sont pas comme dans la tradition continentale européenne une profession libérale, mais une profession commerciale, et forment une véritable industrie de la procédure, dont l'expansion est telle qu'aujourd'hui, aux États-Unis, le nombre des *lawyers* est plus élevé que celui des *farmers.*

Pour les Japonais, faire un procès est aussi déshonorant que de consulter un psychanalyste... Les Allemands, eux aussi, qui ont, comme on sait, le sens de la discipline, préfèrent des règles précises. Mais le droit communautaire de la CEE est fondamentalement inspiré par l'idéologie de la déréglementation et les parlementaires commencent à protester contre la perte de leurs prérogatives.

Là encore, le débat ne fait que commencer.

7. *La banque ou la Bourse ?*

La théorie libérale montre que seule la liberté des mouvements de capitaux complètement ouverts à la concurrence peut assurer une allocation optimale des ressources nécessaires au développement des entreprises. Beaucoup en déduisent que la régression du rôle des banques dans la distribution du crédit est un facteur d'efficacité. En 1970, le « taux d'intermédiation », c'est-à-dire en gros la part des banques dans le financement de l'économie américaine, était de 80 %; en 1990, il est tombé à 20 %. Cette chute spectaculaire a pour contrepartie une expansion extraordinaire des marchés des créances et des valeurs mobilières, c'est-à-dire, en simplifiant à l'extrême, la substitution de la Bourse à la banque. Tout le néocapitalisme anglo-saxon se fonde sur cette préférence, qui est également défendue à la Commission de Bruxelles par le vice-président Sir Leon Brittan.

Tout le capitalisme des pays alpins (on voudra bien admettre que le Fuji-Yama est le plus haut sommet des Alpes !) repose sur l'idée contraire. La France hésite. Les jeunes loups et les vieux actionnaires forment le parti anglo-saxon. Les chefs d'entreprise réunis par l'Institut de l'entreprise, organisme indépendant apparenté au CNPF, viennent de prendre une position des plus alpines (« La stratégie des entreprises et l'actionnariat », janvier 1991).

La question est vitale pour les véritables capitalistes. En effet, il n'y a guère que deux manières avouables de faire fortune : être compétitif soit dans la production, soit dans la spéculation. Les économies qui privilégient la banque par rapport à la Bourse offrent moins de possibilités de faire fortune vite. Seuls ceux que cela n'intéresse pas peuvent éviter de prendre parti.

La banque ou la Bourse, ce sera le prochain grand débat aux États-Unis. Redoutant la faillite d'un système bancaire archaïque, cloisonné et au bord de l'insolvabilité, le gouvernement Bush vient de déposer un projet de réforme inspiré de l'exemple européen et plus précisément alpin. Pour l'appliquer, il faudrait réduire le nombre des banques de 12 500 à un millier et supprimer près de 200 000 emplois, répartis sur tous les États. Or, ce sont les membres du Congrès qui décideront. Bon courage !

8. *Comment le pouvoir doit-il être réparti dans une entreprise entre les actionnaires d'un côté, les managers et le personnel de l'autre ?*

Cette question, corrélative à la précédente, a transformé de nombreuses salles de conseils d'administration en véritables champs de bataille. J'en connais où les actionnaires ne tolèrent qu'un secrétaire à côté du président ; d'autres où le management et l'actionnariat se font face nombre pour nombre ; d'autres enfin où ce sont les managers qui choisissent les actionnaires et non l'inverse !

Sur cette frontière du Pouvoir dans l'entreprise, la guerre ne cesse de s'étendre et de s'intensifier. Elle a pour enjeu la nature même de l'entreprise. S'agit-il d'une simple marchandise dont le propriétaire, l'actionnaire, dispose librement (modèle anglo-saxon) ? S'agit-il au contraire d'une sorte de communauté complexe où les pouvoirs de l'actionnaire sont balancés par ceux du management, lui-même coopté de manière consensuelle par les banques et, plus ou moins explicitement, par le personnel (modèle germano-nippon) ?

9. *Quel doit être le rôle de l'entreprise en matière d'éducation et de formation professionnelle ?*

La réponse anglo-saxonne est : le moindre possible. Pour deux raisons : c'est un coût immédiat pour un rendement à long terme. Or on n'a plus le temps de travailler à long terme, il faut maximiser les profits tout de suite. D'autre part, c'est un investissement trop incertain compte tenu de l'instabilité de la main-d'œuvre et cette instabilité elle-même traduit le bon fonctionnement du « marché du travail ».

Réponse exactement opposée du côté germano-nippon, où l'on s'efforce au contraire de promouvoir professionnellement tous les salariés dans le cadre d'une politique de gestion prévisionnelle des carrières qui vise à assurer, si possible, l'harmonie sociale et l'efficacité économique. Mais que de débats, là encore, entre ceux qui, d'un côté, font payer un maximum l'expérience qu'ils ont acquise dans d'autres entreprises et, de l'autre côté, ceux qui ruent dans les brancards de la tradition sociale !

A partir de ce problème concret, il est permis d'extrapoler dans plusieurs directions : la tradition anglo-saxonne assigne à l'entreprise une fonction précise et spécifique qui consiste à faire du profit ; la tradition d'Europe continentale et du Japon lui attribue une fonction élargie qui va de la création d'emplois à la compétitivité nationale.

10. *Un secteur type du débat, l'assurance*

Puisque je suis assureur, cette affirmation de ma part traduit peut-être une déformation professionnelle. Je ne le crois pas. Toute société capitaliste a besoin, pour renforcer ses capacités d'innovation et sa compétitivité, d'accompagner et de faire précéder son progrès par le développement des assurances de toute nature. De plus, ce qui oppose le plus profondément les deux capitalismes, c'est la valeur respective qu'ils accordent au présent et à l'avenir. Or, tout incite l'assureur à valoriser l'avenir, car son métier consiste à transporter des ressources du présent vers le futur, en les faisant fructifier.

Mais il y a deux conceptions de plus en plus opposées de l'assurance. La première, anglo-saxonne, en fait une simple activité de marché ; cette conception est puissamment représentée à Bruxelles. La seconde souligne l'importance du cadre institutionnel pour garantir la sécurité des entreprises et celle des particuliers. Si vous croyez que ce débat ne vous concerne pas, c'est parce que vous êtes persuadé que vous n'aurez jamais ni accident d'auto, ni besoin d'une aide à domicile pour vos vieux jours. Est-ce si sûr ?

Ainsi s'opposent les deux paradigmes fondateurs de l'assurance : le premier appartient au monde des jeux d'argent, du risque individuel, de l'aventure marchande et de la navigation au long cours ; le second s'enracine dans une recherche de sécurité communautaire ou solidaire, s'appuyant sur ce filet de sécurité pour mieux explorer l'avenir.

Une véritable caricature des deux modèles du capitalisme. Je vais m'en emparer sans états d'âme, conscient qu'à une époque où les exigences de la télévision vous imposent de traiter toute question, si complexe soit-elle, en moins de trois minutes, il faut oser caricaturer, c'est-à-dire simplifier le plus possible en exagérant le moins possible.

*

Cet aperçu sur dix exemples concrets présente, semble-t-il, un double intérêt.

Vu de l'extérieur, placé comme il l'est aujourd'hui, malgré sa nature, en position de monopole, le capitalisme risque d'apparaître comme un monolithe, un bloc du nouveau déterminisme succédant au déterminisme marxiste. Or, on l'a vu, dans chaque cas, il suffit d'entrer dans le concret pour constater au contraire que le capitalisme réel tel qu'il est vécu dans différents pays n'apporte pas par lui seul une réponse unique, un *one best way* aux grandes questions de la société. Au contraire, le capitalisme est multiple, complexe comme la vie. Ce n'est pas une idéologie, mais une pratique.

Mais, second enseignement, cette diversité tend à la bipolarisation entre *deux grands types de capitalisme d'importance comparable et entre lesquels l'avenir n'est pas joué.* Avant d'avancer une telle idée, il était indispensable de partir de l'observation des faits, car, au regard de la théorie libérale anglo-saxonne, dont l'hégémonie est aujourd'hui presque totale – aussi bien dans l'enseignement que dans la recherche économique –, c'est tout simplement l'inconcevable que je viens d'énoncer. En effet, pour cette pensée, il ne peut y avoir qu'une seule logique pure et efficiente de l'économie de marché. Tout le reste, tout ce qui mélange à la rationalité des prix des considérations de caractère institutionnel, politique ou social, n'est que dégénérescence et bâtardise.

Pour cette pensée académique, les États-Unis constituent en principe le seul modèle de référence et d'efficience. Le « lieu saint ».

En réalité, les choses ne sont heureusement pas si simples. L'objet premier de ce livre est même de montrer qu'à côté du modèle économique néo-américain, d'autres peuvent être à la fois économiquement plus efficaces et socialement plus justes.

Comment les désigner ?

1. En première approximation, on est tenté d'opposer *le modèle « anglo-saxon » au modèle « germano-nippon »*.

Le premier terme habille large ; trop large peut-être : inclure l'Australie et la Nouvelle-Zélande dans la même catégorie que l'Angleterre thatchérienne, c'est oublier que l'influence travailliste y demeure beaucoup plus forte ; de même, s'agissant du Canada, si sa « belle province », le Québec, vient de réaliser un développement exceptionnel pendant une quinzaine d'années, c'est notamment en s'appuyant sur des institutions telles que la Caisse des dépôts ou le groupe Desjardins qui représentent exactement le contraire de ce qui caractérise depuis dix ans le modèle « anglo-saxon » dans son ensemble.

Mais surtout, classer dans un même lot les États-Unis et le Royaume-Uni, c'est faire abstraction d'un phénomène fondamental : aux États-Unis, on l'a vu, il n'y a pas de régime général de sécurité sociale, alors que même Mme Thatcher n'est pas parvenue à éradiquer du corps social britannique son système de sécurité sociale très complet, dont l'origine, rappelons-le, remonte à Bismarck et non pas seulement à Beveridge.

Quant au deuxième terme, « germano-nippon », il rappelle que, depuis un siècle, on a désigné les Japonais comme les « Allemands de l'Asie » et qu'aujourd'hui, les plus grandes entreprises japonaises et allemandes s'unissent dans des associations sans équivalent ailleurs : Mitsubishi et Daimler-Benz, Toyota et Volkswagen, Matsushita et Siemens.

D'autre part, outre l'analogie des systèmes de financement et du rôle social de l'entreprise, le principal élément de rapprochement entre les économies allemande et japonaise est le rôle moteur de l'exportation. Mais on ne retrouve en Allemagne ni le dualisme des grandes entreprises par rapport aux petites sous-traitantes, ni le rôle exceptionnel des maisons de commerce japonaises. Enfin, le CEPII (Centre d'études prospectives et d'informations internationales) qui, depuis vingt ans, étudie l'évolution des spécialisations industrielles, souligne que les deux cas les plus opposés sont précisément l'Allemagne, avec la stabilité de ses points forts (mécanique, matériel de transport et chimie), et le Japon, caractérisé par le changement rapide de ses spécialisations, avec l'effacement du textile, la conversion des chantiers navals, l'explosion des productions automobiles et des produits électroniques de grande consommation.

Au total, la terminologie « modèle anglo-saxon » *versus* « modèle germano-nippon » n'est utile que si l'on regarde les choses de loin.

2. Modèle américain, ou mieux, *modèle néo-américain.*

Dès lors que, malgré la révolution conservatrice introduite par Mme Thatcher, la Grande-Bretagne ne peut manquer de se rapprocher de l'Europe et de s'éloigner de l'Amérique, force est de considérer les États-Unis comme constituant à eux seuls un modèle économique.

Surtout depuis l'élection de Ronald Reagan en 1980. Auparavant, en effet, depuis la crise des années trente, le rôle grandissant de l'État en matière économique et sociale, tant aux États-Unis qu'en Europe, avait rapproché les formes du capitalisme de part et d'autre de l'Atlantique, dans un effort commun pour relever le défi du communisme.

Au contraire, nulle part en Europe continentale, rien ne s'est produit qui ressemble à la révolution reaganienne aux États-Unis. Un nouveau modèle économique s'est alors construit. Il porte d'ailleurs un nom commun, la *reaganomics*. Les difficultés qu'il rencontre à l'intérieur des États-Unis ne nuisent en rien à son extraordinaire rayonnement international. C'est ce phénomène complexe, où les facteurs psychologiques l'emportent sur les données de l'économie réelle, que j'appellerai le *modèle néo-américain.*

3. A ce point de la réflexion, la question qui s'impose est de savoir s'il n'existe pas un *modèle économique proprement européen.* Tout permet *a priori* de le présumer : l'œuvre du Marché commun a commencé depuis plus de trente ans ; l'unité européenne n'est ni politique, ni diplomatique, ni militaire, ni même sociale, mais essentiellement économique ; on ne cesse d'en

parler comme d'une chose achevée ou presque. Et pourtant non, il n'existe pas de modèle économique homogène en Europe. Celui de la Grande-Bretagne est plus proche des États-Unis que de l'Allemagne. Celui de l'Italie, dominé par le capitalisme familial, la faiblesse de l'État, un énorme déficit des finances publiques et une étonnante vitalité des PME, ne se compare à aucun autre, si ce n'est peut-être au modèle des Chinois de la diaspora.

On n'a pas assez dit combien la France et l'Espagne se ressemblent. Elles partagent des héritages comparables de protectionnisme, de dirigisme et de corporatisme inflationniste. L'une et l'autre, après en avoir souffert, se sont libérées de ces archaïsmes par une modernisation accélérée. Toutes deux flottent encore entre trois tendances : une tradition institutionnelle qui, revivifiée, pourrait les rapprocher des pays alpins ; un « air américain » qui multiplie les créations d'entreprises, les spéculations et les tensions sociales propres aux sociétés dualistes ; enfin, un « retour du capital » à l'italienne, avec le jaillissement des fortunes personnelles et la gloire des grandes familles.

Voilà pourquoi on ne peut pas parler de « modèle européen ».

4. Cependant, il existe en quelque sorte un « noyau dur » de l'Europe économique. Il présente deux aspects :

– l'aspect *alpin* : c'est la « zone deutsche mark » qui englobe la Suisse et l'Autriche (sans compter les Pays-Bas). On trouve dans ces pays les éléments les plus forts d'un contre-modèle européen opposé au modèle néo-américain, de même qu'aucune monnaie n'a été, depuis plus d'une génération, gérée d'une manière plus différente du dollar que le deutsche mark ;

– ou bien on considère les choses principalement sous l'angle social, et c'est alors le mot *rhénan* qui est le plus approprié.

Rhénan rime avec texan : le Texas est l'image exacerbée de l'Amérique. De même le mot *rhénan* souligne les traits caractéristiques de la nouvelle Allemagne, qui n'est pas d'inspiration prussienne mais bien rhénane. Elle a été faite à Bonn et non à Berlin.

C'est au bord du Rhin, dans la station thermale de Bad-

Godesberg près de Bonn, que la social-démocratie allemande a décidé, au cours de son congrès historique de 1959, d'adhérer au capitalisme, ce qui était à l'époque pour le moins surprenant. Pourtant, pas d'ambiguïté, c'est bien du capitalisme qu'il s'agissait puisque le Congrès soulignait « la nécessité de protéger et de promouvoir la propriété privée des moyens de production » et préconisait « la liberté de concurrence et la liberté d'entreprise ». Dénoncé à l'époque comme une trahison par l'ensemble des partis socialistes, ce programme fut peu à peu admis par tous, sinon dans leur doctrine, du moins dans leur comportement à l'épreuve des réalités.

Ainsi, l'Allemagne d'Helmut Kohl, héritière de celle d'Adenauer, d'Erhard et même de Brandt et de Schmidt, illustre-t-elle ce qu'il faut désormais appeler le *modèle rhénan du capitalisme,* dont on trouve des représentations non seulement tout au long du fleuve européen, de la Suisse aux Pays-Bas, mais aussi dans une certaine mesure en Scandinavie, et surtout, avec les transpositions culturelles inévitables, au Japon.

*

Maintenant, les acteurs sont en place, le spectacle va commencer.

L'effondrement du communisme met en évidence l'opposition entre deux modèles de capitalisme. L'un, « néo-américain », est fondé sur la réussite individuelle et le profit financier à court terme. L'autre, « rhénan », est centré sur l'Allemagne et comporte beaucoup de ressemblances avec celui du Japon. Comme lui, il valorise la réussite collective, le consensus, le souci du long terme. L'histoire de la dernière décennie montre que le modèle « rhénan », deuxième modèle, qui n'avait pas jusqu'ici eu le droit de recevoir sa carte d'identité, est cependant à la fois le plus juste et le plus efficace.

Fin 1990, le triomphe d'Helmut Kohl en Allemagne, le départ de Margaret Thatcher en Grande-Bretagne sont deux événements qui ne s'expliquent pas seulement par des aléas de politique intérieure. Si l'on veut bien prendre un peu de recul et de hauteur, *on y verra le premier épisode du nouveau combat idéo-*

logique qui va opposer, non plus le capitalisme au communisme, mais le capitalisme néo-américain au capitalisme rhénan.

Ce sera une guerre souterraine, violente, implacable, mais feutrée et même hypocrite, comme le sont, dans une même Église, toutes les guerres de chapelles. Une guerre de frères ennemis armés de deux modèles issus d'un même système, porteurs de deux logiques antagonistes du capitalisme au sein d'un même libéralisme.

Et peut-être même, on va le voir, de deux systèmes de valeurs qui s'opposent quant à la place de l'homme dans l'entreprise, à la place du marché dans la société et au rôle de l'ordre légal dans l'économie internationale.

On se plaignait, depuis la fin des idéologies, de manquer de débats. Nous n'allons pas être déçus.

1
America is back

La gloire de l'Amérique était si éclatante après la guerre du Golfe que, pour un peu, les couronnes de ruban jaune nouées en l'honneur de George Bush sur le fronton de la Maison-Blanche nous auraient fait oublier que le « retour de l'Amérique » avait été la devise et l'œuvre de Ronald Reagan.

Pourtant, l'Amérique de Reagan, celle d'hier, n'en finit pas de flamboyer partout dans le monde.

Dans l'hémisphère Sud, le capitalisme conquérant de Reagan fascine toujours les décideurs – voire les intellectuels – empêtrés dans la dette et le dirigisme. De Brasilia à Lagos, l'image des idées reaganiennes incarne de plus en plus, depuis le milieu des années quatre-vingt, la réussite, le dynamisme, la prospérité.

Quant au monde communiste, à l'heure du grand effondrement de 1989-1990, il paraît avoir littéralement plébiscité d'un seul mouvement – et mythifié – Ronald Reagan (et Margaret Thatcher). A Budapest, les nouveaux partis hongrois – Forum démocratique ou Alliance des démocrates – ne jurent plus que par l'économie de marché dans sa version pure et dure. En Pologne, des « clubs libéraux » se sont constitués de Gdansk à Cracovie, dont Ronald Reagan et Margaret Thatcher sont les figures emblématiques. Quant au « plan Balcerowicz » (du nom du jeune ministre de l'Économie et des Finances) appliqué avec courage – et non sans succès – à la Pologne, il s'inspire ouvertement du modèle reaganien. Sans parler du score stupéfiant réalisé, au premier tour des présidentielles de novembre 1990, par Stanislaw Tyminski, un inconnu au parler basique que « Ronnie » n'eût pas renié : faites fortune comme je l'ai fait moi-même ! Ce triomphe populaire du reaganisme le plus caricatural n'a rien d'étonnant. A l'Est, désormais, chacun est si fermement convaincu que le communisme incarnait le mal – et l'échec – absolu qu'on est donc tout prêt à croire que plus le capitalisme sera pur, plus il sera dur, plus il sera proche du bien absolu.

L'un des meilleurs connaisseurs britanniques des pays de l'Est, Timothy Garton Ash, qui a suivi pas à pas la « révolution de 1989 » pour *The New York Review of Books,* écrit dans son livre publié fin 1990 (*La Chaudière,* Gallimard, 1990) : « On pourrait dire que le marché libre est la toute dernière utopie centre-européenne. »

Utopie, miracle... C'est assurément à ce « miracle » que rêvent les cinq ou six cents Soviétiques qui piétinent, chaque jour, sur la place Pouchkine de Moscou pour atteindre, après trois heures de queue, le restaurant McDonald's, ouvert en 1990, que les Moscovites ont baptisé le « nouveau mausolée ». Et même à Pékin, oui, à Pékin, le nom de Reagan est parfaitement connu des Chinois moyens. Et pieusement honoré.

Mais ne sourions pas trop de ces « naïvetés exotiques ». Chez nous, en Europe de l'Ouest, le même courant de pensée – reaganien – demeure dominant, alors même qu'il ne l'est plus vraiment outre-Atlantique. Dérégulation, recul de l'État, allégements fiscaux, exaltation du profit pour le profit, « challenge », etc., telle est encore la vulgate à la mode. Quant à l'« air du temps », c'est peu dire qu'il soit outrageusement « libéral ». A droite, bien sûr, où l'on se montra parfois, de 1986 à 1988, plus reaganien que Reagan. Mais à gauche également, où l'on n'en revient pas vraiment d'avoir redécouvert – sous les décombres du « programme commun » – la vertu du profit et les mérites de l'entrepreneur.

C'est encore Reagan qui, avec Margaret Thatcher, triomphe dans l'Europe des Douze. Certes, Mme Thatcher a été battue dans son propre parti notamment pour s'être opposée à la construction européenne. Mais en réalité, ce sont ses idées qui ont principalement inspiré le « futur grand marché de 1992 », qui hypertrophie le commercial en atrophiant, malgré tous les efforts de Jacques Delors et du Parlement européen, le politique et le social. En gros, un simple marché, quoi ! Un supermarché et c'est tout, ou presque. Jamais dans l'Histoire on n'avait vu autant d'intégration marchande avec si peu de pouvoir politique pour l'encadrer. Ici, l'Amérique elle-même se trouve dépassée.

Plus généralement – et plus insidieusement –, les « valeurs » (vraies ou fausses) de l'Amérique de Reagan paraissent s'être installées à demeure sur le Vieux Continent. Comme si chaque Européen en avait, sans le savoir, inhalé une forte dose avec l'air qu'il respirait. Comme si, à l'europessimisme d'hier, s'était substituée une version très musclée – mais limitée – du libéralisme. Éloge des gagneurs, mise entre parenthèses du « social », indifférence aux exclus, optimisme productiviste, culte de la performance : l'Europe de 1991, c'est encore, d'une certaine manière et par procuration, le triomphe de l'ancien cow-boy de la Maison-Blanche et de la guerre des étoiles.

Mais c'est surtout le *triomphe d'un contresens*. Car l'Europe de l'Ouest, qui, jadis, s'était tant trompée en surestimant la puissance économique de l'URSS, se méprend de nouveau aujourd'hui au sujet de l'Amérique. Une Amérique dont elle a du mal à repérer les faiblesses, économiques et sociales, derrière la puissance militaire. Et encore ce contresens-là n'a-t-il plus les excuses que fournissaient, hier, les épais mystères du Kremlin, l'opacité de l'URSS avec sa langue de bois, ses palmarès mensongers et ses fausses statistiques. L'Amérique, elle, première démocratie du monde – et la plus transparente –, se débat sous les sunlights. Aveuglants sunlights, justement...

Le **big-bang** *américain*

Pour qu'une si aveuglante « lumière américaine » irradie encore – et souvent à tort – l'ensemble du monde, fallait-il que soit fulgurant le *big-bang* originel dont elle était issue ! Et réellement fascinante, vue du dehors, la naissance du reaganisme, au tout début des années quatre-vingt. Que s'était-il passé à ce moment-là ? Et pourquoi ? Pour démasquer un mythe, mieux vaut comprendre d'où il vient.

« L'Amérique est de retour ! » Par ce slogan claironnant, Ronald Reagan, futur président des États-Unis, voulait, en 1980, réveiller l'ardeur américaine, conjurer le syndrome du Vietnam et ressusciter le mythe des pionniers. Un réveil urgent pour la première puissance mondiale qui se trouvait engluée dans les crises intérieures, humiliée à l'extérieur – notamment par l'Iran de Khomeyni et l'affaire des otages –, menacée, pensait-elle, par l'hégémonie militaire soviétique et fragilisée (déjà !) par la concurrence nouvelle des pays européens et surtout du Japon. Souvenons-nous.

Comment l'Amérique « impériale » en était-elle arrivée là ? Par quels obscurs cheminements de la conscience collective, sous l'effet de quels doutes de soi, de quels désarrois, avait-elle fini par confier son destin à un acteur aux idées fortes mais sommaires, un homme de l'Ouest à la morale très traditionnelle, à l'idéologie vaguement archaïque ? Pourquoi cette soudaine « révolution conservatrice » (c'est ainsi qu'on l'appellera) balaiera-t-elle, d'une côte à l'autre, une société si moderne et si permissive qui faisait fête, quelques années auparavant, aux ultra-réformateurs de l'équipe McGovern et aux expériences *new age* de la Californie ? Pourquoi cette brusque volonté de puissance ? Et de revanche ?

Ces questions ne sont pas obsolètes. Il est même urgent d'y répondre si l'on veut comprendre l'état actuel de l'Amérique. Celle de George Bush. Celle de la dette sous la gloire... Mais comprendre le capitalisme américain exige aussi que l'on prenne en compte le long terme, les évolutions plus profondes trop souvent négligées. Certaines données de base, en effet, sont à l'origine tout aussi bien de la puissance que de la faiblesse américaines.

Trop d'humiliations, pas assez de certitudes

L'arrivée de Ronald Reagan à la Maison-Blanche coïncidait avec un trouble bien particulier de la conscience américaine, que l'on pourrait caractériser d'une phrase : trop d'humiliations, pas assez de certitudes.

Pour ce qui est des humiliations, les dix années précédant l'élection de Reagan n'avaient guère offert à l'Amérique qu'une interminable série de revers internationaux. Et non des moindres. Comme si la débâcle du Vietnam et celle du Cambodge avaient irrésistiblement annoncé le repli général. En Afrique, au même moment, l'URSS ou ses alliés cubains marquaient des points que l'on pensait décisifs : en Éthiopie, en Angola, en Guinée-Bissau et au Mozambique. Au Proche et au Moyen-Orient, l'Amérique perdait avec le shah d'Iran, gendarme du Golfe, son meilleur allié ; elle demeurait sans prise sur une guerre civile libanaise – commencée en 1975 – largement manipulée par les Syriens ; et Kissinger, la même année, avait fort à faire pour obtenir d'Israël qu'il accepte les accords de désengagement dans le Sinaï. Aux portes mêmes des États-Unis, en Amérique centrale, la chute de Somoza au Nicaragua et l'arrivée au pouvoir des sandinistes sonnaient le glas de la doctrine de Monroe qui faisait du continent latino-américain une « chasse gardée » américaine, un glacis inviolable.

Humiliations, repli, impuissance... Partout sur la planète, l'influence américaine semblait en recul au profit de l'expansionnisme soviétique. La bannière étoilée brûlée sur les trottoirs de l'hémisphère Sud, l'Amérique conspuée, défiée, accusée : telle était l'image du monde qu'enregistrait quotidiennement le téléspectateur moyen de Houston, Springfield ou Detroit. Humiliations et lassitude ajoutées à un brin de rage impuissante : il n'en fallait pas plus pour faire naître peu à peu dans l'opinion une obscure nostalgie de la grandeur. Et de la puissance. Si Ronald Reagan, alors, n'avait pas existé – avec des idées claires et le vocabulaire de John Wayne –, sans doute eût-il fallu, inévitablement, l'inventer. *America is back !*

Plus douloureux que cette avalanche d'humiliations fut sans doute ce grave déficit de certitudes que ressentait alors obscurément l'Amérique. Sur ce terrain aussi, les années soixante-dix avaient été des années noires. A la confiance avait succédé le doute, au « rêve américain » s'était substitué le « mal américain », pour reprendre le titre d'un ouvrage de Michel Crozier. Quel « mal » ? Revenant à cette époque à Harvard, où il avait enseigné dix ans auparavant, Crozier décrivait ainsi son sentiment : « Tout était semblable et pourtant différent ; tout, en fait, avait changé de signification. Le rêve s'était dissipé, il n'en restait que des mots, une rhétorique vide » (*Le Mal américain*, Fayard, 1980).

Mais ce « mal américain » n'était pas seulement un de ces vague à l'âme imprécis auquel s'abandonnent parfois les nations. Il affectait les institutions elles-mêmes, le droit, qui, dans ce pays adossé à la Bible et à la Constitution, sont la vraie patrie de chaque Américain. La crise du Watergate, les mensonges puis la démission de Richard Nixon avaient gravement ébranlé cette confiance-là. Au point que la présidence de Jimmy Carter avait été celle d'un exécutif affaibli auquel le Congrès n'apportait pas d'alternative crédible. Crise des institutions, crise de l'Amérique…

Comment gouverner, dès lors, la première puissance du monde quand les principes du *check and balance,* inspirés de Montesquieu, paralysent littéralement l'exécutif ? Henry Kissinger raconte dans ses Mémoires comment il dut continûment ruser pour préserver certains secrets essentiels à la mise en œuvre de sa politique étrangère.

Dans un tel climat, l'abstentionnisme politique, traditionnel chez les Américains (rarement moins de 50 %), virait au dégoût pur et simple. A la fin des années soixante-dix, l'opinion n'espérait plus grand-chose de la politique. Mais, confusément, elle attendait un sauveur.

Ce n'est pas tout. D'autres maux, plus insidieux, commençaient alors à ronger l'Amérique. Le culte du droit qui tourne au fétichisme juridique en est un. Un véritable délire procédurier s'est emparé des Américains. C'est d'autant plus important à savoir qu'au même moment une mode nouvelle traversait l'Atlantique, suivant laquelle le règne du droit, fondé sur une jurisprudence en constante évolution, constituerait une supériorité croissante des États-Unis sur l'Europe continentale. La réalité est bien différente. C'est ce délire procédurier qui fait la fortune des *lawyers* (avocats), mais rend opaque, poussive, affolante la machine judiciaire de l'État de droit. Tout désormais peut fournir matière à procès et les avocats qui assiègent le gros gibier pourchassent le petit avec un flair de chiens d'arrêt.

Un exemple est resté célèbre, celui de la société IBM qui fut obligée de louer un immeuble entier à Washington pour loger les avocats qu'elle avait engagés pour un procès – un seul – contre l'État.

Le droit, fondateur de l'Amérique, éminent régulateur de la « société des contrats », est ainsi devenu un maquis impénétrable dans lequel s'enchevêtrent, avec la jurisprudence, les innombrables réglementations fédérales, locales.

Mais un autre fondement de la société américaine s'est, à l'époque, dangereusement affaibli : le mouvement associatif, ces innombrables cellules locales, sportives, corporatistes, caritatives, etc., qu'admirait Tocqueville et qui animaient l'ensemble de la société civile. Ces mille et une associations, souvent pittoresques mais bien vivantes – et puissantes –, qui diffusaient une certaine idée du bien public et du civisme. L'Amérique désenchantée se trouvait moins bien armée pour résister à ce sentiment qui n'appartient guère à ses traditions : le cynisme combinard. Quant à la fameuse « majorité silencieuse », elle ressentait douloureusement cette désagrégation du tissu social et du système politique. D'où une aspiration générale à un retour aux valeurs traditionnelles, une soif de certitudes, même élémentaires, même archaïques, qui habitait une société déboussolée par la rapidité des changements et l'ivresse de « permissivité » venue de Californie.

Le discours musclé et simplificateur de Ronald Reagan tombera à point nommé pour combler ces attentes. Il saura exploiter tout à la fois un contexte économique favorable – l'excès de bureaucratie et l'interventionnisme de l'État fédéral – et un climat intellectuel. Sans parler de la situation internationale qui démultipliera les effets de son message : l'Amérique revient.

Le nouveau défi américain

Ronald Reagan, candidat du parti républicain, est triomphalement élu le 4 novembre 1980 avec neuf millions de voix de majorité contre Jimmy Carter. Quarante-quatre États sur cinquante et un ont voté pour lui. Il l'emporte même à New York et dans les États industriels du Nord, fiefs traditionnels des démocrates. En 1984, sa réélection sera plus triomphale encore puisqu'il aura dix-sept millions de voix de majorité et triomphera dans quarante-neuf États.

Aucun commentateur, en vérité, ne s'attendait à pareille victoire de Reagan, qui représentait l'aile conservatrice du parti républicain. Son programme, imprégné de la grande mythologie des fondateurs et des pionniers, qu'il défend avec un art consommé de la mise en scène et de la communication, se ramène à quelques grands principes.

Reagan affirme tout d'abord vouloir ramener l'Amérique au premier rang de la scène internationale. Il s'agit d'en finir une fois pour toutes avec les humiliations et les défaites. Plus jamais d'images aussi terribles que celles des derniers hélicoptères de l'US Army assurant, en catastrophe, l'évacuation de Saigon, ou encore celle des corps des G. I. calcinés dans le désert iranien de Tabas après l'échec, en avril 1980, de la tentative de libération des otages de l'ambassade américaine à Téhéran. Plus jamais d'alliés abandonnés ni de piteuse capitulation devant les « forces du mal ». L'Amérique est la première puissance militaire du monde, elle entend désormais l'affirmer. Notamment face à l'hégémonisme soviétique de la fin de l'ère Brejnev. C'est d'ailleurs aux Soviétiques que Reagan lancera bientôt un fabuleux défi: la « guerre des étoiles » ou « initiative de défense stratégique » (IDS).

De quoi s'agit-il? Dans un discours télévisé, calculant ses effets mais visiblement tout à sa conviction, Ronald Reagan s'en expliquera le 23 mars 1983 devant toute l'Amérique. Il s'agit ni plus ni moins, dit-il, de mettre fin à toute possibilité d'une guerre nucléaire en construisant, dans l'espace, un bouclier capable d'intercepter tous les missiles soviétiques. Mettant à profit certaines techniques éprouvées (détection électronique, satellites tueurs) et d'autres qui devront l'être (laser, canons à faisceaux d'électrons, etc.), l'IDS vise à mettre définitivement le sol américain à l'abri.

Le projet, qui fera l'objet d'innombrables polémiques d'experts, est largement utopique. Certaines de ses composantes, en effet, requièrent un « bond technologique » majeur et nul n'est assuré de sa totale fiabilité. Financièrement, il est extraordinairement risqué, même pour le pays le plus riche du monde. 250 milliards de dollars sont prévus pour sa réalisation, dont 10 % pour la seule recherche. C'est déjà considérable. Mais en outre, des dépassements que nul ne peut chiffrer sont prévisibles.

La « guerre des étoiles », en revanche, est un incontestable succès médiatique et politique. Sa conception futuriste et son objectif (plus de guerre !) feront rêver l'opinion internationale et fascineront jusqu'aux plus blasés. Quoi de plus séduisant, *a priori,* que le concept purement défensif de ce bouclier arrêtant l'épée de Damoclès du feu nucléaire ? En rêvant tout haut d'une prochaine victoire du bouclier sur le glaive, Reagan met en route une rhétorique imparable. Le « bouclier » n'est-il pas, par excellence, l'arme des « justes » quand le glaive est celle des « méchants » ? (« Bouclier du désert » sera d'ailleurs le premier nom de code donné en août 1990 à l'opération de riposte à l'annexion du Koweït par Saddam Hussein ; opération transformée par la suite en « Tempête du désert ».) Les adversaires de l'IDS, notamment en Europe, auront beau dénoncer les « ambitions cachées » de Reagan – rompre au profit de l'Amérique la parité nucléaire en protégeant prioritairement les sites stratégiques –, l'impact de la « guerre des étoiles » sera considérable. Et le message perçu clair et net : l'Amérique reprend l'initiative, mais la « guerre des étoiles » ne met en jeu que des armes défensives. C'est, dans la rhétorique reaganienne, un sursaut tout à la fois militaire et... pacifiste. Ajoutons que certaines victoires militaires américaines dans le Golfe, en janvier-février 1991, furent rendues possibles par la technologie mise en œuvre dans le cadre de l'IDS.

Quant au formidable défi – technologique et financier – lancé à l'URSS, il se révélera plus efficace encore qu'on ne l'imaginait. Vers la fin des années quatre-vingt, après plusieurs années de perestroïka, certains responsables soviétiques reconnaîtront le rôle joué par la « guerre des étoiles » dans la capitulation idéologique du système soviétique. Dans cette gigantesque partie de poker planétaire que représente la course aux armements, l'URSS, cette fois, ne pourra plus « suivre ». Mais pour l'Amérique, l'impulsion technologique que représente l'IDS est tout bénéfice. L'espace, l'informatique, le laser : là se joue en effet la maîtrise du XXIe siècle.

A la même époque, l'administration Reagan multiplie les actions politiques et diplomatiques de soutien aux alliés de l'Amérique. Installation des fusées Pershing en Europe pour contrer les SS 20 de l'Armée rouge, financement des mouvements anticommunistes en Angola, en Afghanistan et au Nicaragua : partout la même volonté est affichée, celle de faire reculer l'influence soviétique. L'Amérique revient !

A ce come-back international s'ajoute, évidemment, sur le plan intérieur, un renouveau volontariste et sans complexe du capitalisme américain dans sa version conquérante. L'équipe Reagan exalte l'entrepreneur, dénonce les gaspillages de l'État fédéral et surtout l'impôt, cet impôt calamiteux qui décourage les initiatives et bride les forces vives de l'Amérique. L'Amérique, ce continent du rêve et du risque où chacun peut devenir Rockefeller, pourvu que se trouvent libérées les lois sacrosaintes de la libre entreprise ; pourvu aussi que chacun se souvienne qu'une « main invisible » – celle d'Adam Smith et des pères fondateurs du libéralisme – mettra l'enrichissement de chacun au service de tous. Enrichissez-vous ! Que les riches deviennent plus riches ! Que les pauvres se mettent au travail au lieu d'attendre de l'État tous ces secours et ces « programmes sociaux » qui ne sont jamais que l'alibi de la paresse ! Quant aux besoins élémentaires des plus démunis et des laissés-pour-compte, la charité y pourvoira. Ce n'est pas l'affaire de l'État. Le message est simple. Et il passe.

Mieux encore, il tire sa force neuve des échecs précédents et de la crise du credo keynésien illustrée par la récession des années soixante-dix. Celle-ci, en effet, avait paru sonner le glas d'une théorie fondée sur la stimulation de la demande et le déficit budgétaire et qui, auparavant, avait contribué – en Europe notamment – au succès des « trente glorieuses » (1945-1975).

En 1980, l'Amérique n'est pas la seule à avoir enterré les idées de Keynes.

Arrêtons-nous ici un instant. Reagan, on va le voir, a surtout réformé en déréglementant, en réduisant le rôle de l'État. Il y a un seul domaine où il a, au contraire, renforcé la puissance fédérale, donné à l'Amérique un vrai projet prioritaire pour le long terme, c'est la défense. Dans ce domaine, le succès a dépassé les espérances, comme la guerre du Golfe vient encore de le montrer.

Retenons, nous, cette notion de long terme, car dans tous les autres domaines, l'Amérique de Reagan l'oubliait alors qu'elle constitue la force profonde des industries allemande et japonaise.

L'Amérique n'est pas la seule à avoir enterré Keynes. En Europe, les politiques de relance par la consommation – celle de Jacques Chirac en 1975, celle d'Helmut Schmidt en 1978 – ont échoué. La leçon qu'on a tirée de ces échecs contredit des opinions jadis solidement ancrées : contrairement à ce qu'on avait enseigné dans toutes les universités, il apparaissait, en effet, que chômage et inflation peuvent coexister. La fameuse courbe de Phillips qui postulait le contraire n'est plus valable devant cette maladie économique nouvelle au nom barbare et qui gagne partout du terrain : la stagflation.

C'est bien toute une pensée économique qui, croit-on, se trouve frappée d'obsolescence. A sa place, contre elle, émergent de nouveaux courants – radicaux – dont le reaganisme se fera le champion. Les théoriciens de l'offre *(supply side economics)* et les monétaristes, sous la houlette de Milton Friedman, proposent une politique qui prend à rebours les principes keynésiens les plus élémentaires. Leurs maîtres mots sont : allégements fiscaux, contrôle strict de la monnaie, déréglementation et privatisation. Dans l'Amérique retrouvée où le self-made man reprend sa place, l'État perd la sienne.

Concrètement, plusieurs réformes spectaculaires sont entreprises. C'est l'ERA (Economic Recovery Act) qui constitue le fer de lance de cette politique. Il comporte trois volets essentiels. Premier volet : la dérégulation dans les secteurs du pétrole, des télécommunications, des transports aériens, de la banque et de la concurrence. Cette dérégulation, en vérité, avait été engagée par Jimmy Carter dès 1978. Mais elle sera désormais appliquée avec la plus grande vigueur. Le deuxième volet concerne, lui, le système fiscal. Une vaste réforme est adoptée. Elle vise à simplifier l'impôt sur le revenu en supprimant les déductions et en réduisant les taux d'imposition, surtout les plus élevés. Troisième volet : la lutte contre l'inflation grâce au contrôle drastique de la masse monétaire. Paul Volcker, président de la Réserve fédérale (nommé par Jimmy Carter), s'y emploie avec une énergie très combative. Conséquence immédiate : l'argent devient plus cher, la fête est finie. Les taux d'intérêt, en effet, atteindront des niveaux spectaculaires, dépassant même 20 % en 1980-1981. Du coup, le dollar monte, monte, jusqu'à dépasser 10 F au début de 1985. Et les conseillers de Reagan parvenaient à faire croire que le dollar était fort parce que l'économie américaine était forte.

L'administration Reagan, pour compléter l'ERA, avait entrepris de réduire sans états d'âme les dépenses sociales et d'augmenter notablement le budget militaire. Le choix était peut-être contestable, mais il a le mérite de la clarté et de la cohérence. Moins de transferts sociaux, cela illustre la confiance retrouvée dans l'individu et dans les lois du marché. Plus de crédits militaires, cela donnera des muscles à l'Amérique et aux stratèges de l'équipe Reagan les moyens de leurs ambitions.

Politique de choc et choc politique : la « révolution conservatrice », pour reprendre le titre d'un livre de Guy Sorman (Fayard, 1983), est en marche. Elle va, sinon conquérir le monde, du moins le fasciner.

America, America

L'Amérique est revenue ! Un peu partout, au fil des premiers mois, l'incrédulité de ceux qui imaginaient mal un cow-boy d'Hollywood installé à la Maison-Blanche se mue en circonspection, puis en curiosité, enfin en surprise admirative. Même chez certains intellectuels européens, hier encore goguenards. La force du nouveau président, il est vrai, tient en partie au talent très professionnel avec lequel il utilise l'impact fantastique des médias pour propager son message. Ronald Reagan est aidé en cela par une équipe de spécialistes de la communication et servi par des dons que pourraient lui envier bien des chefs d'État. Dosant ses effets, soignant son image de « patron » impassible et d'Américain amoureux de son ranch, de son épouse et du Far West, il occupe les médias sans jamais donner l'impression – comme Carter – qu'il s'épuise à étudier les dossiers. C'est un président qui a le temps... Et c'est un président courageux : ne s'est-il pas relevé en plaisantant, juste après l'attentat dont il a été l'objet le 30 mars 1981 ? N'a-t-il pas subi, sans problème, une opération chirurgicale très médiatisée ? On l'appellera le « grand communicateur » et l'Amérique pourra bientôt, sans difficultés, exporter son image.

Mais Ronald Reagan est aussi un intuitif de génie, capable de surfer sur la vague libérale des années quatre-vingt. Il tire profit du pessimisme de la social-démocratie européenne. Son programme est à la mode. Il le sait. Il sait en jouer. En illusionniste s'il le faut. Car il est capable, mieux que quiconque, d'en dissimuler les faiblesses et les zones d'ombre. Ce déficit budgétaire faramineux, par exemple, qui se creusera d'année en année au point de devenir le plus abyssal de toute l'histoire américaine. Ou encore le soutien aux mouvements pro-occidentaux de l'hémisphère Sud qui sera limité par un Congrès hostile.

Il n'empêche ! Malgré ces points faibles, la nouvelle Amérique ressuscitée par Ronald Reagan est vite à l'apogée de son influence. Elle paraît même redevenue cette Rome messianique du capitalisme à nouveau capable d'inonder la planète de ses lumières. Le credo libéral reaganien se répand d'ailleurs comme une traînée de poudre. Les Européens, bons élèves, ouvrent la marche, bientôt suivis par les pays du tiers monde. Plus que jamais, la Banque internationale pour la reconstruction et le développement (BIRD) et le Fonds monétaire international (FMI) encouragent, chez ces derniers, le recours au marché, la concurrence, l'entreprise privée. Dans les pays du Sud – comme en Europe –, on privatise à tour de bras. Et la politique monétaire est directement inspirée de celle de la Réserve fédérale américaine : il s'agit, grâce à la rigueur, d'éradiquer une inflation qui ronge les patrimoines, érode les revenus et accroît les inégalités.

SOURCE : *Valeurs actuelles,* 3 décembre 1990, p. 43.

Bref, au milieu des années quatre-vingt, l'Amérique de Reagan brille à nouveau comme les étoiles qui ornent son drapeau. A nouveau respectée (ou crainte), à nouveau imitée, à nouveau enviée, elle a bel et bien repris le *leadership.*

Les fondements de la puissance américaine

Dès cette époque, pourtant, un doute s'est installé dans certains esprits. Cette renaissance spectaculaire est-elle réellement fondée, ou doit-elle tout aux talents de prestidigitateur de Reagan ? Doit-elle ses succès, comme on le clame partout, aux vertus « idéologiques » et philosophiques du reaganisme, ou s'explique-t-elle *surtout* par certains atouts spécifiques – pour ne pas dire privilèges – dont bénéficie l'Amérique ? Poser la question ainsi, c'est déjà y répondre. Car en fait, le « renouveau » reaganien qui fascinera tant de décideurs sur la planète n'est pas vraiment un miracle économique à l'instar de celui dont peuvent s'enorgueillir, par exemple, la RFA, le Japon et la Corée du Sud. Avec les États-Unis, le jeu est quelque peu faussé, car ceux-ci bénéficient de véritables privilèges.

Ils jouissent d'abord d'un actif sans équivalent, prodigieux héritage économique, financier, technologique dont ils perçoivent les dividendes et que Reagan trouve à son arrivée à la Maison-Blanche. Énumérons :

– *Le stock de capital,* d'abord, que les États-Unis ont accumulé depuis la fin de la guerre est incomparable. A l'intérieur des frontières, ils possèdent d'immenses réseaux d'infrastructures souvent modernes : aéroports, autoroutes, universités, usines, patrimoine immobilier, etc. A l'étranger, leurs multinationales contrôlent des actifs gigantesques et fortement sous-estimés par une comptabilité souvent établie en termes de coûts d'acquisition, sans tenir compte des réévaluations actuelles. Ainsi, en 1980, le stock d'investissements américains à l'étranger s'élevait à 215 milliards de dollars. En 1987, il était passé à 309 milliards de dollars (Paul Mentré, *L'Amérique et Nous,* Dunod, 1989). Cet héritage, ces acquis en capital, non seulement procurent à l'Amérique des revenus substantiels, mais lui permettent de bénéficier d'une belle longueur d'avance : en 1988, les investissements directs des sociétés américaines à l'étranger représentaient encore, en stock, trois fois ceux des japonaises.

– *Les ressources naturelles* de l'Amérique, ensuite, sont parmi les plus importantes du globe. Ses réserves énergétiques, notamment en gaz naturel et en charbon, sont immenses. Elle possède presque tous les métaux à l'exception de quelques minerais stratégiques. Enfin, la population américaine, quatrième du monde par le nombre mais première parmi les pays développés, constitue une richesse sans équivalent dans le monde. L'Amérique, en somme, est assise sur un tas d'or. Une position plus confortable, on en conviendra, que celle du Japon, par exemple, qui n'a ni matières premières, ni sources d'énergie et qui, avec une population vieillissante, manquera de plus en plus de main-d'œuvre sur son étroit territoire.

– *En matière technologique,* l'Amérique bénéficie d'un avantage comparatif tout aussi important. Les plus grands chercheurs, les meilleurs ingénieurs, les plus brillants étudiants viennent, avec ou sans Reagan, travailler aux États-Unis. Ils apportent avec eux ce fameux capital dont tout le monde s'accorde à dire qu'il est le plus précieux : la matière grise. Un signe témoigne, à lui seul, de cet avantage : le nombre des prix Nobel qui reviennent régulièrement aux scientifiques américains. Année après année, le *brain drain* (drainage des cerveaux) alimente l'Amérique en intelligence. Parce que l'Amérique leur permet de s'épanouir : ce n'est pas une rente de situation, mais un avantage conquis. Et dont on sous-estime souvent la portée : tout le monde sait que le fameux missile *Patriot* comporte des composants japonais, mais le fait que Sony ne pourrait produire ses caméscopes sans les puces de Motorola n'est pas traité comme un événement.

– *Le privilège monétaire,* ensuite, se révèle déterminant. Depuis 1945 (accords de Bretton Woods), en effet, le dollar sert de monnaie de référence dans les transactions internationales. Il est également la principale monnaie de réserve qu'engrangent les banques centrales de la plupart des pays. Extraordinaire privilège impérial, que celui qui permet à l'Amérique de payer, d'emprunter et de financer ses dépenses avec sa propre monnaie. Un privilège qui, dans les faits, va plus loin qu'on ne le pense ordinairement. L'économiste américain John Nueller l'explique sans détours (*Le Monde,* 10 juillet 1990).

« Imaginez pour un instant *(écrit-il)* que toute personne que vous rencontrez accepte en paiement les chèques tirés par vous. Ajoutez à cela que tous les bénéficiaires de vos chèques, ainsi répartis à travers le monde, omettent de les encaisser et s'en servent en guise de monnaie pour régler leurs propres dépenses. Cela aurait, sur vos finances à vous, deux conséquences importantes. La première serait que, si tout le monde acceptait vos chèques, vous n'auriez plus besoin de vous servir de billets de banque, votre carnet de chèques suffirait. La seconde conséquence serait qu'en prenant connaissance de votre relevé de compte, vous auriez la surprise d'y découvrir un solde supérieur au montant de la somme non dépensée par vous. Pourquoi ? Pour le motif exposé plus haut, à savoir que les chèques tirés par vous circuleraient, sans jamais être encaissés, passant incessamment d'une main à l'autre. Quant aux résultats pratiques, ce serait de mettre à votre disposition plus de ressources pour consommer et pour investir. Plus les autres feraient usage de vos chèques comme monnaie, plus abondantes seraient les ressources supplémentaires dont vous disposeriez... »

Partant de ce raisonnement, Nueller estime que les États-Unis ont pu disposer d'*environ cinq cents milliards de dollars* de plus qu'ils n'en ont tiré des impôts payés par les contribuables américains et des emprunts souscrits par les épargnants américains ou étrangers. Cinq cents milliards de dollars, c'est l'équivalent d'environ *trente et un ans* d'aide publique américaine au tiers monde. (Celle-ci s'élève en effet à seize milliards de dollars par an.)

Ce privilège monétaire demeure d'une importance considérable. Mais il se double de quelques privilèges financiers qui ne sont pas moins importants. Ainsi, on estime à mille deux cents milliards de dollars les sommes qui circulent chaque jour sur les réseaux financiers américains. C'est plus que le produit intérieur brut (PIB) annuel de la France. L'Amérique règne donc sur l'argent. Le sien et celui des autres. Le dollar est à la fois le signe et l'instrument de cette puissance.

– *L'hégémonie culturelle,* quant à elle, survit à toutes les vicissitudes de l'histoire américaine. Mieux, elle ne cesse de se renforcer. Comme si l'américanisation de la planète était un processus irrésistible, tirant sa force de son propre mouvement, surmontant sans faiblir les critiques ou résistances locales. Pour des milliards de personnes à travers le monde, et en Chine communiste plus que nulle part ailleurs peut-être, l'accès à la modernité s'identifie au mode de vie et de pensée américain. Cette hégémonie culturelle s'appuie sur trois facteurs au moins, qui sont la langue, les universités et les médias.

Pour la langue, c'est évident. *L'anglais est un espéranto* quasi universel dans le monde. Utilisé par les touristes, certes, mais surtout par les scientifiques et les hommes d'affaires. Aucun produit au monde n'est aussi demandé que celui-ci : l'anglais, la langue américaine, celle de l'empire... Ce qu'il y a de plus insupportable pour les Québécois, par exemple, c'est que les nouveaux immigrants, qu'ils viennent d'Amérique latine ou d'Asie, veulent apprendre l'américain et rien d'autre. Plus précisément, il existe désormais, en matière de business ou de technologie, un langage universel qui non seulement utilise l'anglais, mais emprunte son contenu aux concepts développés dans les universités américaines. C'est bel et bien un ensemble de valeurs, d'habitudes, de schémas de pensée qui se trouvent diffusés, en permanence, sur toute la planète.

Le second instrument d'hégémonie culturelle est sans doute le plus puissant. Il tient à l'influence quasi universelle du système d'enseignement supérieur américain. Ce sont les riches et prestigieuses universités américaines, en effet (Harvard, Stanford, Wharton, Berkeley, Yale, UCLA...), qui attirent les meilleurs éléments venus de la terre entière. La qualité de leur enseignement, leurs ressources et leur rayonnement sont tels que l'élite internationale s'y retrouve. Ce n'est pas seulement satisfaisant pour l'amour-propre américain, c'est prodigieusement efficace sur le long terme. L'Amérique, en effet, peut diffuser, au plus haut niveau, sa culture, ses valeurs, ses méthodes dont les anciens étudiants étrangers de Stanford ou Berkeley se feront, une fois revenus chez eux, des propagateurs. Ainsi, la plupart des nouveaux dirigeants des pays latino-américains ont été formés dans ces universités. Et leur influence commence à s'exercer de manière positive en faveur du développement économique de plusieurs de ces pays; le Mexique et le Chili en sont les deux meilleurs exemples.

Quant aux jeunes cadres européens, ils rêvent tous du « master » magique qui leur ouvrira les portes des meilleures entreprises. En matière d'enseignement économique, l'Amérique bénéficie toujours d'un quasi-monopole. L'efficacité de celui-ci est telle que, de plus en plus, la culture économique internationale ignore tout simplement ce qui n'est pas américain. Ainsi l'économie sociale de marché à l'allemande est-elle à peu près inconnue des responsables économiques et *a fortiori* du grand public à travers le monde.

Ce privilège culturel est sans doute, globalement, plus efficace et plus utile qu'on ne l'imagine. Il procure à l'Amérique des avantages comparables à ce qu'était la richesse minière de l'Angleterre au XIXe siècle.

Instrument complémentaire d'hégémonie culturelle, enfin, les médias représentent le plus spectaculaire, le plus connu et donc le plus critiqué des vecteurs d'américanisation. N'entrons pas ici dans l'interminable débat que relancent périodiquement – et pas seulement en France – les défenseurs de la « culture nationale » menacée par la « sous-culture américaine ». Rappelons seulement une évidence : en matière de télévision ou de cinéma, l'industrie et les modèles américains se sont tout simplement imposés dans le monde entier. Pour le meilleur (parfois) ou pour le pire (souvent). Mais toujours pour le plus grand profit de l'Amérique.

Dans ce domaine, le professionnalisme et la production de masse permettent aux États-Unis de s'imposer sur presque tous les marchés. Le renforcement des lois du marché en matière d'industrie culturelle, notamment la privatisation des chaînes de télévision, fait naturellement le « jeu » des Américains en la matière. Dans de nombreux pays, en effet, les groupes privés de communication dits multimédias se révèlent, par définition, plus sensibles aux impératifs de rentabilité immédiate que ne l'étaient les anciens monopoles étatiques. Les séries américaines, vendues sept ou huit fois moins cher que ne coûteraient – pour le même temps d'antenne – des productions nationales, ont toujours un bel avenir devant elles. Sans parler des dizaines d'émissions de divertissement, les jeux et les concours télévisés innombrables qui sont produits par les télévisions nationales – et non achetés –, mais dont le concept est *directement inspiré* du modèle néo-américain.

L'Amérique revient !

*

Mais était-elle réellement partie ? Toute l'ambiguïté est là. Une ambiguïté qui explique la plupart des contresens, des fausses interprétations – et des illusions – au sujet du reaganisme. En 1980, c'est vrai, l'Amérique connaissait un déclin et un recul relatifs. Mais les bases de sa puissance, les avantages conquis par le génie du peuple américain d'abord, les privilèges concédés par l'Histoire ensuite, étaient toujours là. De sorte qu'on crédita un peu hâtivement Reagan – et le reaganisme – de succès économiques qui, parfois, devaient plus à la situation de l'Amérique elle-même qu'à la valeur de ses dirigeants ou à la pertinence de leur politique. Extraordinaire illusion d'optique ! Vivant sur leurs acquis, le plus souvent à crédit, profitant de leurs privilèges hérités et jouissant d'une suprématie culturelle déjà ancienne, les États-Unis ont pu négocier sans difficulté le tournant des « années Reagan » alors qu'ils donnaient l'impression de s'être, à grands efforts, refait une musculature.

Et le reste du monde, abasourdi, incrédule ou envieux, plébiscita le tour de passe-passe en s'imaginant qu'il s'agissait d'une recette miracle. Miracle ? Miraculeux le « reaganisme » ? En réalité, la question était de savoir si, avec Reagan, les Américains tiraient ou non le meilleur parti de leur héritage ; s'ils continuaient de le faire fructifier. Considérée avec le recul qui s'impose, l'expérience des dix dernières années n'est pas si concluante. On peut même soutenir que cet héritage, les Américains l'ont pour une part dilapidé. Et que le « renouveau reaganien » ressemblait surtout aux derniers feux que jettent les empires décadents. Des feux qu'applaudissaient les spectateurs du dehors, bernés par l'illusion de la puissance et la puissance de l'illusion.

Dix ans après le retour de sa gloire, beaucoup de lampions s'éteignent en Amérique. L'univers optimiste de Mickey Mouse, celui de la navette spatiale, de la guerre des étoiles et des OPA victorieuses n'est plus l'eldorado que beaucoup imaginent encore. Derrière le décor et les sunlights se cache désormais une réalité bien différente.

2

America backwards : l'Amérique à reculons[1]

Non loin des splendeurs de la plus belle nature du monde, tout près des centres d'affaires les plus prestigieux, qu'est-ce qui frappe aujourd'hui le visiteur d'une grande ville américaine ? La saleté, la rouille, les ordures, les *dégradations* de toute espèce. Les piétons doivent passer sous des échafaudages de tôle ondulée pour se protéger, non des travaux en cours, mais de la chute des pierres des façades. Où cela ? Non pas à Prague, où pourtant l'on s'y était habitué depuis quarante ans, mais à New York, oui, dans la « cité de New York » !

Dégradation est le mot. Une Amérique nouvelle et qui se dégrade. Physiquement, cela frappe au premier coup d'œil. Mais, dès qu'on y regarde de plus près, on découvre aussi une dégradation sociale. Comment se fait-il que, parmi tous les pays développés, l'Amérique soit devenue le premier pour le crime et la drogue et le dernier pour les vaccinations et le taux de participation aux élections ?

Comment comprendre cela ? Comment l'expliquer ? Comme chacun, j'éprouve impérieusement le besoin d'une réponse à ces questions ahurissantes. Mais avant tout, il faut regarder et comparer.

Dégradation des grandes villes américaines ? Les deux capitales sont en quasi-faillite.

Fin 1990, il manquait 200 millions de dollars à la ville de Washington pour boucler son budget, Washington dont l'ancien

1. De nombreux chiffres et développements de ce chapitre sont tirés d'une étude de Christian Morrisson, professeur à l'université de Paris I, Panthéon-Sorbonne.

maire, Marion Barry, a été condamné en août à six mois de prison pour détention et usage de drogue. Le nouveau maire de New York, l'honorable David Dinkins, a été contraint, pour réduire l'énorme déficit budgétaire de la ville, de licencier, à partir de l'été 1991, 30 000 employés municipaux dont 4 000 professeurs, soit 10 % des effectifs permanents. Il doit aussi faire injure aux mânes de l'empereur romain Vespasien en fermant toutes les toilettes publiques, tous les centres de traitement de drogués (alors que New York compte plus de 500 000 toxicomanes pour 7 millions d'habitants), ainsi que la plupart des centres d'accueil destinés aux 80 000 sans-abri. Sans parler du zoo de Central Park, ni des trente piscines municipales. Sans parler de l'éclairage urbain qui sera réduit d'un tiers alors que la criminalité est en augmentation constante, ni du programme de recyclage des ordures ménagères qui sera suspendu pendant un an. La quasi-totalité des grandes villes américaines se trouvent dans des situations analogues.

Et puis, ces aéroports mal entretenus ; ces quartiers lépreux du Bronx, de South-Dallas et d'ailleurs, où s'affiche une misère glauque dont les Français ou les Allemands ont perdu jusqu'au souvenir ; ces nouveaux *homeless* de San Francisco qui, malgré un emploi régulier, ne sont plus capables – spéculation immobilière oblige – de payer un loyer et vivent... dans leurs voitures ; ces grandes cités (« cité » n'est vraiment pas le bon mot ; H. G. Wells, lui, les désignait déjà comme des *uncities,* des « non-villes ») comme Houston, Washington ou Los Angeles ravagées par la « guerre du crack » et la délinquance ; ces ghettos noirs de nouveau en effervescence, comme dans les années soixante (« Les Noirs payent la facture des années Reagan, proclame le metteur en scène vedette Spike Lee. Tout le mouvement des droits civiques a été anéanti »).

Et, de fait, la criminalité américaine – surtout noire – a augmenté dans des proportions vertigineuses. A New York, cinq meurtres sont enregistrés *chaque jour,* mais une dizaine de villes sont encore plus meurtrières. A Washington, le nouveau maire, Mme Sharon Pratt Dixon, aura pu constater en prenant ses fonctions que la ville, avec 483 meurtres en 1990, aura battu, pour la troisième année consécutive, son propre record.

Dans la seule année 1989, 21 000 assassinats ont été recensés dans tout le pays (on en prévoyait 23 000 pour 1990). Aujourd'hui, plus d'un million de citoyens américains sont en prison et plus de trois millions sous contrôle judiciaire.

En dix ans, la population pénale américaine a plus que doublé, dépassant maintenant de 30 % le taux record de l'Afrique du Sud (4,26‰ contre 3,33‰). Quel mot faudra-t-il inventer pour désigner ce « goulag »-là ? Qu'arrive-t-il donc à l'Amérique ?

Autre chose : même si, on l'a vu, les multinationales américaines continuent à investir dans le monde entier, quel changement depuis vingt ans, depuis l'époque du « défi américain » ! Aujourd'hui, chaque mois, la presse annonce qu'un nouveau building symbole (le Rockefeller Center !), une nouvelle « major » d'Hollywood ou une société viennent d'être rachetés par les Japonais (comme MCA reprise par le groupe Matsushita ou CBS par Sony). Voilà d'autre part la NASA et sa navette spatiale, hier encore symbole d'une prodigieuse aventure – une « nouvelle frontière » – lancée par John Fitzgerald Kennedy, qui accumulent déboire sur déboire. Et Hubble, le faramineux télescope spatial lancé à prix d'or le 24 avril 1990, qui se révèle, par négligence de ses constructeurs, myope et irréparable. Voilà que, dans les aéroports, se multiplient les accrochages d'avions, les pertes – ou les vols – de bagages.

Quant aux munificents *golden boys* de la période Reagan, ces jeunes surdoués de la finance arborant des costumes à 2 000 dollars et capables de faire fortune en trois mois, ils sont en déconfiture. Ou en prison. La plus grande faillite de tous les temps est celle des centaines de caisses d'épargne (Savings and Loan) qui avaient fait les beaux jours de la Bourse en folie, et laissent un trou dont nul ne sait s'il n'atteindra pas les 500 milliards de dollars, soit l'équivalent d'au moins 10 000 F pour chaque Américain. A payer par l'ensemble des contribuables. Qu'arrive-t-il à l'Amérique ? Dans son livre *Naissance et Déclin des grandes puissances* (Random House, 1988 ; Payot, 1989), l'historien Paul Kennedy n'hésite plus à écrire que les États-Unis, comme l'empire des Habsbourg au XVIIe siècle ou l'Angleterre à la fin du XIXe, sont entrés dans une phase de déclin historique.

Déclin historique ? Le pronostic est peut-être outré.

En tout cas, le débat est ouvert. Le politologue Joseph S. Nye Jr. (*Bound to Lead. The Changing Nature of American Power*, Basic Books, 1990 – voir J.-M. Siroen, analyse de la SEDEIS, janvier 1991) prend le contre-pied de Kennedy :

– Les États-Unis sont le seul pays à détenir une position forte dans tous les domaines (militaire, économique, technique, ressources naturelles...).

– Ils dominent surtout l'espace, les communications, la culture et le langage scientifique : où sont les Nobel japonais ?

– N'est-il pas d'ailleurs troublant de constater qu'en Occident, la thèse du déclin ait davantage été appliquée, par les meilleurs esprits, parfois anticommunistes, aux États-Unis plutôt qu'à l'Union soviétique ? (Ici, naturellement, le concitoyen de Sartre se sent plutôt mal placé !)

Toutefois, Nye isole un élément commun à tous les déclins, c'est l'incapacité des gouvernements à maîtriser les déficits de l'État, c'est-à-dire à faire accepter les impôts. Tout se passe en l'occurrence comme si les privilèges dont leur pays a hérité équivalaient, dans l'esprit des citoyens américains, à une exonération fiscale permanente.

Or, s'il y a désormais une chose difficile à faire accepter aux Américains, c'est bien l'augmentation des impôts. N'oublions pas la leçon de Walter Mondale, le candidat démocrate qui, en 1984, n'avait pas pu s'empêcher de laisser entendre qu'il faudrait peut-être augmenter un jour certains impôts. Il a été battu dans quarante-neuf États sur cinquante.

J'ai, pour ma part, tendance à penser que la frontière qui sépare un pays en progrès d'un pays en déclin recouvre, dans une large mesure, la préférence pour la construction de l'avenir d'un côté, la jouissance du présent de l'autre. Or, cette préférence se mesure, on le verra, par l'impôt, l'emprunt et le taux de l'intérêt.

Quoi qu'il en soit, déclin historique ou pas, un certain *désarroi* américain est bien là. Au point que la méditation morose, stoïque ou rassurante sur le déclin américain est devenue, selon l'économiste Bernard Cazes, une « industrie florissante ». De même, les livres construits autour de prophéties apocalyptiques

SOURCE : *Le Monde,* 20 octobre 1990, p. 2.

sont désormais des best-sellers aux États-Unis. Comme à Moscou ! Les avocats spécialisés dans les faillites n'ont, pour leur part, jamais autant travaillé. Les nouveaux films à la mode – comme *Ghost, Pacific Heights, Desperate Hours* – évoquent tous, ce qui est révélateur, l'effroi de ces Américains menacés de perdre... leur maison, parce qu'ils ne peuvent plus payer les intérêts de leurs emprunts.

Quant à l'extension récente du fléau de la drogue, favorisée par l'apparition du « crack » (un dérivé très bon marché de la cocaïne), elle est vertigineuse. Au printemps 1988, une enquête minutieuse révélait que 23 millions d'Américains avaient pris de la drogue dans les trente jours précédents. Parmi eux, 6 millions s'adonnaient plus ou moins régulièrement à la cocaïne et 500 000 à l'héroïne. Chez les lycéens et les écoliers, un sur deux fumait de la marijuana et un sur sept sniffait de la cocaïne. Cette même année, le *National Narcotics Intelligence Consumers Committee* (NNICC) évaluait à 22 milliards de dollars les ventes au détail de la seule cocaïne en Amérique du Nord et – marginalement – en Europe. Dans une volumineuse étude rendue publique le 9 janvier 1991, l'Organe international de contrôle des stupéfiants (OICS), qui dépend des Nations unies et dont le siège est à Vienne, évalue à *60 milliards de dollars par an* (six fois plus qu'en 1984) le coût socio-économique de l'abus de drogue aux États-Unis. Il est vrai que le même rapport estime que la consommation de drogue aurait commencé à décroître aux États-Unis. Et le président George Bush s'est félicité de l'efficacité des mesures très rigoureuses mises en œuvre. Mais les chiffres demeurent élevés. En outre, le rapport indique que la consommation des méthamphétamines, elle, continue de s'accroître. Toutes ces études témoignent du désarroi américain.

Ce désarroi ne touche pas seulement les individus pris isolément et englués dans toutes sortes de terreurs, de l'insécurité à la drogue, au chômage, au surendettement et à la haine raciale. Il paraît saisir l'Amérique elle-même, prise globalement, qui voit désormais s'effilocher l'*American dream,* ce grand « rêve américain » qui, depuis les pèlerins du *Mayflower,* la poussait vers l'avant. Ainsi celui du *melting pot* (creuset), où devaient se fondre en s'assimilant les immigrants venus de la terre entière, n'est-il plus qu'un lointain souvenir. L'Amérique des années quatre-vingt-dix est sur la voie de ce que l'on a déjà appelé une « néotribalisation ». En un mot, les différentes communautés, loin de s'assimiler, se barricadent progressivement dans leurs différences, leurs langues, leurs cultures.

D'ailleurs, tout le monde se barricade, désormais. La première fois que je suis allé aux États-Unis, en 1960, j'avais été frappé de constater que les portes n'étaient jamais fermées à clé, même quand on partait en vacances pour quinze jours. Inutile : il n'y avait pratiquement pas de cambriolages, même en ville. La dernière fois, j'ai dîné à New York dans un immeuble donnant sur Central Park et où, pour soixante-quinze appartements, les locataires payent vingt gardiens présents jour et nuit en quatre équipes de cinq.

Voilà les images brutes, surprenantes, inquiétantes, que tout visiteur rapporte désormais d'un voyage outre-Atlantique. Reste à essayer de comprendre ce qui s'est réellement passé en dix ans. Derrière les sunlights aveuglants de l'ère Reagan.

L'Amérique coupée en deux

Dans cette société américaine disloquée, une notion nouvelle apparaît sous la plume des journalistes, sociologues ou spécialistes des affaires criminelles : le *dualisme*. Une notion qui semblait jusqu'à présent réservée aux observateurs du tiers monde et servait notamment à décrire certaines sociétés comme le Brésil ou l'Afrique du Sud. Le dualisme, c'est la coupure, la ségrégation de fait, l'« apartheid économique » en vigueur dans une société définitivement et cruellement « à deux vitesses ». Une société où les différentes catégories de population vivent, en fait, sur deux planètes différentes qui s'éloignent chaque année un peu plus l'une de l'autre. Or, ce dualisme-là s'est *généralisé* aux États-Unis, notamment sous l'effet de la politique ultra-libérale de Reagan. Dualisme entre riches et pauvres, certes, mais aussi entre les grandes universités et un système scolaire délabré ; dualisme entre des hôpitaux ou cliniques ultramodernes et toute une infrastructure hospitalière aussi coûteuse que dépassée ; dualisme industriel, enfin, isolant des industries de pointe – le plus souvent liées au budget de la Défense – qui placent les États-Unis dans le peloton de tête et qui contrastent avec les retards cumulatifs de nombreux autres secteurs.

Le plus important résultat du libéralisme reaganien a probablement été, on le sait, l'augmentation de l'écart entre riches et pauvres. Ce fut prétendument le « prix à payer » pour « remuscler » l'Amérique. Un prix très élevé pour un résultat économique médiocre. Mais surtout, malgré la reprise et contrairement à ce qu'espéraient les théoriciens du *supply side*, le nombre de pauvres n'a pas diminué au cours des dix dernières années. Il a même légèrement augmenté tandis que *triplait* le nombre de millionnaires en dollars. Quant au revenu des 40 millions d'Américains les plus pauvres, on estime qu'il a *diminué de 10 %* en dix ans. Et, si l'on définit comme « pauvres » tous ceux qui disposent de revenus inférieurs de moitié à la moyenne nationale, alors on constate que la population américaine compte désormais *17 % de pauvres* contre 5 % en RFA et dans les pays scandinaves, 8 % en Suisse et 12 % en Grande-Bretagne. Certains experts, qui contestent ce mode de calcul, estiment même que les pauvres représentent, en fait, *20 % de la population américaine*. Un record pour les pays industrialisés. Et encore, ces statistiques ne tiennent-elles pas compte des immigrés clandestins de plus en plus nombreux, notamment en Californie.

Une étude plus exhaustive rassemblant les chiffres officiels du *Congressional Budget Office*, publiée en 1989, aboutissait aux conclusions suivantes : « Le fossé entre Américains riches et

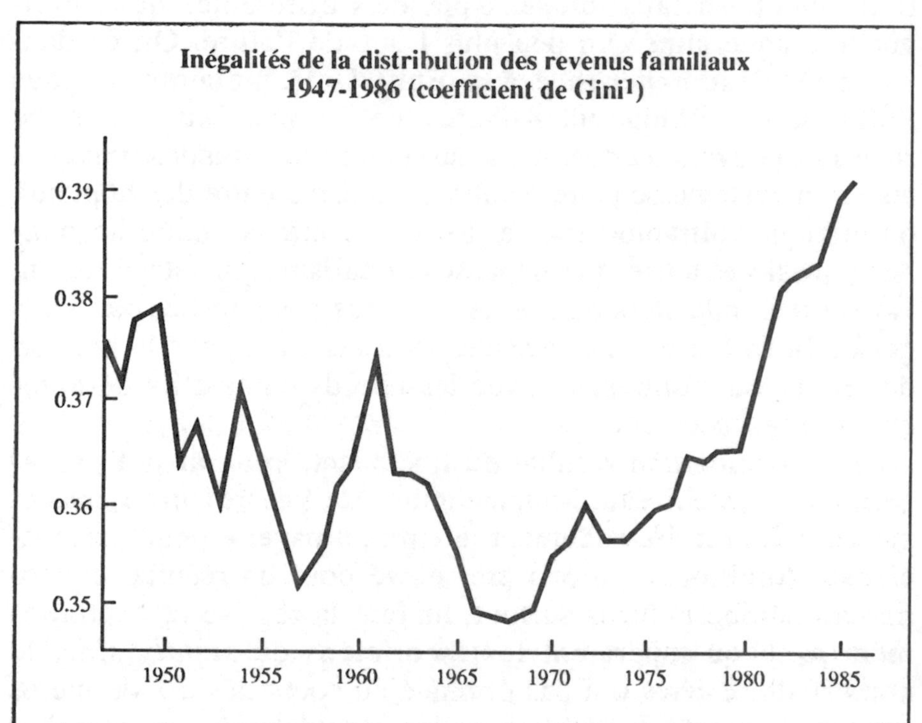

1. Le *coefficient de Gini*, compris entre 0 et 1, mesure l'inégalité de la répartition des revenus dans la société. Pour une valeur (théorique) nulle du coefficient, la répartition des revenus est parfaitement égale ; une hausse du coefficient correspond à une plus grande inégalité dans la répartition des revenus.

SOURCE : US Bureau of Census.

pauvres s'est à ce point élargi pendant la décennie quatre-vingt que les 2,5 millions de riches vont percevoir, en 1990, pratiquement la même masse nette de revenus que les 100 millions de personnes qui se trouvent au bas de l'échelle. »

On ne s'étonnera pas, dans ces conditions, que se multiplient un peu partout en Amérique des scènes dignes de certaines républiques de l'hémisphère Sud : mini-bidonvilles côtoyant de somptueuses villas, files de chômeurs alignés sur les trottoirs à deux pas des boutiques au luxe insolent, sans-abri battant la semelle dans des encoignures de portes au milieu de poubelles éventrées et de papiers gras. La classe moyenne, de son côté, cette fameuse *middle class* qui fut l'orgueil de l'Amérique et son meilleur facteur de stabilité, voit ses effectifs *diminuer* d'année en année. *Nouvelle géographie sociale : des pauvres plus pauvres face à des riches plus riches.* Qu'est-il arrivé à l'Amérique ?

Ce dualisme-là entraîne naturellement un regain de tensions sociales, une « lutte des classes » anarchique et sporadique dont là-bas, à Moscou, les jeunes diplômés soviétiques convertis de fraîche date au libéralisme reaganien n'ont pas la moindre idée. Les riches Américains se plaignent en effet de l'insécurité grandissante des grandes villes et de cette « dégradation de l'environnement » qu'entraîne *ipso facto* la multiplication des pauvres. En toute logique, les sociétés de gardiennage, polices privées, gardes du corps représentent un des rares secteurs en pleine expansion, tandis que les ventes d'armes à feu battent tous les records. Durcie, inquiète, la société américaine s'arme jusqu'aux dents. A une enquête effectuée en 1990 par l'hebdomadaire *Time* à New York, 60 % des personnes interrogées ont avoué qu'elles se souciaient *tout le temps* ou *souvent* des crimes, 26 % rarement. Dans cette même enquête, 68 % répondent que la qualité de vie est moins bonne qu'il y a cinq ans. A New York, l'insécurité est telle qu'un nouveau commerce est apparu : la vente de cartables et de sous-vêtements pare-balles pour enfants. Il faut savoir que, dans les villes américaines, le taux d'homicide pour les hommes jeunes est de *quatre à soixante-treize fois* plus élevé qu'au... Bangladesh, l'un des pays les plus pauvres de la planète.

SOURCE : *Cabu en Amérique*, Éd. du Seuil, 1990, p. 139.

Visiblement, les « riches » barricadés dans leurs villas ont du mal à admettre qu'ils ne vivent déjà plus dans un pays comparable à la Suède ou à la Suisse, mais, de plus en plus, dans une sorte de tiers monde plus développé que l'autre mais qui devient aussi inégalitaire.

Un tiers monde plein de riches, où la notion de justice sociale serait considérée comme subversive, quasi indécente, le seul substitut acceptable étant la « lutte contre la pauvreté » par les moyens de la charité. Un monde où la généralisation de la sécurité sociale serait interprétée comme une expédition punitive contre les classes dirigeantes.

Le bûcher des vanités

Publié en 1987 aux États-Unis (traduction française en septembre 1988), un roman de Tom Wolfe, *Le Bûcher des vanités*, illustre parfaitement les frayeurs et les fatalités de cette nouvelle Amérique en proie au « dualisme ». Que raconte-t-il ? Une histoire dont tous les Américains vous diront qu'elle « colle » parfaitement à la réalité des années quatre-vingt. Tom Wolfe, d'ailleurs, fut l'inventeur du *new journalism* américain. Son roman sent le reportage. Un jeune financier qui est allé chercher sa maîtresse Maria à l'aéroport Kennedy revient à New York. Il fait nuit et, à l'approche d'un échangeur, il se trompe de file. Comme les voitures roulent pare-chocs contre pare-chocs, il ne peut changer de file et doit sortir dans le Bronx au volant de sa Mercedes à 48 000 dollars. Il s'égare, tourne en rond jusqu'au moment où il voit une rampe d'accès à l'autoroute. Il hésite car c'est la mauvaise direction. Qu'importe, lui dit Maria, « au moins c'est la civilisation »! Mais, sur la rampe, un amas de pneus l'oblige à s'arrêter. Il sort pour déblayer la voie lorsque deux jeunes Noirs se dirigent vers lui. Pris de peur, McCoy lance un pneu vers le premier qui le lui renvoie, puis il saute dans l'auto où Maria, terrifiée, a pris le volant. Elle zigzague entre pneus et poubelles pour échapper au piège, entend un bruit vers le pare-chocs arrière, le second Noir n'est plus visible et ils atteignent l'autoroute.

Lorsqu'il sent Maria un peu calmée, McCoy lui parle de ce bruit et lui propose de prévenir la police. Arrivés dans l'appartement où ils ont l'habitude de se retrouver, il lui en parle à nouveau. On a peut-être blessé ce type, dit-il, il faut signaler ça. Mais Maria éclate. « Je vais te dire ce qui s'est produit. Je viens de Caroline du Sud et je vais te le dire en anglais, dans le texte. Deux nègres ont essayé de nous tuer dans cette jungle et on est sorti de cette jungle et on respire toujours et c'est tout. » Par faiblesse et parce qu'il veut cacher cette liaison à son épouse, McCoy renonce à prévenir la police. Son destin est joué. Il est innocent mais il est riche et blanc. Il doit expier toute la haine accumulée contre les gens de sa classe.

De fait, le jeune Noir renversé par la Mercedes, Henry Lamb, mourra un an plus tard sans jamais avoir repris connaissance. La police va retrouver le propriétaire de cette voiture, Maria mentira en refusant de reconnaître qu'elle était au volant et l'autre Noir fera un faux témoignage en chargeant McCoy. Celui-ci deviendra l'enjeu d'un combat sans merci mené par trois hommes acharnés à le détruire : un pasteur noir du Bronx, le procureur général de ce quartier et un journaliste anglais. Chacun d'entre eux a ses raisons de vouloir faire condamner un riche blanc ou, pour le journaliste, d'exploiter une affaire en or : le roi de l'obligation à Wall Street a assassiné un jeune Noir et s'est enfui.

La toile de fond de tout ce roman, c'est l'opposition inouïe entre, d'un côté, le luxe et le pouvoir, et, de l'autre, la misère sordide et le dénuement du Bronx. McCoy sort de l'université de Yale, il gagne des centaines de milliers de dollars par an, possède un appartement somptueux à trois millions de dollars. Lorsqu'il sort de chez lui, chaque matin, sous le dais qui surplombe l'entrée, il peut apercevoir un tapis de tulipes jaunes payé par les riverains de Park Avenue. Même luxe au cinquantième étage de l'immeuble de verre où il travaille. Comme tous les *golden boys,* il se sent maître de l'univers. De l'autre côté, c'est le Bronx avec ses milliers de jeunes Noirs drogués ou dealers campant dans les escaliers des immeubles, là où tout se passe, drogue, sexe, violence... Ici, lorsqu'on déménage, il faut compter avec les voisins qui viennent voler une partie des meubles. Mais le jeune Henry Lamb, écrasé par la Mercedes de McCoy, était l'exception. Élève appliqué, il est arrivé à dix-huit ans à savoir lire couramment, ce qui suffit pour entrer au City College de New York. Entre Park Avenue et le Bronx, le contraste est aussi vertigineux qu'entre Soweto et les banlieues jardins avec piscines de Johannesburg. Seuls les enseignants et les policiers et juges du Bronx font le lien entre ces deux mondes ; des juges qui n'osent pas s'éloigner à plus de deux cents mètres du tribunal et vivent médiocrement sur leurs petits salaires.

Pris entre la presse et la politique, devenu symbole et bouc émissaire, McCoy, le riche et séduisant McCoy, va sombrer dans l'aventure. Comme ont d'ores et déjà sombré bien des vanités américaines.

Certes, les inégalités ne datent pas d'hier aux États-Unis et la misère du Bronx existait bien avant Reagan. Mais ce dualisme formidable séparant désormais riches et pauvres, en s'exacerbant dans les années quatre-vingt, paraît avoir littéralement *changé de nature*. Dans son dernier livre – *The Politics of Rich and Poor* –, qui fut un best-seller, Kevin Phillips estime *terminé* le temps où les riches pouvaient s'enrichir impunément sans susciter aucune réaction. Et il ne lui semble pas inimaginable qu'un jour, des révoltes populistes secouent gravement l'Amérique. La même hypothèse fut envisagée le 4 mai 1990 par le magazine britannique *The Economist* dans un article long et documenté. Qu'est-il arrivé à l'Amérique ?

École malade, santé malade, démocratie malade

Le même dualisme aux conséquences menaçantes caractérise désormais des secteurs entiers de la société américaine. Y compris certains de ceux qui, hier encore, faisaient sa force et entretenaient sa vitalité.

SOURCE : *Punch,* 7 septembre 1990, p. 23.

Deux mots seulement – deux faits – sur ce qui est probablement le plus important : les maladies de la démocratie américaine.

Premier fait : la participation des citoyens américains aux élections est la plus basse de toutes les démocraties occidentales ; le taux d'abstention, quelles que soient les élections, représente les deux tiers de l'électorat, avec une quasi-exclusion de fait des catégories sociales les moins favorisées, comme si elles étaient inhibées, aliénées, au point de ne pas même comprendre que chaque élection décide un peu de leur sort. Il y a là un phénomène nouveau par son ampleur, qui concerne la plupart des pays occidentaux et qui paraît lié à plusieurs caractéristiques issues du modèle néo-américain : autrefois, les pauvres se révoltaient ; aujourd'hui, hébétés par l'opium de leur misère ordinaire, non médiatisable, ils ne votent même plus.

Deuxième fait : depuis l'Antiquité, on reconnaissait un pays civilisé au fait qu'il savait compter sa population (souvenons-nous du recensement d'Hérode que racontent les Évangiles) ; or il semble que l'on puisse attribuer à un certain recul du civisme le fait que 10 à 15 % de la population américaine supposée en situation légale ne soit même plus recensée !

En matière d'éducation, la situation est quasi incroyable. Certes, si l'on considère les seuls troisièmes cycles *(graduate education)*, le système américain demeure le meilleur du monde. C'est aux États-Unis que se publient, chaque année, *plus du tiers* des articles scientifiques. De 1976 à 1986, l'Amérique a doublé le nombre de ses chercheurs. Assurément, les grandes universités américaines qui pratiquent une sélection rigoureuse restent à la hauteur de leur réputation. Elles disposent d'ailleurs de moyens financiers et humains que tous les pays du monde peuvent envier aux États-Unis.

Mais cet enseignement prestigieux – et coûteux pour les familles – coexiste, pour le primaire et le secondaire, avec un système scolaire très médiocre. Des enquêtes récentes visant à évaluer le degré de connaissances scientifiques des élèves de 10, 13 et 17 ans ont montré que l'Amérique se situait *en dernière position* parmi les pays industrialisés. Après 16 ans, la majorité des élèves américains ne suivent plus aucun enseignement scientifique. Et, dans les autres disciplines, les résultats ne sont guère meilleurs. En géographie, les élèves de 18 à 24 ans se classent au dernier rang dans un échantillon de huit pays. Qu'on ne s'étonne pas, dans ces conditions, si 45 % des Américains adultes se révèlent incapables de situer l'Amérique centrale sur une carte et si une majorité d'entre eux ne sait pas où se trouvent la Grande-Bretagne, la France ou le Japon. Dans un autre domaine, plus vital encore, on est surpris d'apprendre que 40 % des jeunes Américains qui entrent à 18 ans dans les *colleges* reconnaissent qu'ils ne savent pas lire correctement.

Dans quel pays le pourcentage des illettrés est-il le plus élevé ? Au Portugal ou au Royaume-Uni ? Réponse : au Royaume-Uni. En Pologne ou aux États-Unis ? Réponse : aux États-Unis.

Comment cela peut-il se faire ? Ici, le regard se brouille. Les nouvelles idées reçues, qui veulent que quand le marché marche tout marche, n'expliquent plus rien.

Oui ou non, la qualité générale de l'enseignement constitue-t-elle, pour tout pays, une valeur en soi ? Si oui, pourquoi celui des États-Unis s'est-il tant détérioré au cours des dernières années, sinon précisément parce que cette détérioration n'est qu'un aspect du modèle économique néo-américain avec lequel elle fait système ? Or, on observe en Europe aussi que l'enseignement populaire, c'est-à-dire, dans une large mesure, l'enseignement public, commence à se détériorer et notamment dans des pays qui comptent parmi les plus développés : le Royaume-Uni, la France, l'Italie. Précisément dans ceux des pays européens qui, n'appartenant pas au modèle rhénan, sont les plus ouverts au modèle néo-américain.

Ce dualisme entre un enseignement de très haut niveau réservé à une toute petite minorité et un système primaire ou secondaire en déconfiture distingue en effet radicalement l'Amérique de pays comme le Japon et l'Allemagne. Dans ces derniers, la plupart des élèves se classent près de la moyenne et les très mauvais résultats sont pratiquement inconnus. Il est vrai qu'outre-Atlantique la sélection n'est guère pratiquée que par 200 collèges et universités sur 3 600. Quant au travail effectué « à la maison », toutes les enquêtes indiquent qu'aux États-Unis il dépasse rarement une heure par jour – contre trois heures passées à regarder la télévision ! On est loin, de plus en plus loin, d'une Amérique archétype de la société moderne, avide d'apprendre.

La dégradation du système d'enseignement américain fut jugée assez grave pour qu'en 1983, Ronald Reagan décide de créer une commission nationale qui choisit pour son rapport un titre sans nuance : *A Nation at Risk (Une nation en danger).* Elle y révèle que le niveau de l'enseignement américain est désormais *inférieur* à ce qu'il était en 1957, au moment où le lancement du premier Spoutnik par les Soviétiques avait conduit l'Amérique à s'interroger sur ses propres capacités.

En 1990, une dizaine de spécialistes réunis à l'université de Columbia par l'American Assembly fondée par Eisenhower ont publié leur rapport (*The Global Economy – America's Role in the Decade*, Norton, 1990). Parmi les conclusions, trois méritent d'être rapprochées : « Le système d'éducation américain est au bord de la ruine » ; le taux d'épargne de l'Amérique est scandaleusement bas ; ce qui est logique puisque l'administration Reagan a « de manière répétée, désigné le déficit commercial comme un signe de vigueur économique ».

L'Amérique demeure-t-elle néanmoins *la* société en bonne santé par excellence, comme incarnée par ces adolescents aux joues roses et à la carrure athlétique que montrent les spots publicitaires? Ce n'est plus le cas. Le même dualisme aggravé par le reaganisme affecte aujourd'hui – et gravement – l'ensemble du système de santé américain. Globalement, bien sûr, les États-Unis sont, de tous les pays de l'OCDE, celui qui (avec plus de 10 % du PIB) dépense le plus pour la santé. Bien des cliniques ou hôpitaux américains se classent parmi les meilleurs du monde dans leur spécialité. De même, en matière de recherche médicale, de médicaments et de nouveaux traitements, l'Amérique demeure le plus souvent en tête.

Mais ces performances ponctuelles ne doivent pas faire oublier un état général du système de santé bien plus désastreux qu'on ne l'imagine. A ce sujet, quelques statistiques récentes peuvent faire sursauter. Pour la *mortalité infantile,* les États-Unis, avec un taux de 10‰ (le double du taux japonais), se classent désormais au vingt-deuxième rang mondial. Et la surmortalité dans certaines minorités ethniques ne suffit pas à expliquer ce retard. Même chez les nourrissons blancs, en effet, existe un écart notable par rapport à bon nombre de pays développés. Pour ce qui est des *vaccinations,* les taux américains sont, en moyenne, inférieurs de 40 % à ceux des autres pays industrialisés et même plus faibles que ceux de certains pays en développement. Quant au *taux de grossesses* chez les adolescentes (15-19 ans), il est de 10 %, dix fois plus élevé qu'au Japon.

Tous ces chiffres reflètent la dislocation des familles et l'extension de la pauvreté dans une société plus atomisée et plus dure. Ainsi l'Amérique se classe-t-elle désormais en tête pour le pourcentage d'enfants mineurs dont les parents ont divorcé. D'autre part, un cinquième des enfants américains vivent au-dessous du seuil de pauvreté et, en 1987, 12 millions d'enfants n'étaient couverts par aucune assurance maladie. Soit une augmentation de 14 % depuis 1981. Il est vrai qu'aux États-Unis, où il n'existe pas de système d'assurance maladie généralisé, la part des dépenses publiques de santé (41 %) se situe au niveau le plus bas de tous les pays de l'OCDE.

Quelle fut, en la matière, la politique reaganienne ? Au nom de la restauration des structures familiales, elle s'opposa farouchement à tout système d'assurances généralisé. C'est ainsi que la moitié des employés des PME ne bénéficient d'aucune protection sociale et que, pour eux, le délai *moyen* de licenciement est de... deux jours !

Quant à la réduction drastique des budgets et programmes sociaux, elle ne fit qu'aggraver une situation d'ensemble qui n'était déjà guère enviable. Aujourd'hui, le pire des déficits dont souffre une Amérique pourtant criblée de dettes n'est pas un déficit financier ; c'est un déficit social. Un déficit que nulle charité ou compassion individuelle n'est plus capable de corriger. A trop vouloir « remuscler » l'Amérique des gagneurs, l'équipe Reagan a bel et bien rejeté dans les fossés de l'Histoire celle des « perdants » ou tout simplement celle des Américains « moyens ». Faute de faire du « social », le reaganisme a-t-il, au moins, restauré l'économie ? Hélas...

L'industrie en recul

L'industrie américaine est en recul. La seule objection à ce constat est l'importance de la production des multinationales américaines à l'étranger (20 % contre 5 % pour les japonaises), mais, même sur ce point, quel changement depuis un quart de siècle ! En 1967, Jean-Jacques Servan-Schreiber commençait le premier chapitre de son best-seller *Le Défi américain* (Denoël) par la phrase : « La troisième puissance industrielle mondiale, après les États-Unis et l'URSS, pourrait bien être dans quinze ans, non pas l'Europe, mais l'*Industrie américaine en Europe*.» Depuis cette époque, le flux des investissements à travers l'Atlantique a changé de sens, chaque année davantage.

Le 24 septembre 1990, la revue *Fortune* publiait un article au titre stupéfiant : « Vers la disparition du *made in USA* ? »

Durant les « années Reagan », la plupart des 18 millions d'emplois nouveaux créés le furent *non pas dans l'industrie* mais dans le secteur tertiaire, celui des services. Petits boulots précaires, le plus souvent, dans la restauration, le commerce et surtout le gardiennage... L'industrie, elle, perdait dans le même temps 2 millions d'emplois et connaissait des déficits commerciaux records. Dans de nombreux secteurs, elle était rattrapée, voire écrasée, par les Japonais. Dans l'automobile, par exemple, un géant comme General Motors annonçait, au troisième trimestre 1990, des pertes de 2 milliards de dollars. Ford enregistrait ses « pires résultats depuis 1982 » et Chrysler, de plus en plus mal en point, accumulait en trois mois 214 millions de dollars de pertes supplémentaires. Au total, le déficit commercial de l'industrie automobile américaine s'élevait à 60 milliards de dollars.

Certes, chacun sait l'extraordinaire capacité qu'a l'Amérique à tirer parti d'une épreuve, à rebondir sur un échec. Mais il y a des délais incompressibles, et la question des délais ne se pose qu'à partir du moment où l'on est reparti dans le bon sens. Ce n'est pas le cas. Au moment même où la guerre du Golfe venait de s'achever, le Conseil américain de la compétitivité, composé de responsables des milieux industriels et universitaires, conclut que, pour 15 des 94 technologies clés pour les années à venir, les États-Unis ne seront plus présents sur la scène internationale d'ici 1995. Ils ne sont plus jugés compétitifs que pour 25 de ces 94 technologies. Ce n'est pas un hasard si les fameux missiles *Patriot* n'auraient pas pu remplir leur mission sans certains composants japonais... Ici encore, on retrouve la notion clé de l'avenir à long terme. Les prouesses de l'armée américaine dans le Golfe en 1991 sont dues à des décisions prises dans les années 1960 et 1970.

Depuis cette époque, on a de plus en plus sacrifié l'avenir au présent, le long terme au court terme. Il est plaisant de voir que même un homme comme Carl Icahn est forcé d'en convenir. Carl Icahn, le pionner des *raiders* qui a racheté TWA, condamne en effet l'atmosphère de casino de l'économie américaine qui vit au-dessus de ses moyens. « L'infrastructure tombe en ruine, dit-il, on ne construit plus, on n'entretient plus. » Et Icahn de comparer les États-Unis à une ferme où la première génération a planté, la deuxième a récolté et la troisième voit arriver l'huissier qui vient saisir la ferme. Ce qui commence à se passer pour l'Amérique avec les Japonais.

La qualité de la production et du savoir-faire, elle aussi, est en régression relative. Début novembre 1990, deux cents cadres appartenant tous à des firmes américaines fournissant des pièces détachées à Toyota ont écouté l'un des dirigeants de la firme japonaise leur donner quelques informations glaçantes. Celle-ci, par exemple : le taux de pièces défectueuses des usines américaines est désormais *cent fois plus élevé qu'au Japon.* Et les constructeurs américains se trouvent, de plus en plus, obligés de conclure des alliances avec les Japonais ou les Européens afin d'*importer leur savoir-faire.*

Le même phénomène est perceptible dans l'industrie aéronautique où, malgré l'importance incomparable de l'aide résultant directement ou indirectement des commandes militaires du Pentagone, le recul des grandes sociétés américaines a permis aux Européens, avec Airbus, de s'approprier 30 % du marché mondial. Constat identique dans des secteurs hautement stratégiques comme l'électronique ou l'informatique. Les Américains qui ont inventé le transistor et la « puce » ne détiennent plus que 10 % du marché mondial contre 60 % à la fin des années soixante. Et, sur cent presses qu'elle commande, la General Motors n'en achète pas moins de quatre-vingts à l'étranger où elles sont moins chères, plus modernes et plus fiables.

A ce point, soulignons le talent et le courage extraordinaires qu'il a fallu à Reagan pour obtenir du Congrès et de l'opinion que, malgré cette étonnante régression industrielle, les États-Unis ne succombent pas à la tentation protectionniste pour contrer leur pénétration commerciale.

Cinq raisons, au moins, expliquent ce recul industriel. Elles correspondent à la disparition des cinq avantages qui fondaient la prospérité d'après-guerre. Les auteurs d'un rapport rédigé pour le compte du célèbre MIT de Harvard (*Made in America*, de Michael Dertouzos, Richard Lester et Robert Solow, MIT Press, 1989 ; InterÉditions, 1990) les énumèrent minutieusement :

LES JAPONAIS RACHÈTENT L'AMÉRIQUE

TRADUCTION :
«...ET GRÂCE À CES 30 MILLIONS DE PAUVRES, ON NOUS A FAIT UNE RISTOURNE !»

SOURCE : *Cabu en Amérique*, Éd. du Seuil, 1990, p. 246.

1. La taille relative du marché intérieur américain s'est réduite et les industries d'outre-Atlantique ne sont plus armées pour conquérir des marchés étrangers face aux Japonais ou aux Européens.

2. La domination technologique des États-Unis n'est plus du tout évidente et les innovations sont souvent faites à l'étranger. Le rythme d'introduction des innovations au sein du système productif ou de mise au point de nouveaux produits est d'ailleurs nettement plus rapide au Japon ou en Europe qu'aux États-Unis (quatre ans contre sept dans l'industrie automobile).

3. La qualification des ouvriers américains, hier supérieure à celle des pays concurrents, a considérablement baissé.

4. La richesse accumulée aux États-Unis était telle qu'elle a permis, jadis, de relever les défis les plus invraisemblables

comme le débarquement sur la Lune. Ce ne serait plus possible aujourd'hui.

5. Enfin, les méthodes de management américain qui étaient reconnues et enviées ne sont plus – et de loin – les meilleures. De plus en plus, les Japonais et les Européens surpassent les Américains en ce domaine. Et ces derniers en sont parfois réduits à copier des méthodes mises au point ailleurs : production à flux tendus, cercles de qualité, etc.

D'une façon générale, la fascination pour la Bourse, l'économie spéculative et les profits miracles qui a marqué les années quatre-vingt a donc joué *contre l'industrie*. Il est vrai qu'à l'époque des jeunes *golden boys* multimillionnaires, à l'heure de l'économie-casino, les jeunes diplômés américains arrivant sur le marché du travail n'étaient guère incités à choisir la voie rude, fatigante et austère de la production industrielle. La caricature boursière du capitalisme s'est donc bel et bien retournée contre le capitalisme lui-même. Et, pendant que la finance occupait tous les esprits, l'industrie périclitait.

En avril 1991, la Commission trilatérale (qui réunit les dirigeants d'entreprises, de syndicats, ainsi que des politiques et des économistes d'Amérique du Nord, d'Europe et du Japon) a réuni son Assemblée générale à Tokyo. Les Japonais ont tiré sans ambages leurs propres conclusions des constats qui précèdent. Nous avons, ont-ils dit, largement contribué à la réindustrialisation de la Grande-Bretagne depuis une dizaine d'années. Notre prochaine tâche, c'est la réindustrialisation des États-Unis...

Le cauchemar des déficits

Mais ce qui menace le plus l'Amérique d'après Reagan, ce n'est pourtant ni le déclin industriel ni le dualisme social, ce sont ses déficits vertigineux, sans précédent. Là n'est pas le moindre des paradoxes à inscrire au passif d'un président qui promettait de réduire le poids de l'État tout en redonnant à son pays les moyens de son indépendance. Aujourd'hui, ce sont *encore* des chiffres qui gâchent, chaque nuit, le sommeil de bien des responsables américains, mais plus les mêmes qu'hier. Dans les années soixante et soixante-dix, on s'en souvient, sous Kennedy, Johnson ou Nixon, un chiffre simple et terrible était donné chaque matin dans les bulletins d'information de toutes les radios : le décompte des *boys* tombés au Vietnam. Aujourd'hui, un autre chiffre est mis à jour, en permanence, sur un panneau lumineux de la 42e Rue à New York. C'est celui de la dette de l'État fédéral américain. Fin 1990, elle atteignait la somme inimaginable de *3 100 milliards de dollars,* soit environ trois années de la totalité des recettes budgétaires, ou encore trente-cinq années d'un déficit budgétaire lui-même énorme, on va le voir.

Quant aux autres chiffres, ils parlent d'eux-mêmes et l'on pourrait, interminablement, aligner les plus catastrophiques d'entre eux. Bornons-nous à quelques exemples. La balance des paiements courants, qui était en état de quasi-équilibre à la fin des années soixante-dix, accusait en 1987 un déficit de 180 milliards de dollars, soit 3,5 % du PIB. Ce déficit fut ramené à 85 milliards de dollars (1,5 % du PIB) en 1989, mais il reste énorme. C'est de l'industrie que provient ce déficit, alors même que, pour les produits agricoles, le solde reste excédentaire. Mais ce n'est guère consolant. Exportatrice de produits agricoles, importatrice de produits industriels, l'Amérique voit ainsi la structure de ses échanges se rapprocher de celle des pays sous-développés !

En matière budgétaire, la situation n'est pas plus brillante et l'ardoise laissée par Ronald Reagan est à la mesure d'une sorte d'imposture électoraliste. Pouvait-on prétendre impunément, en effet, réduire les impôts tout en augmentant les dépenses militaires et sans toucher significativement aux autres dépenses ? L'économiste Lester Thurow, du MIT, a proposé l'épitaphe suivante pour Ronald Reagan : « Ci-gît l'homme qui a conduit une grande puissance du statut de créditeur mondial à celui de débiteur, à une rapidité inconnue jusqu'alors. »

Sur les dernières années, le déficit fédéral fut donc d'environ 150 milliards de dollars par an (3 % du PIB). Mais comment le réduire ? Aucun des pouvoirs américains ne veut encore se résoudre à trahir ses engagements électoraux. Pas question pour le président d'accepter une augmentation des impôts ou une baisse des dépenses militaires. Pas question pour le Congrès de toucher aux dépenses sociales. Le retour à l'équilibre n'est pas pour demain.

Or, en théorie, ce fameux retour à l'équilibre – en cinq ans – est imposé par une loi, la loi Graham Rudman Hollings, qui prévoit, en cas de besoin, des coupes automatiques dans les crédits. Mais le Congrès et le président ont du mal à s'entendre pour appliquer cette loi. Fin octobre 1990, on put ainsi assister, à Washington, au spectacle, humiliant pour la plus grande puissance du monde, d'un président incapable de trouver un accord et menaçant de ne plus payer les fonctionnaires fédéraux...

Ces déficits, naturellement, paralysent le pouvoir politique et lui interdisent de poursuivre certains programmes pourtant vitaux, notamment en matière d'éducation, de recherche et d'infrastructures. Sans parler du fait que, lors du déclenchement de la crise du Golfe, à la fin de l'été 1990, le monde stupéfait a pu voir la puissante Amérique obligée de tendre la main à ses alliés pour financer son engagement militaire.

A ce sujet, je trouve tout simplement indécents les ricanements de certains. Car l'étonnant n'est pas que des contributions aient alors été demandées – principalement aux pays arabes du Golfe –, mais qu'elles ne l'aient pas été plus tôt et, pour commencer, à nous, Européens de l'Ouest, qui, depuis l'époque de Staline, aurions sans doute connu le sort des Tchèques et des Hongrois si les G. I. n'étaient pas venus assurer notre défense, gratuitement ou presque.

Le plus grand débiteur du monde

N'empêche que, dans un monde normal, les riches prêtent aux pauvres et les pays riches aux pays pauvres qui peuvent ainsi accélérer leur développement. Il y a dans cette complémentarité l'une des justifications profondes de l'éthique libérale. Ainsi, il y a un siècle, l'Angleterre et la France étaient les deux grands pays prêteurs du monde ; de même l'Amérique jusqu'aux années soixante-dix. Mais depuis 1980, phénomène sans précédent, c'est le contraire : la plus grande puissance économique du monde en est devenue le plus grand emprunteur.

Et cela pour une seule raison, qui mérite réflexion au regard de l'éthique libérale tant exaltée par les reaganiens : la population américaine n'épargne presque plus ; au lieu de préparer l'avenir conformément aux vertueux principes du puritanisme, elle se jette à corps perdu dans l'endettement pour la consommation, la jouissance immédiate. En Amérique, les nouvelles mœurs financières de la population et de l'État font injure à la pauvreté des uns et à l'avenir de tous. Voyons cela de plus près.

La dette extérieure nette de l'Amérique (c'est-à-dire sa dette vis-à-vis de l'étranger diminuée de ses créances) atteignait 600 milliards de dollars en 1989, soit la moitié de la dette totale du tiers monde. Les États-Unis sont donc devenus le plus grand débiteur du monde, alors qu'ils étaient son plus grand créancier voici moins de quinze ans. Première conséquence : une dépendance accrue de l'Amérique vis-à-vis de ses créanciers.

Ne disposant pas d'une épargne intérieure suffisante pour financer ses investissements, elle est obligée d'emprunter chaque année environ 150 milliards de dollars (3 % du PIB), notamment aux Japonais et aux Allemands dont les excédents financiers sont à la mesure de son propre endettement. Cruelle revanche de l'Histoire que celle des vaincus de la dernière guerre, les fourmis allemande et japonaise, volant au secours de la cigale américaine. Et humiliante dépendance : à chaque nouvelle adjudication de titres d'État, le Trésor américain doit attendre le bon vouloir des souscripteurs japonais. Pour attirer les investisseurs étrangers, il a en outre été contraint de maintenir des taux d'intérêt élevés qui pénalisent l'investissement et freinent la reprise.

Mais la dette qui enchaîne l'Amérique à ses créanciers fragilise également ses entreprises. Alors même qu'elles étaient jadis réputées pour leur vertu financière, car peu endettées, elles se sont mises à emprunter sur une grande échelle. Le volume des emprunts souscrits par les entreprises américaines *a triplé*

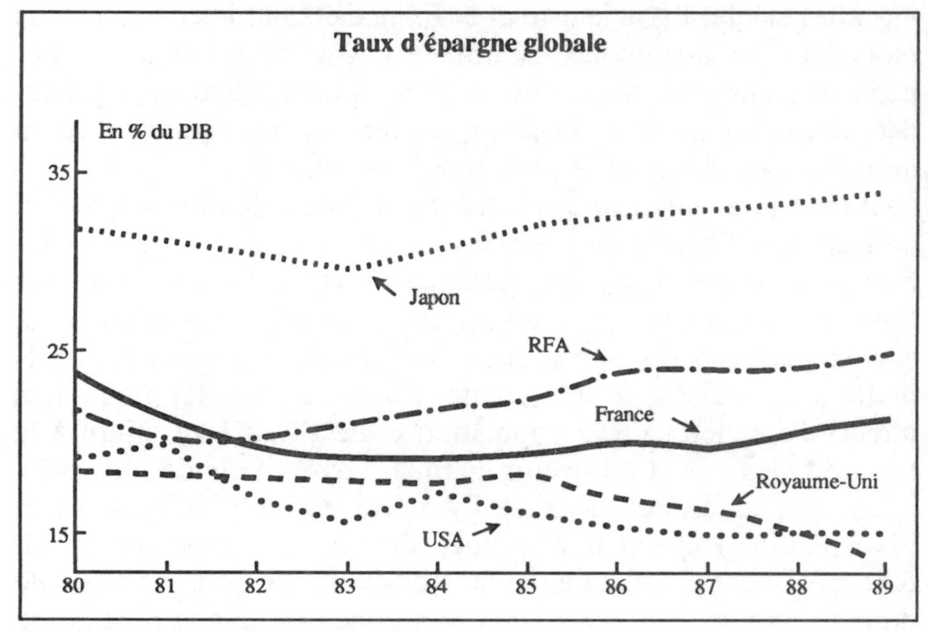

SOURCE : *Direction de la Prévision, 1989.*

depuis 1980. Et le rapport de leurs dettes à leurs capitaux propres a doublé dans la même période. C'est un symptôme évident de fragilité. La *Brookings Institution* estime d'ailleurs qu'en cas de récession économique grave 10 % des plus grandes entreprises américaines seraient en faillite.

Sachons enfin que cette faiblesse sans précédent de l'économie et des finances américaines constitue d'ores et déjà un dangereux facteur d'instabilité pour le reste du monde. L'interdépendance est en effet la règle en la matière. En 1982, on s'en souvient, une formidable crise du système financier mondial avait été évitée de justesse après que le Mexique eut annoncé qu'il était incapable d'honorer ses engagements. Voilà que c'est au tour de l'Amérique de connaître des difficultés. Les grandes banques américaines, en effet, sont désormais fragilisées par la chute du marché immobilier et les défaillances en série de certains de leurs débiteurs, notamment ceux qui ont émis les fameux *junk bonds* en pleine déconfiture.

« Too big to fail » : au-delà d'une certaine taille, toute banque peut être assurée du soutien des pouvoirs publics, car la faillite

d'un de ces grands établissements pourrait, de proche en proche, se propager rapidement dans le monde. C'est l'effet dit de « l'aile de papillon » : un battement d'aile de papillon à Tokyo ou Chicago peut provoquer une tornade à Paris... Voilà pourquoi, après dix ans d'ultra-libéralisme, tout l'avenir du système financier américain est suspendu à l'aide du gouvernement fédéral.

Piquante mais dangereuse ironie de l'Histoire : aujourd'hui, c'est l'« insoutenable légèreté du fort », comme l'écrit joliment Paul Mentré, qui menace le monde.

3

La finance et la gloire

Le Boeing décélérait vers Kennedy Airport. Mon voisin me dit : « Quel beau pays ! Ici, au moins, on peut se faire une vraie fortune en peu de temps. »

Simple banalité. Mais au fait, comment peut-on faire fortune rapidement sans passer par le casino ? Il n'y a guère que deux solutions : la première est industrielle : inventer et vendre. La seconde est commerciale : acheter et vendre. Toutefois, le commerçant ne se borne jamais à vendre en l'état ; il ajoute toujours un service, une valeur ajoutée. C'est le propre du financier que de faire un bénéfice sur ce qu'il revend en l'état (valeurs mobilières sur les marchés financiers, marchandises sur les Bourses de commerce). La première question pour lui est donc de savoir comment faire pour trouver l'argent nécessaire à acheter.

Il n'y a que trois moyens.

1. *L'autofinancement*

Ce sont les ressources qu'une entreprise dégage après avoir provisionné ses amortissements, servi un dividende à ses actionnaires et payé ses impôts.

L'autofinancement présente un grand avantage pour le chef d'entreprise : avec cette méthode, il est tranquille, il n'a rien à demander à personne et il fait ce qu'il veut avec l'argent qu'il a gagné. L'industriel qui aime son métier et déteste s'embrouiller dans les questions financières en reste souvent là. Mais le véritable financier jamais, car cette méthode n'est pas assez rapide. La croissance interne ne lui suffit pas. Il doit aller chercher des ressources à l'extérieur pour développer ses affaires aussi rapidement que possible.

Traditionnellement, les pays anglo-saxons étaient ceux où l'autofinancement était le plus élevé, mais ils ont été dépassés sur ce point par l'Allemagne où ce taux est d'environ 90 %. A l'opposé, celui des entreprises japonaises demeure parmi les plus faibles (environ 70 %), les autres pays d'Europe continentale et notamment la France se situant, dans l'ensemble, entre les deux. Les financements externes, principalement l'emprunt, ne sont qu'une ressource subsidiaire, sauf pour ceux qui, précisément, savent franchir tous les obstacles, pour faire fortune rapidement, *« make rich quick »*.

2. *L'emprunt*

Abstraction faite des techniques nouvelles dites de titrisation des créances, une entreprise emprunte, en général, soit auprès de sa banque, soit en plaçant sur le marché financier une émission obligataire. Autant la voie bancaire est traditionnellement celle du secret, autant la voie boursière implique que l'on soit connu et apprécié par les souscripteurs, ce qui suppose une médiatisation d'autant plus forte qu'on est plus récemment « établi ».

L'emprunt présente trois inconvénients. En premier lieu, son montant est traditionnellement limité en fonction des fonds propres de l'emprunteur : « on ne prête qu'aux riches ». En second lieu, l'emprunt est cher, surtout à notre époque, puisque le taux d'intérêt réel dans les pays développés dépasse depuis une dizaine d'années tous les records constatés au cours des deux siècles précédents. Enfin, rares sont les emprunts perpétuels ; l'emprunteur doit donc non seulement payer les intérêts de ses dettes, mais, en principe, rembourser le capital.

Tout cela est bien contraignant, procédurier, peu dynamique. C'est pourquoi, depuis une quinzaine d'années, l'imagination des financiers anglo-saxons, profitant de la déréglementation, a inventé des techniques nouvelles qui permettent à un emprunteur de lever des sommes considérables à la condition de convaincre les prêteurs qu'il sera capable d'en tirer rapidement des bénéfices très importants. Les emprunteurs peuvent alors acheter plus pour vendre mieux. Les méthodes les plus couramment employées ont été l'émission de *junk bonds* sur le marché et l'ouverture par les banques de crédits dits « à levier » (LBO).

Ces nouvelles méthodes ne concernent qu'accessoirement les entreprises puissantes, ayant pignon sur rue. Mais si vous n'êtes qu'un jeune homme ambitieux et doué, comment faire ? Comment contribuer, en faisant vous-même fortune personnellement et rapidement, à la *démocratisation* (ce mot revient sans cesse dans les plaidoyers reaganiens) d'une économie oligarchique, victime de la somnolence des géants ? C'est à cette question qu'en 1983, un financier de génie, Fred Joseph, P-DG de Drexel Burnham Lambert, a trouvé une réponse qui fera date dans l'histoire économique et financière et qui peut se raconter comme suit.

Fred Joseph vous propose une stratégie en trois temps.

Dans un premier temps, grâce à votre talent, vous découvrez une entreprise fortement décotée, c'est-à-dire dont la valeur boursière est très inférieure à la valeur vénale de ses actifs.

Dans un deuxième temps, votre banquier, aussi ambitieux et doué que vous, vous rend un triple service. Il commence par vous faire connaître sur le marché, par vous médiatiser. Tout commence par là : *la finance et la gloire,* dans ce système, forment un couple indissociable. Votre banquier place alors pour votre compte une émission de ces fameux *junk bonds* que l'on a bien mal traduits en français par « obligations pourries ». Elles sont seulement plus chères parce que plus risquées. Elles sont plus risquées parce que l'émetteur, le débiteur, c'est le jeune homme ambitieux et doué mais peu fortuné, tout seul ou presque, et qui va devoir se lancer dans une opération à haut risque pour pouvoir faire fortune. Il est donc normal que les souscripteurs, c'est-à-dire le marché, lui fassent payer des taux d'intérêt beaucoup plus élevés qu'à IBM... Cette étape, qui consiste à convaincre le public de vous prêter de grosses sommes quand vous manquez justement de répondant, de « crédit », est évidemment la plus difficile à franchir. C'est pourquoi le dynamique banquier vous rend un troisième service spécialement conçu pour les candidats à la fortune : un prêt direct, à taux élevé lui aussi, par lequel il montre l'exemple aux marchés en s'engageant lui-même à vos côtés. Ce prêt est destiné à vous permettre d'acheter une entreprise malgré la faiblesse de vos moyens propres, grâce à un effet de levier (LBO, leveraged buyout). A vous, ensuite, d'en tirer des profits suffisants pour satisfaire et le banquier et vous-même !

Il faut bien voir où est l'innovation. Elle consiste à arbitrer un risque élevé contre un taux d'intérêt élevé lui aussi. Les banques traditionnelles ne pratiquent cette différenciation des taux que très prudemment, car elles ont un comportement d'*institutionnels* qui donnent la priorité au contrôle de leurs risques, à la sécurité de leurs crédits, c'est-à-dire une priorité au long terme sur le court terme. Au contraire, celui qui accorde un prêt à taux et à risque élevés est un individu qui donne la priorité au montant des intérêts qu'il va encaisser dès la prochaine échéance et des *bénéfices* qu'il pourra ainsi afficher, peu soucieux de ce qui se passera à long terme. L'avenir n'est pas son affaire. Son affaire est de briller, de conquérir et de gagner tout de suite.

Tout au long de ce livre, nous verrons que le combat entre les deux capitalismes se situe là précisément : c'est un combat du court terme contre le long terme, du présent contre l'avenir.

Mais venons-en maintenant à la troisième phase du processus dans lequel, le futur *golden boy* ayant emprunté pour se constituer un « trésor de guerre », il ne lui reste plus qu'à montrer qu'il est animé par la rage du chercheur d'or, à fondre sur sa proie, à passer à l'acte du *raider*. S'il s'y prend bien, en payant aux actionnaires un prix plus élevé que la valeur boursière antérieure mais moins élevé que la valeur vénale des actifs, il ne lui reste plus qu'à procéder à l'*assets-stripping*, expression neutre qui, elle aussi, est traduite en français d'une manière péjorative par « dépeçage des actifs », parce que chez nous, en Europe, l'entreprise n'est pas seulement une marchandise. Quoi qu'il en soit, à ce moment-là, non seulement l'emprunteur peut rembourser, mais il a fait un bénéfice immédiat qu'il partage avec son banquier. C'est la fin du premier acte de sa *success story*.

On est à Hollywood. Commentant la multiplication des opérations de cette nature, Felix Rohatyn, l'associé-gérant de Lazard Frères qui jadis a sauvé les finances de la ville de New York, n'a pas hésité à déclarer que Wall Street, c'est pire qu'Hollywood. En effet, sans même s'attendrir sur le sort des entreprises ainsi dépecées et de leur personnel, il vaut la peine de noter que les opérations de ce type ont abouti à mettre en crise une large part du système financier américain. Michel François-Poncet, président de Paribas, a donné à cet égard quelques chiffres remarquables : après le krach de 1987, les autorités monétaires des pays développés ont décidé d'imposer à leurs banques des mesures prudencielles qui sont résumées dans le fameux « ratio Cooke », lequel limite le volume des crédits que les banques peuvent consentir. C'est si vrai que la part des banques américaines dans l'ensemble des financements des entreprises (ce qu'on appelle le taux d'intermédiation) est passé de 80 % en 1970 à 20 % seulement en 1990. L'une des conséquences est d'ailleurs la suivante : alors qu'en 1970, huit banques américaines figuraient parmi les vingt-cinq premières mondiales, en 1990, la première américaine, la Citicorp, était vingt-quatrième. Mais plus les banques américaines limitaient leurs engagements par crédit et plus elles devaient, pour maintenir leurs bénéfices, s'engager dans des opérations à *forte profitabilité,* c'est-à-dire à *haut risque.* Ainsi, en 1990, le montant de leurs engagements sur LBO (190 milliards) représentait à lui seul trois fois leurs risques-pays, c'est-à-dire leurs créances sur l'ensemble des pays sous-développés (64 milliards de dollars).

Depuis le krach boursier du 19 octobre 1987, la presse spécialisée ne cesse de raconter l'évolution alarmante du nombre des faillites d'institutions financières aux États-Unis. Après la chute brutale des volumes d'activités, les banques commerciales américaines, au lieu de se comporter en institutionnels prudents, soucieux avant tout du long terme, ont été contraintes par les exigences mêmes du système capitaliste américain à se jeter dans le profit immédiat, c'est-à-dire vers les activités les plus risquées. Et, au bout du compte, c'est le contribuable américain qui devra payer la facture.

3. *L'augmentation de capital*

Mais revenons à l'histoire de notre héros. Il veut devenir un seigneur de la finance. Or, il sait bien que, les véritables seigneurs de la finance, ceux qui parviennent, en partant de rien, à entrer dans le gotha de la cour des grands, ce sont ceux qui, ne se contentant ni d'acheter avec leur épargne, ni d'emprunter avec celle des autres, parviennent à lever sur le marché, au vu de leur seul nom, de leur seule réputation, des augmentations de capital, c'est-à-dire de l'argent qui présente la double caractéristique quasi miraculeuse d'être à la fois éternel et moins cher.

Contrairement à l'emprunt, cet argent est éternel puisque le capital d'une société n'est pas remboursable ; contrairement à l'emprunt qui coûte au minimum de 8 à 12 % dans les pays développés, les dividendes dépassent rarement 3 à 4 % de la valeur des actions. Or, les risques assumés par l'actionnaire sont illimités. Comment se fait-il donc qu'il souscrive lorsque l'émetteur n'est pas une entreprise de première qualité ayant fait depuis longtemps ses preuves, mais le simple aspirant au génie financier dont nous suivons ici le destin ? La réponse est une fois de plus dans sa gloire même et dans sa capacité à « vendre de l'espérance ».

Acheter avec son épargne, c'est médiocre. Emprunter pour acheter, c'est déjà plus fort. Lever, sur son seul nom, des fonds propres sur le marché, c'est le propre des dieux de la finance. Il y a d'ailleurs d'autres divinités, les banquiers d'investissement, qui n'investissent guère, ne prennent guère de risques, mais dont la fonction principale, qui consiste à faire acheter et faire vendre les autres, suppose le plus grand talent de conviction, le sens le plus élevé de la combinatoire financière. Ils perçoivent des commissions sur chaque transaction, les ventes comme les achats. C'est d'autant plus justifié qu'ils rendent le plus précieux des services au chercheur d'or : lui dire où creuser pour découvrir des pépites.

Voilà ce qui est, pour faire simple, à l'origine de « bulle financière », « capitalisme financier », « financiérisation de l'économie ». C'est la valeur psychologique que les marchés attachent à la gloire de leurs héros favoris. Il en faut. L'oxygène du capitalisme, c'est l'espoir du gain. Sans cet espoir pas d'entreprise, mais, même à la Bourse, il faut savoir raison garder.

« Une sorte de délire »

Plus que jamais et plus qu'ailleurs, les économies anglo-saxonnes se caractérisent depuis les années quatre-vingt par l'importance de leur marché boursier, contrairement aux pays alpins où les banques jouent le rôle principal dans le financement des entreprises.

Cette importance traditionnelle des marchés financiers s'est d'autant plus renforcée outre-Atlantique que la conjoncture financière a été exceptionnellement favorable durant les années quatre-vingt. Entre 1980 et 1989, l'indice Dow Jones a été multiplié par trois. Quant aux marchés à terme et d'options, ils se sont considérablement développés. A Chicago, désormais, on négocie un volume d'affaires deux fois, voire trois fois supérieur à celui de New York. Envol de la Bourse ! Explosion de la finance ! De ses rites, de ses pompes et de ses magies... Les intermédiaires financiers, en effet, se sont multipliés – et enrichis – au même rythme. De nouvelles sociétés financières, hier encore peu connues du grand public, ont accédé au rang de stars médiatiques, objet d'innombrables reportages. Elles détrônaient du même coup des entreprises aussi prestigieuses qu'IBM, Apple ou Colgate. Ces sociétés avaient pour nom Drexel Burnham Lambert, Shearson Lehman Hutton ou Wasserstein Parella, etc. Elles participaient d'une mythologie qui conjuguait une magie très « branchée », celle de la spéculation boursière, avec le strass et les paillettes du showbiz. Et, comme toujours aux États-Unis, ce triomphe de la finance sur l'industrie était marqué – et rehaussé – par la gloire de fulgurantes réussites individuelles.

Des inconnus devinrent subitement aussi célèbres que s'ils

étaient passés par Hollywood et la presse s'extasia sur leurs fortunes aussi colossales que rapidement acquises. Des hommes comme Michael Milken, le roi des *junk bonds* – ces « obligations de pacotille » à haut rendement, utilisées, on l'a vu, pour le financement des projets à hauts risques –, aujourd'hui en prison pour dix ans, Ivan Boesky, l'arbitrageur génial à la Rolls rose (trois ans de prison et cent millions de dollars d'amende), Donald Trump, le plus mégalomane des hommes d'affaires, propriétaire – entre autres – du Taj Mahal entièrement financé par des *junk bonds,* furent promus, pendant quelques années, au statut de héros du capitalisme américain. Mais quelle sorte de capitalisme ? Et comment n'y a-t-on pas vu un mauvais présage pour l'économie des États-Unis ?

Maurice Allais, le prix Nobel d'économie 1988, n'a pas hésité, lui, à déclarer que cette économie « paraît s'être abandonnée à une sorte de délire financier spéculatif où apparaissent des revenus énormes sans fondement réel, dont les effets démoralisants sont réellement sous-estimés ».

Effets démoralisants : pour rester dans le manichéisme américain, les « méchants » de la finance ont proliféré et perverti un peu plus les « lois » de cette jungle nouvelle. Il s'agissait principalement des *raiders,* grands spécialistes des OPA hostiles et du démembrement – du dépeçage – des entreprises revendues « par appartements » avec de prodigieux bénéfices. Des « méchants » de tout acabit. Certains ont suivi le parcours de Carl Icahn : après avoir terrorisé la place, il a racheté la compagnie aérienne TWA et, se rachetant simultanément une vertu, s'est mué en chef d'entreprise exemplaire soucieux de l'intérêt de sa société. D'autres, comme Irwin Jacobs, n'obéissent qu'à la logique financière la plus exclusive, celle de la rentabilité maximale et du profit rapide. D'autres enfin, comme Jimmy Goldsmith, se comportent en croisés du libéralisme économique et pourfendent inlassablement l'étatisme rampant. C'est pour défendre cette idée que Goldsmith a tenté d'acheter le géant du pneu Goodyear et qu'il a acquis, à la suite d'une OPA hostile, le conglomérat Crown Zellerbach. « Jimmy » assure vouloir éliminer la bureaucratie qui envahit les entreprises comme une mauvaise graisse et chasser ces dirigeants paresseux qui vivent « sur la bête » sans se préoccuper des intérêts des actionnaires. Mais il s'arrange surtout pour réaliser de fabuleuses plus-values.

Sans doute la pratique des OPA, les rachats et les fusions d'entreprises ne représentaient-ils pas un phénomène nouveau aux États-Unis. Contrairement à une idée répandue, le *nombre* de ces opérations réalisées durant les années quatre-vingt (de 2 à 3000 par an) fut même inférieur de moitié à celui des années 1968-1972. C'est en 1970 que le maximum historique (6000 opérations) avait été atteint. Mais si l'on prend en compte non plus le nombre mais le *montant* desdites opérations, alors les « années Reagan » marquent une véritable explosion. Le montant total est passé de 20 milliards de dollars par an pour la période 1968-1972 à 90 milliards pour la période 1980-1985 et à 247 milliards pour la seule année 1988. En *pourcentage* du PIB, les opérations de fusions-acquisitions ont représenté en 1983-1985 une part *deux fois plus élevée* que pour les années 1968-1972 (*Le Retour du capital,* sous la direction de Baudouin Prot et Michel de Rosen, Éd. Odile Jacob, 1990).

Mais surtout elles ont, dans une large mesure, changé de nature depuis 1982, comme l'a montré Edward J. Epstein (« Qui possède les entreprises ? Le conflit entre dirigeants et actionnaires », New York, Twentieth Century Fund, 1988, traduit en français dans *Capitalisme fin de siècle,* Paris, Fondation Saint-Simon, 1989) :

« Les fusions et les rachats, bien sûr, ne sont pas une nouveauté : depuis au moins trente ans, les sociétés américaines y ont recours pour augmenter leur part du marché, diversifier les risques, améliorer les bilans ou, dans nombre de cas, profiter de certains avantages fiscaux. Mais, jusqu'aux années quatre-vingt, l'immense majorité des fusions et acquisitions se faisaient "à l'amiable", tout au moins avec l'approbation des conseils d'administration des deux parties concernées, ne serait-ce que parce que les lois des différents États rendaient les prises de contrôle extrêmement difficiles et potentiellement dangereuses pour les entreprises. En Illinois, par exemple, la loi sur les prises de contrôle (Illinois Business Take Over Act) autorisait l'administration à intervenir si 10 % des actionnaires de la société cible résidaient dans l'État. En annulant ces dispositions en juin 1982, la Cour suprême a par la même occasion invalidé d'autres lois similaires, ce qui a radicalement modifié la situation et grandement facilité les offres d'achat hostiles.

Alors que les fusions et les acquisitions conventionnelles, surtout quand l'initiateur était un conglomérat, visaient à agrandir le groupe, quitte à provoquer une baisse momentanée de la valeur des actions, les prises de contrôle récentes avaient pour objectif de démembrer la société acquise, en vendant ses divers départements pour faire grimper le prix des actions. »

La spirale de l'esbroufe

Starification des entreprises financières, *success stories* pour leurs dirigeants : pas étonnant dans ces conditions si le secteur financier américain a drainé une grande partie de l'élite intellectuelle du pays. Ce fut un coup dur pour l'industrie. Elle qui avait déjà du mal à recruter les ingénieurs et les financiers dont elle avait besoin a vu ses meilleurs cadres et ses jeunes diplômés filer vers les banques ou les maisons de courtage. On y gagnait beaucoup plus d'argent. Sans se salir les mains, ni même les chaussures, comme à l'usine.

N'allons surtout pas imaginer qu'il s'agit seulement là des folies américaines des années quatre-vingt ! Il suffit de s'informer, à Paris, sur les rémunérations des jeunes athlètes de la pure finance qui travaillent dans les salles de marché. Ils gagnent souvent le double, parfois le triple, de leurs camarades d'école qui travaillent à côté d'eux, dans la même institution financière, mais dans des secteurs à la fois moins spéculatifs et moins spécialisés. Même compétence, même talent, mais des choix de risque différents et des salaires de 1 à 3. Voilà l'un des points précis où se mène quotidiennement la bataille capitalisme contre capitalisme.

Aux États-Unis, avec ce drainage des cerveaux, ces succès fulgurants, ces sommes énormes en question, ces opérations plus spectaculaires qu'un thriller, tous les éléments se trouvaient réunis pour un grand show médiatique ininterrompu. Pour les médias, en effet, la finance à grand spectacle, comme celle qui a alors envahi Wall Street, c'est une aubaine. Bien vite, les jeux financiers vont donc occuper dans les journaux une place qu'ils n'avaient jamais eue jusqu'alors. Pas un jour sans qu'un quotidien – et pas seulement l'austère *Wall Street Journal* – ne mentionne l'un des épisodes les plus *exciting* de ce grand western : une OPA bien sanglante, un gain fabuleux, un « coup » astucieux ou tordu. Sans compter les démêlés personnels de ces nouveaux rois de la Bourse à la vie privée très agitée. (Ainsi les bagarres de Donald Trump avec son intraitable épouse qui lui réclamait le divorce et... la moitié de sa fortune firent-elles la « une » de bien des magazines.) La finance, mais aussi la vie économique en général, se déroulent désormais sous les feux de la rampe. Pour le meilleur et – le plus souvent – pour le pire.

Cette médiatisation, en débordant du cadre de Wall Street, a modifié les réflexes des chefs d'entreprise et des grands managers eux-mêmes. Ils sont devenus de plus en plus sensibles au fait que la presse parle d'eux comme de « grands capitaines » d'industrie, de héros de BD ou de vidéoclips confrontés à d'effrayants dragons et triomphant des adversités sournoises de la Bourse. Tout un vocabulaire a proliféré durant ces années quatre-vingt dont il serait instructif d'étudier minutieusement les connotations. Elles sont le plus souvent guerrières et – avec les *chevaliers* blancs ou noirs, les *pilules empoisonnées,* les *menottes* ou les *parachutes en or* – assimilent l'économie et la finance à *La Guerre des étoiles.* Un feuilleton bien plus amusant à suivre – et à raconter – que les hausses de productivité dans la construction automobile ou les aléas de l'informatique sur les marchés internationaux.

Héros ambigus de ces duels boursiers titanesques, les dirigeants devenaient également, pour les médias et l'opinion, des demi-dieux affranchis des contraintes terrestres, maniant les milliards, manipulant les actifs et les métiers, se jouant des frontières et des États. Comment certains n'auraient-ils pas cédé à la mégalomanie ? Et comment n'auraient-ils pas infléchi progressivement leurs méthodes de gestion pour mieux correspondre à l'image d'eux-mêmes que leur renvoyaient les médias ? On aurait tort de croire que les fusions, acquisitions ou OPA obéissent toujours à des motivations rationnelles. Il faut parfois une « belle opération » pour satisfaire l'ego du président, récolter quelques gros titres flatteurs dans la presse ; il en faut une autre pour éviter que la direction d'une entreprise ne soit jugée par son propre personnel timorée ou conservatrice. Et une bonne OPA ne sera pas inutile pour redorer le blason d'une entreprise...

Cette spirale de la gloire, de l'esbroufe et de la puissance financière a littéralement entraîné toute l'Amérique des « années Reagan » derrière Wall Street. Et la finance, plus encore que dans le passé, s'est mise à donner le ton. Il faut tout lui sacrifier. La politique économique est ainsi subordonnée aux sautes d'humeur de Wall Street. Quand l'indice bouge, quand les taux s'agitent, l'Amérique a la fièvre. Un mauvais chiffre du commerce extérieur ou une tendance à l'augmentation du chômage, et c'est l'affolement du marché. L'impact boursier d'un événement finit par devenir plus important que l'événement lui-même. Que les exportations baissent ou que la production stagne n'est plus un problème *en soi.* Ce qui est préoccupant, c'est la réaction des marchés.

La loi du marché

Dans ce contexte, l'industrie ressemble un peu au parent pauvre, à la cousine de province sans beaucoup d'attraits et dont les robes démodées font sourire. Le rapport publié en 1990 par le Massachusetts Institute of Technology (MIT) souligne à quel point l'industrie et la finance font rarement bon ménage. Les vagues d'OPA ont ébranlé fortement la confiance en elle-même de l'industrie. Quant aux *raiders,* ces prédateurs obsédés par le profit immédiat, on ne saurait espérer d'eux une quelconque « stratégie industrielle ». Cette folie financière, écrit le MIT, a « contribué à concentrer exagérément l'attention des entreprises sur la rentabilité immédiate ». C'est un euphémisme !

Le marché financier en vient ainsi, à la limite, à exercer une véritable tutelle sur l'économie en général et sur les entreprises en particulier. Il pousse ces dernières à adopter des comportements et des stratégies qui, d'un strict point de vue économique et industriel, s'écartent de la rationalité dont il se réclame.

D'abord, la Bourse exige de l'entreprise qu'elle dégage *tout de suite* une rentabilité maximale de ses fonds propres. Il faut satisfaire des actionnaires devenus d'autant plus exigeants qu'ils font de leur infidélité une arme. L'entreprise s'attachera donc à leur verser des dividendes « compétitifs ». En outre, un niveau élevé du cours de l'action constituera le meilleur moyen de se mettre à l'abri d'une OPA hostile en dissuadant les acheteurs éventuels. On mettra donc tout en œuvre pour maximiser les profits à court terme de façon à pouvoir présenter *chaque trimestre* à Wall Street des résultats satisfaisants. Tous les trois mois, en effet, les entreprises rendent des comptes au marché qui les attend pour les analyser, les décortiquer, les comparer, les passer au crible de la critique. Tous les trois mois ! C'est ce qu'on appelle désormais la « tyrannie du *quarterly report* ».

Or n'importe quel gestionnaire sait que le moyen le plus efficace pour augmenter le bénéfice à court terme consiste à couper dans les dépenses les moins urgentes : publicité, recherche, formation, prospection à long terme, etc. Hélas, ce sont ordinairement les dépenses qui permettent à une entreprise de préparer l'avenir, en concevant de nouveaux produits, en améliorant ses techniques de production, en élevant la qualification de son personnel et en préparant la commercialisation future de ses produits. Si l'on coupe exagérément dans ces dépenses, l'entreprise se trouve, à terme, menacée. Ici, la logique financière s'oppose clairement à la logique industrielle.

Mais les effets induits par la fièvre des OPA ne sont pas moins dangereux pour les entreprises. Celles qui se trouvent engagées dans une OPA (soit comme acheteur, soit comme « cible ») accumulent en effet, pour réaliser l'opération ou y résister, des dettes qui pèseront sur le bilan. Les entreprises devront supporter – et parfois pour longtemps – des frais financiers considérables qui déséquilibrent leurs comptes d'exploitation. Un exemple : le groupe RJR Nabisco Inc. traîne un boulet de près de vingt-deux milliards de dollars de dettes contractées lors de son rachat par KKR. Au point que, pour résorber une partie de ce redoutable endettement, les dirigeants de KKR ont été obligés de vendre toutes les filiales du groupe à BSN.

La gloire des vaincus

Ces contraintes financières ne sont pas les seules à peser sur les entreprises. Les menaces d'OPA ou de raids qui planent en permanence sur leurs dirigeants poussent ces derniers à consacrer beaucoup de temps et d'énergie à élaborer des stratégies de défense, à s'investir dans une guérilla boursière parfaitement improductive sur le plan commercial ou industriel. On peut se demander s'il est bien dans la vocation première d'un industriel de mettre interminablement au point, avec des bataillons de juristes aux honoraires mirobolants, des « pilules empoisonnées » ou des « parachutes en or » destinés à contrer les prises de contrôle hostiles, plutôt que d'utiliser ce temps pour... produire et vendre. On ignore combien de temps fut consacré à la mise au point des « parachutes en or » destinés à protéger les anciens Président et Directeur général de Nabisco contre les conséquences, pour eux, du rachat de leur groupe par KKR. Mais on en connaît les montants : les deux dirigeants ont respectivement reçu de leurs entreprises 53 et 45 millions de dollars ! Soyons concrets : 50 millions de dollars représentent au bas mot 250 millions de francs, qui, prudemment placés au taux de 10 %, assurent aux intéressés une rente annuelle d'environ 25 millions, soit cinq à dix fois le salaire des P-DG français les mieux rémunérés. Voilà, n'est-il pas vrai, ce que l'on pourrait appeler la « gloire des vaincus » ?

Quant à l'infidélité des actionnaires, courant vers le plus offrant, la bonne affaire, l'action la plus immédiatement rentable, elle constitue pour eux – à la lettre – la nouvelle règle d'or.

Dans la logique du nouveau modèle anglo-saxon de capitalisme, pour un actionnaire, infidélité est synonyme de rationalité. Un point c'est tout.

Mais il se trouve précisément que cette rationalité constitue un handicap majeur pour les entreprises qui ne peuvent plus compter sur un capital stable.

L'actionnaire roi, pour reprendre une expression d'Alexandre de Juniac et Stéphane Mayer (*Le Retour du capital, op. cit.*), se soucie assez peu de l'entreprise dans laquelle il a investi. Il lui faut des dividendes et des plus-values. Cette tendance – et c'est un paradoxe – est particulièrement marquée chez les investisseurs institutionnels (fonds de retraites et compagnies d'assurances principalement) dont le poids sur le marché américain est énorme. Ils possèdent en effet de 40 à 60 % de la capitalisation de Wall Street, mais, à la différence de ce qui se passe encore au Japon et, dans une certaine mesure, en Europe, ils n'y jouent pas – ou plus – un rôle de « régulateurs » ou de « gendarmes » du marché. Les investisseurs institutionnels américains cherchent avant tout à optimiser le rendement à court terme de leur portefeuille. Leur seul souci est de présenter à chaque échéance aux épargnants dont ils gèrent les fonds des résultats records. Il s'agit d'apparaître comme les meilleurs gestionnaires lors des classements de plus en plus fréquents qui comparent les fonds entre eux.

Cette obsession du résultat à court terme les incite parfois – en cas d'OPA – à la « trahison » pure et simple, comme on disait autrefois. Nombre d'entre eux, en effet, gèrent les retraites des employés des grandes sociétés. Lorsque l'une d'elles est attaquée, ils ont tout intérêt à se mettre du côté de l'assaillant pour réaliser des plus-values.

Avec de tels actionnaires et de telles stratégies, on est loin de l'entreprise conçue comme une communauté d'intérêts, liée par une puissante *affectio societatis* et réunissant les actionnaires, les salariés et la direction. L'entreprise n'est plus qu'une machine à *cash-flow*, ballottée par les vagues du marché et menacée par les imprévisibles tempêtes de la spéculation boursière.

Un capitalisme sans propriétaires

Il est difficile, pour des Européens, et particulièrement pour des Français, souvent attachés à leur entreprise comme à une sorte de famille, de ne pas éprouver une sorte de gêne face à cette logique. Car c'est bien d'une logique qu'il s'agit. En Amérique, pour les nouveaux actionnaires rationnels qui dominent maintenant le marché, l'entreprise n'est pas autre chose qu'un « paquet d'actions », suivant la vieille expression de Keynes. D'ailleurs, en Amérique, tout est à vendre – même à des Japonais –, ce n'est qu'une question de prix. Le philosophe français Michel Serres, qui enseigne outre-Atlantique, l'a fort bien dit : « Aux États-Unis, l'argent est le but, les choses sont les moyens. En Europe, c'est le contraire : avec de l'argent, on peut faire des choses. » Dans ce pays, il est aussi habituel (et facile) d'acheter une entreprise que d'acheter un immeuble ou une œuvre d'art. Il est donc parfaitement logique que l'actionnaire roi fasse ce qu'il veut dans l'entreprise qu'il vient d'acheter. Il la découpe en morceaux pour vendre ce qui ne l'intéresse pas. Il traite ses collaborateurs comme il fait de son capital, c'est-à-dire comme une marchandise.

Oui ou non, le bon fonctionnement du capitalisme exige-t-il que les travailleurs soient traités comme une marchandise ? Beau sujet de bataille ! Oui ou non, l'entreprise capitaliste peut-elle vivre sans propriétaire ? Beau sujet de bataille, aussi, que celui-ci ! Avec cette différence qu'il peut être traité comme un paradoxe, sur le mode de l'humour. C'est ce que faisait récemment l'hebdomadaire britannique *The Economist* : « Le capitalisme anglo-saxon est-il encore un capitalisme de propriétaires ? »

« Entreprise cherche propriétaires », « Entreprise cherche actionnaires stables ». Avec ces deux demandes, il y a de quoi aujourd'hui remplir des journaux de petites annonces. En effet, c'est la gloire de la nouvelle finance dans le nouveau capitalisme anglo-saxon que de faire disparaître les propriétaires en détruisant la logique de l'actionnariat stable.

Profit d'aujourd'hui ou de demain ?

Arrêtons-nous un moment sur un autre paradoxe qui ressemble à un clin d'œil de l'Histoire adressé à... Karl Marx. Partout dans le monde, on redécouvre la légitimité du profit. C'est l'âme du capitalisme. En France, les gouvernements socialistes s'y sont ralliés dès 1982-1983 en tournant le dos aux utopies du programme commun. A l'Est, l'effondrement du communisme débouche sur une réhabilitation générale – et sans nuances – du marché. Chacun admet, en somme, l'idée selon laquelle la poursuite du profit constitue pour les entreprises et les entrepreneurs le plus efficace des stimulants. Le profit est légitime. Mieux encore, la rentabilité, le profit, les marges bénéficiaires sont les vrais moteurs – les seuls – d'une économie dynamique. Or voici que c'est d'Amérique, de la patrie du capitalisme elle-même, que nous vient une leçon inattendue : *le profit peut aussi affaiblir l'entreprise, pénaliser l'économie, entraver le développement.* De même que « trop d'impôt tue l'impôt », on pourrait dire que « trop faire pour le profit d'aujourd'hui nuit au profit de demain ».

A l'exception de quelques miracles tenant à la mode ou à la chance, la réussite durable d'un produit se construit jour après jour. Elle passe par la mise au point de méthodes de fabrication, d'un réseau de distribution. Elle exige que l'on sache convaincre les clients et que l'on assure – entre autres – le suivi après-vente. La micro-informatique n'a triomphé auprès du grand public que six ou sept ans après son lancement. Les magnétoscopes et caméscopes ont mis plus de dix ans à percer.

Or cette ténacité s'accompagne, inévitablement, de sacrifices financiers. Une entreprise doit accepter de subir des pertes avant d'engranger les premiers bénéfices. Et pas seulement parce qu'il faut couvrir les coûts de lancement. Il est souvent indispensable de vendre à des prix « trop bas », en rognant sur ses bénéfices, pour conquérir un marché. Élémentaire statégie dont les Japonais se sont faits les champions. Ils attaquent massivement le marché en concentrant leurs efforts sur le bas de la gamme, en consentant des sacrifices énormes sur les prix et donc sur leurs marges. Faisant cela, ils éliminent leurs concurrents, amortissent les coûts fixes et, progressivement, remontent la gamme des produits. Souvenons-nous de ce qu'étaient les voitures japonaises il y a quinze ans. Elles étaient petites, peu soignées, fragiles et sans charme mais très bon marché. Aujourd'hui, elles rivalisent avec les puissantes allemandes ou les élégantes italiennes. Et les Japonais, on le sait, sont devenus les premiers constructeurs de voitures dans le monde. Mais cette réussite est le fruit d'une stratégie tenace impliquant, au départ, de coûteux sacrifices.

Le profit contre le développement

A l'opposé de cette stratégie, les Américains ont souvent préféré se concentrer de plus en plus sur des créneaux industriels assurant des profits immédiats. Ils se sont vite retirés des activités où leur suprématie était menacée, ou bien lorsque les efforts exigés se révélaient trop durables et trop coûteux. Ils n'ont pratiquement jamais élaboré de politiques industrielle et commerciale à long terme pour conquérir ou reconquérir des marchés entiers. Dans le secteur de *l'imagerie médicale, des scanners et des échographes,* par exemple, ce sont les firmes américaines qui, dans un premier temps, ont lancé ces produits. Mais elles sont ensuite restées sur les créneaux « pointus », ceux du matériel destiné aux grands centres de recherches et aux hôpitaux les plus modernes. Du même coup, la gamme des produits courants a été abandonnée aux Japonais. Ils s'y sont précipités et ont d'abord raflé le marché des hôpitaux moins prestigieux ; puis, forts de cette base, ils ont amélioré leurs produits et viennent maintenant concurrencer directement les Américains sur les matériels de haute technologie.

La même différence de stratégie peut être observée, avec des variantes, dans l'électronique, où les entreprises américaines ont délaissé les produits grand public, soit pour se concentrer sur la haute technologie militaire, soit pour s'orienter carrément vers d'autres activités plus rentables (location de véhicules ou services financiers).

Dans son fameux livre *Le Japon qui peut dire non* – jamais entièrement traduit, mais dont de nombreuses traductions pirates circulent –, Akio Morita, P-DG de Sony, n'y va pas par quatre chemins pour critiquer cette imprévoyance des patrons américains : « Les Américains, écrit-il, font de l'argent avec les fusions et acquisitions mais ne savent plus produire de nouveaux objets. Alors que nous planifions sur dix ans, ils ne s'intéressent qu'aux profits à faire dans les dix prochaines minutes. A ce rythme, l'économie américaine est devenue une économie fantôme. »

Certains responsables américains eux-mêmes ne sont pas loin de partager ce jugement sévère. Ainsi Richard Darman, directeur du Budget des États-Unis, a-t-il dénoncé le *now-nowism* (tout, tout de suite), c'est-à-dire « l'impatience du consommateur, non du constructeur; de l'égoïste, non du pionnier ». Keynes redoutait que ce comportement inspiré par l'« esprit de finance » ne supplante l'« esprit d'entreprise ». Du moins est-il cohérent avec la nouvelle tyrannie de la finance contre laquelle se débattent les industriels américains. Même les plus grands. IBM, par exemple, verse près de 50 % de ses profits en dividendes. Rank Xerox en distribue plus de 60 %. En revanche, les banques qui financent les sociétés japonaises sont infiniment moins gourmandes. Elles appartiennent souvent, directement ou indirectement, au même groupe. La plupart d'entre elles possèdent une part significative du capital de l'entreprise. Elles sont donc bien placées pour savoir qu'exiger des taux de prêts ou des dividendes trop élevés gênerait le développement de l'entreprise. En somme, elles savent *compenser,* gagnant d'un côté ce qu'elles perdent de l'autre. Et tout le monde s'y retrouve. Quant aux entreprises, qui ne sont pas écrasées sous le poids d'un capital trop coûteux, elles sont mieux à même d'élaborer – et de financer – des projets à long terme.

Ce n'est pas le cas des entreprises américaines taraudées en permanence par l'obligation de satisfaire leurs actionnaires et leurs bailleurs de fonds, rivées par conséquent aux projets à profits rapides. On peut comprendre, dans ces conditions, que, comme le souligne le récent rapport du MIT *(Made in America, op. cit.),* les entrepreneurs américains semblent de plus en plus réticents à l'idée de prendre des risques industriels. Constatation stupéfiante. Car le capitalisme et l'entreprise sont, par définition, synonymes de risques. Toute la mythologie américaine exalte d'ailleurs ce risque et a toujours présenté l'aventure industrielle comme la continuation de celle des pionniers. La prudence excessive, la recherche de profits à court terme, le repli sur des activités sûres s'accordent mal avec l'image que voulait précisément restaurer Ronald Reagan lorsqu'il déclarait par exemple (en 1984, lors de son voyage en Chine) : « Nous sommes un peuple optimiste. Comme vous, nous avons hérité d'infinies étendues de terre et de ciel, de montagnes élevées, de champs fertiles, de plaines sans horizons. Voilà qui nous fait découvrir partout le possible et nous donne l'espérance. »

Effet pervers du « reaganisme », ironie cruelle des années quatre-vingt : voilà que la tyrannie de la finance en vient, paradoxalement, à porter atteinte à l'esprit d'entreprise. C'est fâcheux. Et dangereux. L'expérience des dernières années montre que les plus grands succès industriels ont souvent eu pour origine les plus grandes « prises de risques ». On en trouvera maints exemples dans un livre consacré à la stratégie des entreprises japonaises : *Kaisha : the Japanese Corporation,* par J. Abegglen et G. Stalk (New York, Basic Books, 1985). Les auteurs y montrent la fantastique capacité des Japonais à prendre des risques financiers et industriels. Il n'est pas rare que des entreprises nippones se lancent immédiatement dans la production de masse avant même de savoir si le produit se vendra. Ainsi, les coûts fixes sont tout de suite amortis, ce qui permet des prix de lancement compétitifs. L'exemple du fameux walkman est à cet égard révélateur. Inventé par Akio Morita, sa production de masse fut lancée alors même qu'aucun exemplaire n'avait encore été vendu.

En définitive, le profit est un peu comme l'essence. C'est lui qui fait « tourner » le moteur capitaliste. Mais si l'essence est trop riche ou mal dosée, le moteur peut s'étouffer. Ou exploser. Les patrons japonais ne se privent pas d'insister sur cette idée lorsqu'ils critiquent, comme le fait Akio Morita, leurs homologues américains. Ces derniers, dit-il, négligent leurs collaborateurs, font l'impasse sur les nécessités de la production et sont trop obsédés par Wall Street. Derrière ces propos se profile une critique plus générale : celle de la gestion des ressources humaines telle que la conçoivent bien des patrons américains. Cette gestion est d'ailleurs critiquée par les analystes américains eux-mêmes. Citant plusieurs études publiées outre-Atlantique, le rapport *Ramsès* (Institut français des relations internationales, Dunod) notait dans sa livraison de 1990 : « De fait, les orientations retenues par le patronat américain vont contre l'expérience des plus performants et les analyses des obstacles sociaux à la productivité réalisées en de nombreux endroits aux États-Unis, dans les universités ou les sociétés de conseil. Les unes et les autres convergent vers les conclusions retenues depuis longtemps par des sociétés comme IBM, 3M ou Hewlett-Packard, à savoir que la gestion en continu d'une main-d'œuvre stable est un élément de compétitivité déterminant. »

La course frénétique au profit induit des comportements qui vont à l'opposé de cette gestion bien comprise. Et, au bout du compte, l'appât du gain, l'enrichissement sans vergogne font peser des menaces sur l'ensemble du tissu social.

Les nouveaux dangers de l'argent roi

L'argent et la fortune ont toujours été l'un des fondements de la société américaine, alors que la naissance, la culture ou l'honneur étaient plus volontiers revendiqués par les sociétés européennes. C'est la rançon de la jeunesse d'un État capitaliste et républicain. Un État fondé sur l'éthique protestante dont Max Weber a montré qu'elle s'accommodait fort bien du capitalisme. Dire que l'Amérique est le pays de l'argent roi et du dollar triomphant, quoi de plus banal ? En revanche, on oublie trop souvent que cette prééminence du dollar, cette rudesse de la concurrence individuelle aux États-Unis, ce matérialisme sans complexe se trouvent contrebalancés par quelques valeurs fortes ou institutions spécifiques. L'Amérique, depuis l'origine, est vouée au dollar, certes, mais elle gardait une main sur la Bible, une autre sur la Constitution. Elle restait une société profondément religieuse dont l'esprit public s'incarne dans une Constitution – la loi – au statut plus solennel que chez nous. Et la morale traditionnelle impliquait des contraintes, inspirait des commandements qui n'étaient pas que formels. « Il est honteux pour un homme riche, disait Rockefeller, de mourir tel. » Quant au très vivant « tissu associatif », on a déjà dit à quel point son rôle d'amortisseur social était important. La société américaine, en somme, trouvait son équilibre en gérant des contradictions fondatrices.

Or c'est bien cet équilibre qui se trouve aujourd'hui rompu. L'argent était roi, mais, comme toutes les royautés, il voyait son pouvoir contenu, limité. Aujourd'hui, son pouvoir tend à envahir toutes les activités sociales. Dans son livre, *Le Capitalisme dans tous ses états* (Fayard, 1991), le professeur Alain Cotta souligne le lien qu'il y a entre trois traits du nouveau capitalisme : il est financier, médiatisé et corrompu. La gloire est le plus court chemin de la fortune vers la corruption. Celle-ci est d'ailleurs froidement considérée par certains économistes néo-conservateurs comme une méthode souvent rationnelle de gestion sociale. Mais à partir de là, qu'est-ce qu'un voleur, sinon quelqu'un qui n'a pas assez de pouvoirs pour se faire corrompre, se faire acheter ? Il y a, dans la logique de ce capitalisme-là, une élimination cynique de tous les garde-fous hérités des traditions morales occidentales. Et la nouvelle immoralité de l'argent rend d'autant plus difficiles à supporter les contradictions et les inégalités de la société américaine que celles-ci sont exacerbées.

Comment justifier, par exemple, que Michael Eisner, le P-DG de Disney, gagne, à lui tout seul, davantage que les 4 000 jardiniers employés à l'entretien des parcs de Disneyworld à Orlando (Floride) (c'est-à-dire environ cinquante fois le salaire d'un Antoine Riboud et cent fois celui d'un Jacques Calvet) ? Comment justifier que le mirobolant Michael Milken, responsable du département *junk bonds* de la société Drexel Burnham Lambert, ait pu déclarer pour la seule année 1988 un revenu de 550 millions de dollars ?

Toute l'Amérique commence à se poser cette question, même l'hebdomadaire *Business Week* qui titrait récemment : « Les patrons sont-ils trop payés ? », à la suite de quoi une proposition de loi a été déposée sur le bureau des deux chambres du Congrès visant à limiter la rémunération des P-DG américains.

Un expert en la matière, M. M. Graef Crystal, a déclaré devant une commission du Sénat que le patron d'une grande entreprise américaine gagne en moyenne 110 fois plus que la moyenne de ses employés. Le même écart n'est que de 17 au Japon et de 23 en Allemagne. A quoi cela sert-il de les payer 5 ou 6 fois plus cher que les patrons allemands ou japonais ? Si les mécanismes du marché fonctionnaient correctement, ces écarts devraient traduire des différences de compétitivité des entreprises. Or, c'est dans une large mesure le contraire. Ce qui règne ici n'est donc pas la loi du marché mais plutôt la monarchie de l'argent.

L'argent roi risque de balayer toute morale. A Wall Street, toutes les malversations imaginables ont accompagné les « folles années » quatre-vingt. Au point que les règles déontologiques s'en trouvent profondément mises à mal. La célèbre devise des banquiers de la place – *« My word is my bond »* – n'a plus guère de sens pour les nouveaux héros de la finance. Pour gagner davantage, tous les moyens sont bons. On paie des informateurs. On loue les services de détectives privés pour obtenir des informations sur les dirigeants des entreprises qu'on veut racheter. Et Wall Street inspire de moins en moins confiance alors même qu'elle draine une épargne venue du monde entier et dont l'Amérique a besoin.

Car c'est bien là le paradoxe. La morale – en tout cas celle des affaires – n'était pas une simple ornementation, un luxe éthique. Elle est techniquement nécessaire au bon fonctionnement du capitalisme lui-même. Les milieux d'affaires de Wall Street l'ont bien compris. C'est avec une vigueur et une sévérité inimaginables en Europe qu'ils réagissent aux excès d'hier. Notamment la redoutable Securities and Exchange Commission (SEC), l'équivalent américain de la Commission des opérations de Bourse (COB) en France, qui pourchasse les délits commis sur les marchés financiers. Les juges tapent et tapent fort. Du coup – est-ce une mode, un préservatif ou un juste retour des choses ? –, on voit se développer des cours de « morale des affaires » dans plusieurs universités dont Harvard. On voit éclore des « fonds d'investissement moraux » qui ne placent leur argent que dans les entreprises jugées irréprochables. Une quarantaine d'États américains ont maintenant adopté des législlations visant à combattre les abus des OPA. Le Congrès de Pennsylvanie a même décidé fin avril 1990 que les profits de tout actionnaire qui aurait vendu son investissement dans un délai de dix-huit mois après une OPA seraient purement et simplement confisqués. Et, partout dans le pays, un puissant courant populiste se développe contre la spéculation boursière des investisseurs institutionnels.

D'une façon générale, d'ailleurs, l'Amérique tout entière paraît balayée par une puissante vague de moralisme, une atmosphère de croisade puritaine, qui ne va pas sans quelques excès. Plusieurs femmes ou hommes politiques ont vu leur carrière ruinée parce qu'ils étaient soupçonnés de malversations – ou d'imprudence – financières : Geraldine Ferraro aux présidentielles de 1984, Michael Deaver, ancien secrétaire général de la Maison-Blanche, John Tower, désigné par George Bush pour le poste de secrétaire d'État à la Défense, Jim Wright, « speaker » de la Chambre des représentants, etc. L'Amérique devient hypersensible aux « questions d'argent ».

La morale, en somme, redevient une nécessité impérative et donc un investissement rentable. L'Amérique réagit là où elle se sent menacée. Mais ce retour de la morale n'est en réalité que l'un des épisodes du grand combat qui vient de commencer entre les deux conceptions du capitalisme.

La gloire de sa finance a fait du mal à l'économie et plus encore à la société américaine. Mais, sur ce point, l'Amérique réagit. Ce n'est donc pas le moment d'oublier le proverbe : *« Never sell America short. »*

4
L'assurance anglo-saxonne contre l'assurance alpine

C'est vraiment un nouveau modèle de capitalisme américain que nous venons de découvrir. Celui-ci a en effet beaucoup changé dans la période récente. Il y a moins d'un quart de siècle, les États-Unis en étaient encore à l'« ère des organisateurs » décrite par Burnham dès 1941 (*The Managerial Revolution,* The John Day Co. ; Calmann-Lévy, 1967) ; autrement dit, celle de la domination des actionnaires par la technostructure. C'est ainsi que, dans *Le Nouvel État industriel* (*The New Industrial State,* Houghton Miffin Co., 1967 ; Gallimard, 1968), John Kenneth Galbraith décrivait encore le mouvement opposé à celui auquel on assiste aujourd'hui : non pas le « retour du capital » et la remontée en puissance de l'actionnaire, mais au contraire le recul du pouvoir des capitalistes dans les entreprises : « Le pouvoir se transfère, en fait, à ce que l'on doit appeler un nouveau facteur de production. Ce facteur est l'association d'hommes et d'équipes, de compétences techniques variées, que le processus moderne de l'innovation technologique exige. »

Ce qui, à l'époque, paraissait encore le plus nouveau en Amérique se situait donc aux antipodes du modèle reaganien de capitalisme où les financiers prennent le pouvoir à la place des ingénieurs et où les médias remplacent les syndicats.

Mais cette évolution n'est-elle pas universelle ? Existe-t-il vraiment, comme je l'ai affirmé d'entrée de jeu, un modèle concurrent de capitalisme ? Oui, je l'ai rencontré, dans mon propre métier, le métier de l'assurance. Un métier où tous les débats, tous les conflits, toutes les stratégies sont invisiblement sous-tendus par l'antagonisme de deux conceptions : l'assurance alpine contre l'assurance anglo-saxonne.

Les deux origines de l'assurance : à la montagne et à la mer

C'est en visitant la filiale des AGF en Suisse que j'ai découvert, il y a quelques années, l'originalité du capitalisme alpin. Auparavant, la Suisse était pour moi le pays symbole du libéralisme économique, celui du laisser faire laisser passer. Quelle n'a pas été ma surprise, lorsque j'ai demandé au directeur de cette filiale de me décrire sa politique tarifaire en assurance automobile, d'apprendre qu'il n'en avait aucune car il ne pouvait en avoir aucune, attendu qu'en Suisse, les tarifs de l'assurance obligatoire auto sont – obligatoirement – les mêmes pour toutes les compagnies. Moi qui, pendant des années, avais, dans mes fonctions de conseil économique auprès du gouvernement français, milité pour la libération de tous les prix contrôlés, je n'en revenais pas : sur ce point, la France est un pays beaucoup plus libéral que la Suisse...

Au cours du déjeuner qui suivit, un banquier suisse me déclara que jamais les banques américaines ne parviendraient à conquérir une part significative du marché des particuliers en Suisse. Pourquoi ? Réponse : parce que les banques américaines ont la manie de faire tourner constamment leur personnel. « Vous n'imaginez quand même pas que les épargnants suisses vont aller confier leur argent à quelqu'un qu'ils ne connaissent pas ! »

Je découvris ainsi qu'en Suisse le dépôt bancaire n'est pas seulement une opération technique mais aussi un échange interpersonnel ; et que le marché de l'assurance fonctionne moins d'après la comparaison des tarifs – même dans les domaines où les tarifs sont libres – que selon la comparaison des services rendus. Ainsi, voici un capitalisme dans lequel le prix, l'aspect matériel d'une chose, est considéré comme moins important que le service, c'est-à-dire l'ensemble des éléments immatériels, plus ou moins subjectifs, voire affectifs, qui l'entourent. Étrange !

Il faut interroger ce paradoxe, l'analyser, le comprendre, car il constitue l'une des meilleures illustrations du conflit des deux capitalismes. Pour cela, on doit remonter loin en arrière, à l'origine de l'assurance, ou plutôt aux deux origines bien différentes de l'assurance, l'origine alpine et l'origine maritime.

L'origine la plus ancienne de l'assurance se situe dans les hautes vallées des Alpes où les villageois ont organisé les premières sociétés de secours mutuel au tournant du XVIe siècle. De cette tradition « alpine » descend toute une filiation d'organismes communautaires d'assurance et de prévoyance : guildes, corporations, syndicats professionnels, mouvements mutualistes. Cette tradition « alpine » mutualise les risques : chaque individu supporte un coût relativement indépendant de la probabilité d'occurrence des risques qui lui est propre. De sorte qu'il y a « solidarité », finalement transfert « redistributif » à l'intérieur de la communauté. Cette tradition a maintenu sa marque dans l'aire géographique qui l'a vue naître : la Suisse, l'Allemagne... et au-delà dans des pays de sensibilité comparable sur le point, le Japon par exemple.

L'autre origine de l'assurance est maritime. C'est le prêt à la grosse aventure sur les cargaisons des navires vénitiens ou génois, qui se développera surtout par la suite à Londres. Sa forme caractéristique lui sera donnée dans la taverne d'un certain Lloyd, à Londres, au sujet de l'assurance des cargaisons de thé chargées sur les navires anglais. Cette filiation est différente de la tradition « alpine » : elle a moins pour souci la sécurité qu'une gestion spéculative et performante du risque. Il n'est pas question ici de redistribution et de solidarité, mais d'apprécier au plus juste la probabilité de risque de chacun.

Ces deux origines de l'assurance renvoient, aujourd'hui, à un véritable choix de société : dans le système « alpin », l'assurance constitue une forme d'organisation de la solidarité ; dans le modèle « maritime », elle tend au contraire à diluer la solidarité par la précarité des contrats et surtout, on le verra, par l'hyper-segmentation des tarifs. D'un côté l'assurance est une affirmation, de l'autre une négation du lien social.

C'est pourquoi les deux origines de l'assurance se projettent aujourd'hui avec une clarté nouvelle sur les deux modèles du capitalisme contemporain. D'une part le capitalisme anglo-saxon, fondé sur la prédominance de l'actionnaire, le profit financier à court terme, et, plus généralement, la réussite financière individuelle; d'autre part le capitalisme rhénan, où la préoccupation du long terme et la prééminence de l'entreprise conçue comme une communauté associant le capital au travail sont des objectifs prioritaires.

Conformément à leur origine respective, deux logiques profondément différentes d'assurance s'opposent aujourd'hui. C'est cette opposition qui fonde, depuis les origines de la CEE, mais surtout depuis l'Acte unique de 1985 préparant le marché unique de 1993, tous les débats sur l'avenir de l'assurance en Europe. Ces débats font implicitement référence à deux modèles.

Le modèle alpin se caractérise en particulier par l'existence d'un tarif unique et obligatoire en assurance responsabilité civile automobile. Ce tarif obligatoire et unique subsiste en Suisse, en Autriche, en Allemagne, en Italie. Dans tous ces pays, l'assurance relève principalement de la sphère de la mutualisation, de la solidarité.

Au contraire, dans les pays anglo-saxons, l'origine maritime de l'assurance fait que celle-ci relève principalement de la sphère financière et du monde des salles de marché. Même pour l'assurance automobile obligatoire, les tarifs sont entièrement libres, de là une démutualisation des risques par segmentation des marchés.

Deux grands types d'institutions symbolisent cette opposition entre le modèle alpin et le modèle maritime d'assurance.

Ce n'est pas par hasard que la réassurance, activité qui requiert un maximum de sécurité et de continuité, a choisi, pour ses capitales, deux villes des Alpes, Munich et Zurich, où flottent les drapeaux de la Münchener Rück et de la Compagnie suisse de réassurance. Munich est aussi le siège de l'Allianz, première compagnie européenne, Zurich celui de la... Zurich et de sa voisine, la Winterthur, et enfin, au pied des Alpes, Trieste celui des Generali et de la RAS (Riunione Adriatica Sicurita), qui, toutes, comptent parmi les plus beaux fleurons de l'assurance européenne. Munich, Zurich et Trieste, ces trois capitales de l'assurance sont celles d'un modèle que l'histoire et la géographie désignent, à la lettre, comme le *modèle alpin.* Demeuré puissant sur ses bases, il est de plus en plus contesté par le courant d'idées favorable au modèle maritime, renforcé par le courant néo-américain.

Le symbole de l'assurance maritime est le Lloyd's de Londres qui maintient, comme le sceau de son origine maritime et aventurière, la règle selon laquelle chacun de ses membres, les 25 000 *names,* doit engager la totalité de ses biens en garantie des risques qu'il peut avoir à couvrir. Le Llyod's, dont la notoriété auprès du grand public international reste immense, subit une crise grave, caractéristique des nouveaux problèmes du monde anglo-saxon : cette crise est une crise de confiance des financeurs, les *names,* envers les souscripteurs qui les engagent et qui n'ont pas su résister à la tentation de prendre des risques inconsidérés. Ce faisant, à court terme, les souscripteurs pratiquaient la technique de « la finance et la gloire ». Ils enlevaient allègrement les marchés et, étant rémunérés à la commission, s'offraient au passage de magnifiques profits. Mais maintenant, le temps du long terme est arrivé. Il s'agit de payer, pour les Lloyd's comme pour l'Amérique.

Le modèle alpin, puissant mais contesté

Le postulat de base du modèle alpin-rhénan du capitalisme en général et de l'assurance en particulier est celui d'une communauté d'intérêts entre les différentes composantes de l'entreprise d'une part, entre l'entreprise et sa clientèle d'autre part.

Dans une étude récente, l'Institut de l'entreprise note que « les entreprises allemandes doivent une grande part de leur efficacité à l'existence d'un large consensus social ainsi qu'à la solidarité dans la direction et la défense des affaires » entre le management et les actionnaires.

Ce qui est bon pour l'entreprise est bon pour son client, tel est le postulat fondamental du BAV, Office de contrôle des assurances allemandes. Il en résulte d'abord que le secteur des assurances échappe au droit commun de la concurrence et à la juridiction de l'Office des cartels (Bundeskartekamt). En 1988, le président de l'Office des cartels en a pris ombrage : « Le BAV voit la défense des intérêts du client dans la garantie que l'assureur est solvable. Sa principale préoccupation est de tout faire pour que l'assureur allemand ne perde pas d'argent, donc de l'obliger à être profitable. Le BAV, par conséquent, n'exerce pas son rôle de défense des intérêts du client. Comme personne d'autre n'en est chargé, il est normal que moi, Office des cartels, j'assume ce rôle. »

Le tumulte provoqué par cette profession de foi n'a rien changé à l'essentiel : en 1991, à la veille du marché unique, il subsiste, en Allemagne comme en Suisse, un tarif administré pour la responsabilité civile obligatoire automobile. En Suisse, ce tarif est fixé par une commission paritaire qui comprend des représentants des assurés. En Allemagne, chaque compagnie calcule son tarif et le soumet à l'agrément de l'administration du BAV.

Un profit maximum de 3 % est laissé à l'appréciation de l'assureur. Soulignons le caractère facultatif de ce bénéfice ! Facultatif, le profit n'est donc pas la finalité de l'entreprise mais un supplément optionnel de son activité !

Comprenons bien que cela signifie : que vous soyez bon ou mauvais conducteur, jeune ou vieux, homme ou femme, peu importe, pour une même voiture, vous payez le même tarif dans toutes les compagnies d'assurances.

La concurrence ne porte donc que sur la qualité du service (rapidité et générosité des indemnisations). La solidarité par la mutualisation est quasi totale, ce qui aboutit à faire payer les bons conducteurs pour les mauvais. En 1985, une grande compagnie allemande s'en est émue. Elle avait constaté que le taux de sinistralité était beaucoup plus élevé pour les immigrés que pour les nationaux, ce qui l'avait conduit à proposer que le tarif à 100 % pour les Allemands soit porté à 125 % pour les Grecs, 150 % pour les Turcs et 200 % pour les Italiens. Ce critère de sélection, évidemment contraire au principe de non-discrimination entre les pays de la CEE, n'a pas été retenu. Ainsi, l'ensemble des pays alpins conserve un tarif unique, comme le Japon, où même le nombre des compagnies d'assurances est limité par la loi : 24 en dommages et 31 en vie. La loi du *keiretsu,* celle de la grande famille dont tous les membres sont solidaires, patrons et ouvriers, clients et fournisseurs, assure la prospérité des grandes compagnies d'assurances japonaises.

L'un des éléments les plus importants du confort des compagnies d'assurances dans les pays alpins tient à la stabilité de la clientèle. En assurance multirisques habitations, la règle allemande jusqu'en 1988 était celle du contrat décennal ; la Commission de la CEE a obtenu de la ramener à cinq ans alors que, dans la plupart des autres pays, le contrat est annuel. De même, la durée moyenne d'un contrat d'assurance-vie est en Allemagne de trente ans contre six ans en Grande-Bretagne.

Les rigidités d'un tel système comportent évidemment des risques de sclérose qui vont à l'encontre des intérêts du consommateur. Il ne faut pas, pour autant, condamner à l'emporte-pièce. Le modèle alpin d'assurance s'inscrit dans un ensemble de valeurs sociales où la confiance réciproque, la stabilité des relations strictement contractuelles fondent dans une large mesure la stabilité de la clientèle.

Dans ce modèle, la prééminence de l'entreprise sur le client s'accompagne d'une prééminence du management sur l'actionnariat qui n'est pas propre au secteur de l'assurance. Le management est d'autant plus fort qu'il est collectif, animé par un directoire. Le conseil de surveillance n'a que le pouvoir de nommer et de révoquer les membres du directoire et veille aux intérêts des actionnaires et à ceux du personnel, représenté en son sein. Cette « représentation du personnel » est même souvent assumée par des fonctionnaires syndicaux qui n'ont aucun rapport direct avec l'entreprise. La stabilité qui en résulte favorise la préférence pour le long terme dans la gestion des entreprises.

Chacun sait que les OPA n'existent pratiquement ni au Japon, ni en Suisse, ni en Allemagne. En Allemagne, pour un tiers environ des sociétés, les actions sont nominatives et les statuts souvent rédigés comme suit : « Le transfert d'une action à un autre propriétaire n'est autorisé qu'avec l'accord de la société. » Si le directoire, représentant légal de la société, refuse ce transfert, il peut, encore de nos jours, s'octroyer parfois, pendant des durées non négligeables, le privilège étonnant de ne pas justifier ce refus.

Vous pouvez donc parfaitement acheter en Bourse une action d'une telle société, mais, tant que cette transaction n'aura pas été enregistrée, vous n'aurez ni droit de vote, ni droit de participation aux augmentations de capital. Même chose en Suisse où l'exemple le plus connu est celui de la compagnie d'assurances la Genevoise, dont l'Allianz avait acquis 14 %: l'enregistrement lui ayant été refusé par le management, elle ne disposait d'aucun droit de vote. Depuis, c'est – symboliquement – la Zurich qui a acheté la majorité de la Genevoise.

On comprend que des voix s'élèvent en nombre grandissant, notamment à Bruxelles, pour contester certains aspects du modèle alpin en matière d'assurances : la communauté d'intérêt entre l'assureur et l'assuré est-elle *a priori* aussi certaine que supposée ? Le tarif unique n'entraîne-t-il pas l'effacement de toute véritable concurrence ? Dès lors que les assureurs allemands ne sont guère stimulés pour augmenter leur productivité administrative et réduire leurs coûts commerciaux, ce modèle ne va-t-il pas nécessairement à l'encontre de l'intérêt du client ? C'est en s'appuyant sur cette analyse critique que la Commission de Bruxelles, dans la préparation des directives dites « de troisième niveau », vise à instaurer une véritable concurrence sur les marchés « alpins » aujourd'hui surprotégés. Ce qui équivaut implicitement à étendre à l'ensemble de l'Europe le second modèle de la société assurancielle : le modèle « maritime » des pays anglo-saxons.

Dans le modèle alpin, l'assurance est d'abord une institution dont le bon fonctionnement exige que la loi du marché soit strictement réglementée. Dans le modèle anglo-saxon, l'assurance est d'abord un marché, soumis aux lois générales de la concurrence et où la spécificité des compagnies se limite à l'application de règles prudencielles.

Le modèle alpin se caractérise par la puissance financière de compagnies qui sont presque seules au monde à pouvoir pratiquer sur leurs fonds propres des politiques ambitieuses de croissance externe. A l'inverse, le modèle maritime renforce son emprise idéologique en même temps qu'il affaiblit, financièrement, même les plus glorieuses de ses compagnies d'assurances.

C'est particulièrement clair en matière d'assurance de responsabilité civile automobile. Parce que cette assurance est obligatoire dans les pays développés où tout le monde conduit une automobile, c'est la question qui intéresse le plus grand nombre. Et ce, d'autant plus qu'elle va permettre de découvrir l'extraordinaire diversité du paysage assuranciel et de ses implications politico-sociales. Tous les grands débats politiques et sociaux dans les démocraties avancées seront, à l'avenir, imprégnés des paradigmes de l'assurance. C'est ce qu'annoncent les débats californiens autour de la Proposition 103.

L'expérience anglaise
(ou les coûts de la main invisible)

Dans l'ensemble des pays anglo-saxons, les tarifs de l'assurance automobile sont entièrement libres. Commençons par regarder l'expérience britannique. C'est celle de la rationalisation tarifaire.

Puisque le client est roi (l'actionnaire aussi !) le courtier qui représente ses intérêts lui offre le meilleur tarif, présenté de la manière la plus rationnelle : l'ensemble des paramètres concernant le client, son adresse, son type d'activité et son véhicule déterminent une position dans un modèle de « scoring », cas de différenciation tarifaire. Les tarifs offerts par une vingtaine de compagnies d'assurances apparaissent instantanément sur l'écran du courtier en ordre croissant. C'est un tarif global, commission comprise, et celle-ci, non affichée implicitement, est également fixée en toute liberté.

Alors que la stabilité de l'assurance dans le modèle alpin s'appuie sur une distribution par réseaux exclusifs travaillant pour le compte de la compagnie, au monde maritime correspond, bien sûr, le cabotage du courtier. Le courtage joue un rôle essentiel non seulement par sa part de marché, mais aussi par son rôle de conseil, de gestion des sinistres, voire de conception du produit. La compagnie d'assurances, régente dominant le modèle alpin, ne fait office, à la limite, que de mère porteuse dans le modèle maritime : sa principale fonction est de vendre moins cher des produits identiques, segment de marché par segment de marché, tout en respectant les règles prudencielles. La distribution par courtage est tarifaire, mais la question que pose le fonctionnement actuel des marchés anglo-saxons de risques de particuliers est de savoir si, malgré cela, il n'est pas préférable, dans l'intérêt à long terme des consommateurs eux-mêmes, qu'un certain équilibre soit maintenu – comme c'est le cas en France – entre les différents réseaux de distribution.

En effet, à partir du moment où la circulation de l'information s'effectue en temps réel, et où les produits sont par définition identiques, puisque les tarifs s'affichent sur l'écran du courtier par ordre de prix croissants, il n'y a plus guère d'avantage comparatif à l'innovation. Mieux, pour que ce système atteigne la perfection de sa logique, il faut que les produits soient parfaitement comparables entre eux, et donc fongibles créneau par créneau. Autrement dit, il faut *éviter d'innover.* La pratique confirme ici la théorie qui veut que, dans un réseau où la circulation de l'information s'effectue en temps réel, l'innovation tend à perdre ses avantages comparatifs.

« Dans le modèle du marché de concurrence pure et parfaite, l'économie est un système de marchés sur chacun desquels s'échange un bien homogène. En outre, sur chaque marché, les acheteurs et les vendeurs du bien sont si nombreux qu'aucun d'entre eux ne peut influer sur le prix auquel le bien s'échange. Et ce prix, ou le mécanisme des prix, intervient comme un signal qui fournit toute l'information nécessaire à une répartition des produits et des facteurs de production correspondant à une situation optimale » (*Encyclopédie économique*, McGraw-Hill; éd. fr., Economica, 1984, article « Capitalisme »).

Tout différent est le principe de l'assurance des particuliers dans les pays alpins, à savoir, comme on l'a vu : « ce qui est bon pour l'entreprise est bon pour son client ». Dans les pays anglo-saxons, c'est le contraire : « Le client est assez grand pour savoir ce qui est bon pour lui et pour choisir entre les différentes compagnies. » C'est donc d'un côté la logique pure de l'assurance considérée comme un quasi-service public s'exerçant par l'intermédiaire d'institutions soumises à une réglementation rigoureuse et à une concurrence modérée ; et de l'autre, l'assurance conçue comme un simple marché analogue à tous les autres, sous réserve des règles prudencielles. Sur un tel marché, la compagnie d'assurances n'a que deux choses à faire : fournir des produits moins chers et apporter un minimum de sécurité.

Il s'agit bien d'un minimum. En 1970, l'une des principales compagnies britanniques d'assurance-auto, « Equality & Security », est tombée en faillite, incapable de faire face à ses engagements envers plus d'un million de clients. Le contrôle des assurances britanniques ne comptait alors que cinq personnes. C'est à la suite de cet événement que la Grande-Bretagne a accepté la directive communautaire de 1974 sur le renforcement du contrôle.

Pour pouvoir vendre son produit d'assurance-auto, l'assureur britannique doit, on l'a vu, remplir deux conditions : être moins cher que ses concurrents, et cela sur un produit comparable, c'est-à-dire aussi standard que possible. Pour être moins cher, à coûts de production et de gestion donnés, il faut segmenter le marché au maximum. Toutes les ressources créatrices des compagnies sont donc absorbées par la mise au point des meilleurs tarifs, sans cesse perfectionnés. Il n'est pas rare qu'une compagnie propose 50 000 tarifs différents. Des matrices multi-critères déclinent presque à l'infini les caractéristiques les plus fines. L'assureur qui réussit n'a qu'un génie, celui de l'hyper-segmentation qui va lui permettre de trouver la niche tarifaire à forte valeur ajoutée, le croisement original de variables auquel personne n'avait encore pensé.

La logique de ce système consiste ainsi, par l'affinement des régressions statistiques, à tarifer chaque risque au prix le plus exact. En conséquence, la notion même de communauté d'assurés, de mutualité, est hachée comme chair à pâté. L'acte d'assurance, soumis à la logique de la segmentation indéfinie, retrouve ainsi, dans le monde anglo-saxon, sa nature originelle, celle d'un pari pour l'assureur – dont la contrepartie est une épargne pour l'assuré. L'assuré paie une prime qui est l'exacte contrevaleur de son risque probable. S'il ne bénéficie plus de la mutualité, il n'en supporte pas non plus le poids.

Venons-en maintenant au cas concret : l'accident. En France, quand deux automobilistes se heurtent, ils échangent leur constat. Chacun envoie le sien à son agent général ou à son courtier qui l'indemnise aussitôt grâce à l'existence d'un système de compensation multilatérale entre l'ensemble des compagnies, c'est le système IDA (indemnisation des dommages en assurance). En Grande-Bretagne ou aux États-Unis, il n'existe rien de comparable : l'assuré s'adresse à son courtier, lequel essaiera d'obtenir de la compagnie concernée qu'elle se mette d'accord au cas par cas avec la compagnie de l'autre automobiliste. Les résultats sont pour le moins erratiques.

Mais cela fait aussi partie de la rationalité des relations entre les assurés et les compagnies. A la médiocrité du service répond l'infidélité de la clientèle. Dès lors que la mutualité entre les assurés est détruite par la segmentation des marchés, l'assuré, n'étant plus lié qu'à son risque et aux critères qui le définissent, n'a aucune raison d'entretenir des relations privilégiées avec telle ou telle compagnie. La logique veut donc qu'il réagisse aux différences tarifaires par le zapping. Dans la plupart des compagnies françaises, le turn-over des assurés auto est de l'ordre de 10 à 15 %. En Grande-Bretagne, il dépasse 30 %. Là encore, la référence est bien la référence maritime du Lloyd's, qui renégocie parfois les contrats des navires dans les zones dangereuses heure par heure.

Le zapping des assurés entraîne une accélération des changements de tarifs. Les compagnies offrent des tarifs promotionnels à la semaine, ce qui augmente encore le turn-over de la clientèle avec cette conséquence que tous les assureurs connaissent bien : la gestion de ce turn-over est très coûteuse. Les coûts d'acquisition des clients, de plus en plus élevés, viennent majorer le niveau moyen des primes qui subit des variations cycliques de plus en plus fortes. Variations cycliques sanctionnées par la disparition des compagnies incapables de supporter les chocs.

Autrement dit, il y a un coût global de l'infidélité. Il y a un coût, de plus en plus visible, de la main invisible sur ce marché d'assurances.

L'expérience californienne (où les extrêmes se rejoignent)

La Californie est l'État qui a placé sur orbite Ronald Reagan. Il a été élu président des États-Unis grâce au succès retentissant qu'il avait obtenu en Californie, par sa politique ultra-libérale de déréglementation et de privatisation. Or, voici que dans ce pays fondamentalement conservateur, où le téléphone, l'électricité et les transports en commun appartiennent au secteur privé, l'assurance, elle, est maintenant soumise à une réglementation si dirigiste qu'elle constitue la plus étonnante régression de l'économie de marché dans ce secteur au cours des dernières années. Que s'est-il donc passé ?

Je l'ai compris à partir de ma propre expérience. Les AGF avaient, il y a quelques années, pris une participation dans une compagnie d'assurances américaine, Progressive Corp., spécialisée dans l'assurance des « risques aggravés en automobile », en l'occurrence des conducteurs refusés par les autres compagnies. On a vu que, dans les pays alpins, les risques aggravés sont traités comme les autres au même tarif de base. Dans les pays anglo-saxons au contraire, la tarification est libre. C'est ainsi que, chez Progressive Corp., pour ce type de risque, le coût moyen de la prime d'assurance annuelle était d'un ordre de grandeur comparable à la valeur du véhicule assuré ! Pour mesurer ce que cela signifie, notons d'abord que la prime moyenne en France est de l'ordre de 2000 F et la valeur moyenne du véhicule, de l'ordre de 50000 F. Si Progressive Corp. fonctionnait en France, sa prime moyenne serait donc de l'ordre de 50 000 F, soit un montant comparable au SMIC annuel ! Cette société n'est que l'exemple extrême de ce que les consommateurs n'acceptent plus. En Californie comme dans bon nombre d'États américains, le mouvement consumériste a engagé la bataille contre les niveaux excessifs de certains tarifs d'assurances.

Comment le jeune Noir qui a eu deux accidents et qui gagne le SMIC pourrait-il consacrer la totalité de son salaire à payer son assurance-auto ? Tout le monde comprend que c'est inadmissible et un mouvement d'indignation s'est développé dans la population. D'autant plus que, faute de pouvoir payer la prime qui correspond au tarif objectif de l'analyse multi-critères, un nombre croissant de conducteurs roulent sans assurance (15 % dans certains quartiers des États-Unis), laissant sans aucun recours leurs victimes éventuelles.

C'est ainsi qu'un vaste mouvement populaire s'est développé en Californie à partir de 1983. Ce mouvement a abouti à un référendum populaire sur la fameuse « Proposition 103 ». L'application de ce texte fait de la Californie la terre d'avant-garde de la régression vers les formes les plus absurdes du dirigisme en matière d'assurance : toutes les compagnies ont été obligées de baisser leurs tarifs de 20 %... à l'exception de celles qui n'ont pas paru assez riches pour pouvoir encaisser un tel choc ! Maintenant, ce sont les taux de rentabilité maximum des assureurs qui sont fixés. Les tribunaux, accablés par les assauts de *lawyers*, ont fait leur devise du vieux proverbe *summum jus, summa injuria* en concluant que l'équité doit l'emporter sur le droit et que, entre deux parties, une victime pauvre et une compagnie d'assurances riche, la fonction du juge est de prélever dans la *deep pocket* de l'assureur, quel que soit le partage des responsabilités. Le mouvement consumériste, qui ignore le modèle alpin d'assurances, en fait son cheval de bataille aux États-Unis. Son action débouche sur des remèdes pires que le mal. Le dirigisme tarifaire s'étend : le Commissariat aux assurances de l'État de New York soumet désormais à autorisation les changements de tarifs de plus de 15 %. Mieux, il a imposé des amendes à des compagnies qui avaient fait des baisses de tarifs excessives ! Ce type de régression dirigiste s'étend au point que, semblables aux lycéens français qui réclament des surveillants, les compagnies d'assurances américaines revendiquent maintenant une réglementation fédérale.

Ce qui donne tout son sel à l'affaire, c'est le fait qu'à Bruxelles – et même, dans une certaine mesure, à Paris – la seule idée à la mode en 1991 est encore celle de la déréglementation modèle Thatcher 1980. Nous retrouvons ici une application particulière de la tendance générale qui veut qu'entre les deux modèles de capitalisme, le capitalisme rhénan et le capitalisme néo-américain, c'est le moins efficace dans les faits qui gagne dans les esprits (voir chapitre 9).

Une autre application de cette tendance se trouve dans les nouvelles pratiques de gestion de l'actif de certaines compagnies d'assurances dans le modèle anglo-saxon et plus particulièrement aux États-Unis. Il faut bien parler des « risques de l'actif » quand les compagnies d'assurance-vie britanniques investissent en moyenne la moitié de leurs actifs sur le marché des actions. Et *a fortiori* s'agissant des compagnies d'assurances américaines qui n'ont pas hésité à souscrire des *junk bonds* et des prêts hypothécaires de qualité douteuse à hauteur de centaines de milliards de dollars.

Dans le modèle alpin, les marchés financiers sont étroits et principalement obligataires ; la politique financière des compagnies d'assurances est dominée par les exigences de la sécurité et de la continuité. Ces exigences les mettent à l'abri de la tyrannie du *quarterly report*, c'est-à-dire de l'affichage de résultats à court terme, d'autant plus brillants parfois qu'ils couvrent des risques plus graves.

La synthèse française en question

On peut se demander pourquoi les assureurs français, qui ont si longtemps ressassé leurs complexes d'infériorité, ignorent aujourd'hui encore la valeur de la synthèse empirique à laquelle l'assurance française est parvenue. Elle cumule dans une large mesure les avantages de la tradition alpine avec ceux de la flexibilité anglo-saxonne.

Il y a cinq ou six ans, au lendemain du vote de l'Acte unique, les assureurs français étaient persuadés que leurs compagnies ne résisteraient pas au choc de la concurrence internationale, notamment anglo-saxonne. Malgré une fiscalité qui – sauf en assurance-vie – est la plus lourde du monde développé, force est aujourd'hui de constater que, loin d'avoir reculé, l'assurance française a progressé sur tous les fronts.

A l'intérieur, malgré une ouverture complète du marché français, tant au plan financier que commercial, toutes les tentatives de compagnies étrangères pour s'y développer ont échoué, même dans les grands risques industriels où leur part de marché est aujourd'hui moins large qu'il y a dix ans.

En assurance-dommages, ce ne sont pas des compagnies étrangères mais des mutuelles françaises qui, pour l'essentiel, continuent à augmenter leur part de marché. En assurance-vie, ce sont les nouvelles formes de la concurrence intérieure, celle des banques notamment, qui ont fait reculer les compagnies françaises. Mais ce recul à l'intérieur est compensé par des investissements à l'extérieur qui ont été la grande surprise des dernières années. Alors que les compagnies anglo-saxonnes, inhibées par la pression croissante de leurs actionnaires, se sont de plus en plus repliées sur leur marché national, les deux principaux pays qui se sont le plus illustrés par leur croissance externe en matière d'assurance sont la Suisse et la France.

En assurance-automobile, les Anglais, qu'on croit souvent les moins chers d'Europe, pratiquent en fait des tarifs comparables aux compagnies françaises. Compte tenu des taxes élevées qui existent en France et d'une qualité de service nettement supérieure dans notre pays, cela signifie que les prestations d'assurances des compagnies britanniques sont en fait sensiblement plus chères que les prestations comparables des entreprises françaises. Les performances ainsi réalisées résultent, semble-t-il, d'un équilibre du système de production et de distribution, favorable aux innovations. En matière tarifaire, la France réalise une synthèse positive entre les modèles alpin et maritime : les tarifs automobiles sont libres, mais les majorations pour conducteur débutant sont limitées à 140 % et le malus à 25 % par accident responsable. En ce qui concerne la distribution, la situation des AGF a valeur d'exemple : les Agents généraux, les Réseaux salariés et le Courtage contribuent chacun pour un tiers au chiffre d'affaires France.

En réalité, la principale faiblesse de l'assurance française provient de ce que les contribuables français commencent à peine à faire leurs comptes. Ils vont bientôt découvrir que, si la France est le champion des prélèvements obligatoires parmi les pays de sa catégorie, c'est essentiellement en raison du taux exceptionnellement élevé des charges sociales payées par les entreprises. Il faut souligner ici que rien n'est plus indispensable à la compétitivité de l'économie nationale, à la lutte contre le chômage et au progrès réel de la solidarité nationale que le développement des retraites supplémentaires par capitalisation. A condition toutefois que la gestion des fonds de pension s'inspire plus de la prudence créatrice caractéristique du modèle alpin (actionnariat stable des investisseurs institutionnels) que de la gestion perturbatrice du modèle anglo-saxon (investisseurs institutionnels ramenés au rôle de spéculateurs à court terme).

S'il est vrai que l'assurance alpine s'expose, par sa puissance et sa prudence même, à un certain risque de sclérose ; s'il est vrai que l'assurance anglo-saxonne s'enferme dans un cercle vicieux qui ne peut qu'alimenter la réprobation populaire et, finalement, aller à l'encontre des objectifs visés par la pure économie de marché (l'efficacité est compromise par l'instabilité ; la transparence des chiffres cache la médiocrité des services rendus), alors on s'étonne que la tendance nouvelle, parmi les Français aussi, soit de vouloir, en assurance aussi, imiter le modèle anglo-saxon.

D'autant plus que, sur un plan général, le modèle rhénan se montre désormais à la fois plus efficace et plus juste, comme on va le voir maintenant.

5
L'autre capitalisme

En économie comme ailleurs, les caricatures se retiennent mieux que les portraits fouillés ; les outrances forcent mieux l'attention que les nuances. En un mot, les paillettes et les empoignades boursières de l'économie-casino sont plus célèbres à travers le monde que les subtils équilibres de la *Sozialmarktwirtschaft* (économie sociale de marché) allemande. Lorsqu'il rêve à ce capitalisme mythique qui, pense-t-il, lui ouvrira bientôt les portes de la prospérité, un habitant de Tirana (Albanie), Oulan-Bator (Mongolie) ou Bratislava (Slovaquie) pense tout naturellement à l'univers des feuilletons américains. Celui-là même que vilipendait depuis un demi-siècle la propagande mensongère du pouvoir communiste. Si l'ancien pouvoir en disait tant de mal… C'est d'ailleurs vers l'Amérique, celle de Dallas, de Chicago et de Wall Street, que voulaient se précipiter coûte que coûte les quelques dizaines de réfugiés albanais réchappés de leur forteresse stalinienne et accueillis par la France durant l'été 1990. Quant à l'ouverture d'une « corbeille » boursière à Budapest, début 1990, elle fut vécue par les Hongrois comme le signe indiscutable qu'ils accédaient enfin au paradis capitaliste.

On surprendrait donc la plupart des habitants des anciens pays communistes en leur objectant que le capitalisme n'est pas « un et indivisible », que plusieurs « modèles » d'économie de marché coexistent ou que le système américain n'est sans doute pas le plus efficace. Et l'on comblerait, assurément, de bonheur Lech Walesa, nouveau président de la Pologne, en lui assurant qu'il n'a pas complètement tort lorsqu'il rêve aujourd'hui – tout haut – à un « modèle » idéal qui pourrait concilier l'efficacité et la prospérité supposée du capitalisme américain avec la – relative – sécurité sociale de l'ancien régime communiste (voir Guy Sorman, *Sortir du socialisme,* Fayard, 1991). Un modèle où, pour reprendre une plaisanterie très répandue à Varsovie, « les gens pourraient vivre comme des Japonais mais sans travailler davantage que des Polonais ».

SOURCE : *Courrier international,* n° 9, 3-9 janvier 1991, p. 29.

Sait-on en effet que l'Allemagne n'est pas si éloignée de ce cas de figure-là ? Du moins pour ce qui concerne la durée du travail. Avec 1 633 heures par an de travail réel dans l'industrie manufacturière, la RFA satisfait bel et bien au paradoxe qui consiste à « travailler moins que les Français tout en étant aussi performants que les Japonais » (*Futuribles,* janvier 1989). Dans la métallurgie allemande, la semaine de trente-six heures et demie est déjà appliquée, en attendant les « trente-cinq heures » qui ne seront peut-être pas généralisées en 1995 comme prévu, mais le seront certainement un jour. (Il y a débat.) De tous les grands pays industrialisés, la RFA est bien celui où, tout à la fois, les horaires sont les plus courts et les salaires les plus élevés. Ce qui ne l'empêche nullement d'enregistrer un énorme excédent dans ses échanges avec l'étranger.

Mais l'Allemagne n'est jamais qu'un exemple, une incarnation particulière, de cet « autre capitalisme », le modèle rhénan, mal connu et mal compris, qui va du nord de l'Europe à la Suisse et auquel est aussi partiellement apparenté le Japon. Ce modèle-là est *indiscutablement capitaliste* : l'économie de marché, la propriété privée et la libre entreprise y sont la règle. Mais, depuis dix à quinze ans, le modèle néo-américain s'est de plus en plus singularisé sur plusieurs points, dont le plus frappant est celui que le sociologue Jean Padioleau résume ainsi : « Le spéculateur prend le dessus sur l'entrepreneur industriel, les gains faciles à court terme sapent les richesses collectives de l'investissement à long terme. »

Le modèle rhénan, lui, correspond à une tout autre vision de l'organisation économique, à d'autres structures financières, à un autre mode de régulation sociale. Lui non plus n'est évidemment pas sans défaut. Mais ses caractéristiques particulières lui confèrent une stabilité, un dynamisme et une puissance de plus en plus remarquables. On pourrait dire de lui ce qu'on dit de la démocratie en matière politique : c'est assurément le pire des systèmes économiques à l'exclusion de tous les autres. Assez curieusement, d'ailleurs, si le modèle rhénan ne jouit pas, auprès de l'opinion publique internationale, de la même célébrité que le modèle néo-américain, il en va tout autrement lorsqu'on s'adresse non plus au grand public mais aux décideurs économiques. En août 1988, une enquête avait été lancée par la SOFRES auprès de 300 chefs d'entreprise européens. Or, bien que les coûts salariaux soient nettement plus élevés en RFA qu'ailleurs, c'est massivement et spontanément vers l'Allemagne qu'irait la préférence de ces chefs d'entreprise s'ils devaient sous-traiter ou acheter un peu plus à l'étranger (la France venant en deuxième position et le Benelux en troisième).

Sur un certain nombre de points fondamentaux, ce modèle rhénan se distingue bien plus radicalement qu'on ne le pense du modèle néo-américain.

La place du marché dans les deux modèles

De même qu'il n'existe pas de société socialiste où tous les biens sont gratuits, de même aucune société capitaliste ne saurait envisager de conférer à tous les biens (et services) un caractère marchand. Il y a, en effet, des biens qui, par nature, ne peuvent ni se vendre ni s'acheter. Les uns présentent un caractère personnel comme l'amitié, l'amour, la générosité, l'honneur; d'autres sont par nature collectifs : la démocratie, les libertés publiques, les droits de l'homme, la justice, etc.

Ces *biens non marchands* sont, pour l'essentiel, les mêmes dans les deux modèles de capitalisme. La seule exception d'importance concerne, on va le voir, les religions.

Mais les deux modèles se distinguent fortement par la place qu'ils attribuent aux *biens marchands* d'une part et aux *biens mixtes* d'autre part. C'est ce que tentent d'illustrer – grossièrement – les deux figures caricaturales ci-dessous.

Elles indiquent d'abord que, dans le modèle néo-américain, les biens marchands tiennent une place sensiblement plus grande que dans le modèle rhénan. En revanche, les biens mixtes, qui relèvent pour partie du marché et pour partie des initiatives publiques, sont plus importants dans le modèle rhénan.

De plus, ces deux figures retiennent huit exemples de biens qui sont traités d'une manière différente, par rapport au marché, dans les deux modèles.

1. Les *religions*. Les religions fonctionnent essentiellement, dans le modèle rhénan, comme des institutions non marchandes (en Allemagne, les prêtres et pasteurs sont même payés comme des fonctionnaires, sur budget public). Aux États-Unis, on peut considérer, semble-t-il, que les religions, en nombre croissant, sont de plus en plus gérées comme des institutions mixtes, avec

La place du marché
dans le modèle néo-américain

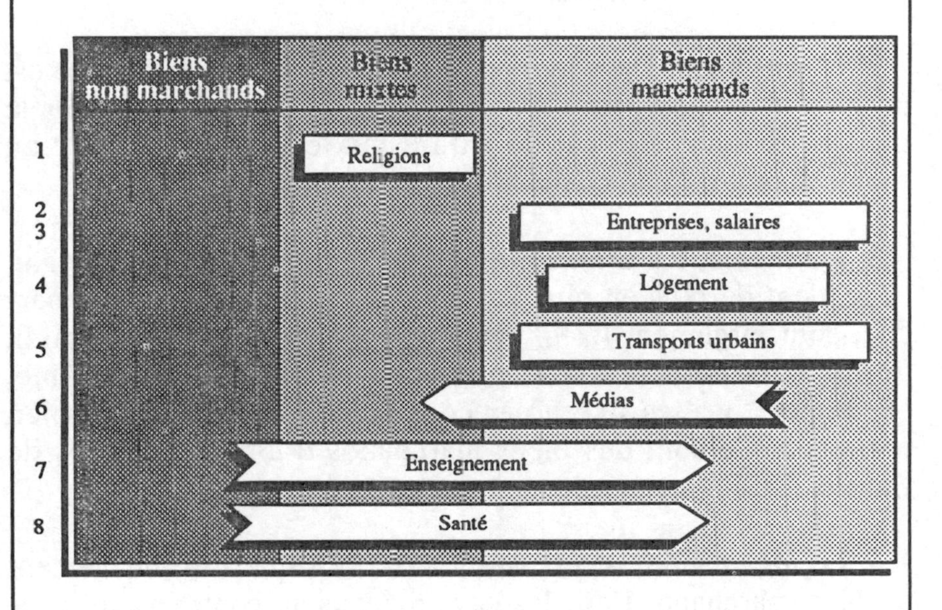

La place du marché
dans le modèle rhénan

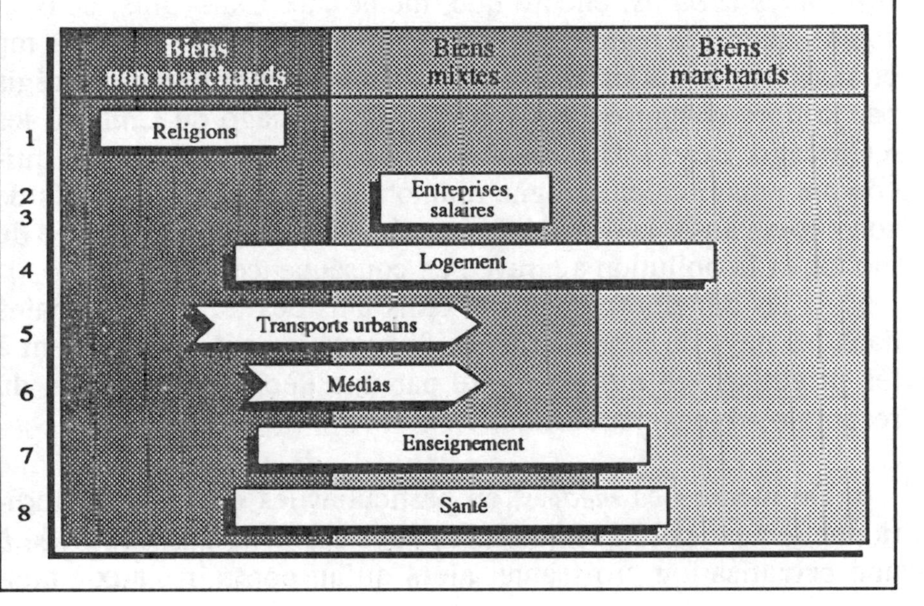

des méthodes de médiatisation publicitaire et de marketing de plus en plus sophistiquées.

2. L'*entreprise*. Dans le modèle néo-américain, l'entreprise est un bien marchand parmi d'autres, alors qu'au contraire, dans le modèle rhénan, elle est de nature mixte, une *community* au moins autant qu'une *commodity.*

3. De même, les *salaires,* qui, dans le modèle néo-américain, dépendent de plus en plus des conditions instantanées du marché, sont largement fixés, dans le modèle rhénan, en fonction de facteurs étrangers à la productivité du salarié (diplôme, ancienneté, grilles fixées par conventions collectives au plan national). Ce sont des biens marchands d'un côté, mixtes de l'autre.

4. Le *logement* aussi est, aux États-Unis, quasi exclusivement un bien marchand. Dans les pays rhénans au contraire, le logement social relève souvent de l'initiative publique et les loyers sont alors en général subventionnés.

5. La situation est un peu analogue en ce qui concerne les *transports urbains,* encore que, même aux États-Unis, ceux-ci soient soumis à réglementation : l'un des rares exemples, à ma connaissance, où les transports urbains sont entièrement régis par la libre concurrence est la ville de Santiago du Chili où les « Chicago Boys » du général Pinochet ont obtenu que quiconque puisse créer sa ligne d'autobus et pratiquer les tarifs de son choix ; aussi la densité des autobus est-elle la plus élevée du monde et la pollution aggravée en conséquence.

Mais les déficits fréquents et croissants des transports urbains dans les pays du modèle rhénan font que les autorités tendent à les privatiser, ce qui est figuré par une flèche en direction du rectangle « biens marchands ».

6. De même, les *médias,* en particulier les télévisions, traditionnellement publiques dans les pays rhénans, laissent place à une privatisation croissante, alors qu'au contraire, aux États-

Unis, où toutes les chaînes sont traditionnellement commerciales, on commence à assister au développement de télévisions financées sur un mode associatif par de libres cotisations. Ces deux évolutions opposées sont représentées par des flèches de sens contraire.

7. L'*enseignement* se répartit, dans les deux modèles, entre les trois catégories de biens. Toutefois, il est clair que, dans le modèle néo-américain, la part des établissements d'enseignement régis par les règles de marché l'emporte de beaucoup et tend à augmenter, comme l'indique la flèche en direction du rectangle « biens marchands ».

8. Le secteur de la *santé*, comme celui du logement, relève des trois catégories de biens. Mais l'originalité du modèle rhénan, ici aussi, est double : d'un côté, le rôle des hôpitaux publics et de la médecine de caisse, liée à la sécurité sociale, est beaucoup plus important ; de l'autre, il n'y a pas, contrairement à ce que l'on constate dans les pays anglo-saxons – mais aussi dans les pays latins –, de tendance à la réduction du rôle des autorités publiques, en matière de santé comme d'enseignement, au profit du secteur marchand. Ce point est d'autant plus important que, autant le capitalisme est créateur de richesse à court terme, autant il risque de devenir destructeur de valeurs sociales à long terme s'il n'est pas suffisamment encadré par les pouvoirs publics et *concurrencé par d'autres valeurs sociales que celles de l'argent.* C'est ce qui a été admirablement exprimé par François Perroux :

« Toute société capitaliste fonctionne régulièrement grâce à des secteurs sociaux qui ne sont ni imprégnés ni animés de l'esprit de gain et de la recherche du plus grand gain. Lorsque le haut fonctionnaire, le soldat, le magistrat, le prêtre, l'artiste, le savant sont dominés par cet esprit, la société croule, et toute forme d'économie est menacée. Les biens les plus précieux et les plus nobles dans la vie des hommes, l'honneur, la joie, l'affection, le respect d'autrui, ne doivent venir sur aucun marché ; faute de quoi, un groupe social quelconque vacille sur ses bases. Un esprit antérieur et étranger au capitalisme soutient pendant une durée variable les cadres dans lesquels l'économie capitaliste fonctionne. Mais celle-ci, par son expansion et sa réussite mêmes, dans la mesure où elle s'impose à l'estime et à la reconnaissance des masses, dans la mesure où elle y développe le goût du confort et du bien-être matériel, entame les institutions traditionnelles et les structures mentales sans lesquelles il n'est aucun ordre social. Le capitalisme use et corrompt. Il est un énorme consommateur de sèves dont il ne commande pas la montée » (*Le Capitalisme*, coll. « Que sais-je ? », 1962).

Cette réflexion est véritablement prophétique ; en voici un exemple concret et qui, directement ou non, nous concerne tous, c'est le passage des *lawyers* aux États-Unis, du côté des « biens marchands », du capitalisme.

Au Japon, il y a quelque chose de honteux à faire un procès : tous les compromis doivent être recherchés pour éviter d'en arriver à cette extrémité. En Europe, toute la tradition des professions du Droit – et plus largement des professions libérales – consiste à mettre leurs membres à l'abri du besoin pour qu'ils puissent se consacrer librement et de façon *désintéressée* – sans être « ni imprégnés, ni animés de l'esprit de gain » – au service de l'intérêt général : le droit pour les professions juridiques, la santé pour les professions médicales. Tels sont leur déontologie, leur « honneur ». C'est cette notion d'« honneur » qui explique qu'on ne rémunère pas un avocat ou un médecin en lui payant le prix de ses services, mais en lui versant des *honoraires*.

Cette tradition millénaire – elle remonte pour les médecins au serment d'Hippocrate – ce principe déontologique fondamental, qui place les professions libérales hors marché, vient de subir aux États-Unis un changement radical : désormais, la profession d'avocat est devenue une industrie, « l'industrie des procès ».

Cette nouvelle conquête, d'un certain capitalisme, vient d'être décrite en détail dans un savant ouvrage de Walter Kolson, *The Litigation Explosion* (Truman Talley Books – New York 1991). Commentant cet ouvrage dans la revue des livres du *New York Times* du 12 mai 1991, Warren E. Burger, ancien « Chief Justice » des États-Unis, souligne que ce changement sans précédent remonte à 1977, date à laquelle la Cour suprême a autorisé les avocats à faire de la publicité à la télévision. Les conséquences ont été immédiates : un développement explosif de la technique du *contingency fee*, qui consiste pour un avocat à convaincre une victime éventuelle de lui confier son cas en lui tenant le raisonnement suivant : « Je vais faire tout mon possible pour vous obtenir une indemnité. Si je perds le procès, vous ne perdrez rien et si je le gagne, vous me restituerez 20 % (ou 50 %) de l'indemnité que vous aurez reçue. » Cela est devenu pratique courante dans les accidents de la route : un avocat est assis à côté du chauffeur de l'ambulance et s'empresse de faire signer un accord de *contingency fee* au blessé...

C'est ainsi que le nombre des procès contre des hôpitaux et des médecins a augmenté de 300 fois depuis 1970 et que, pour s'assurer contre les réclamations dont ils peuvent être l'objet, certains médecins doivent payer jusqu'à 300 000 francs d'assurance par an !

Très logiquement, un certain nombre d'entre eux adoptent aussi des mœurs capitalistes. C'est ainsi qu'on ne compte plus les femmes américaines ayant atteint l'âge de la ménopause, auxquelles leur gynécologue a suggéré : « Votre utérus, désormais, ne sert plus à rien, je pense qu'il serait bon de vous l'enlever... »

Conséquence sociale de ces débordements du capitalisme : au cours des années 80, le nombre des juges fédéraux qui ont été condamnés pour corruption et fraude fiscale a été plus élevé qu'au cours des 190 premières années de l'histoire des États-Unis... L'éthique des magistrats aussi résiste de plus en plus difficilement à l'« esprit de gain ». Mais, à partir du moment où votre avocat se met à travailler rationnellement, en « homo oeconomicus » cherchant à maximiser son chiffre d'affaires, et vous traite en conséquence comme un gisement potentiel de procès à exploiter rationnellement ; à partir du moment où, suivant la même logique capitaliste, votre médecin vous traite comme un centre de profit, en qui pouvez-vous avoir confiance ? Et que vaut une société qui détruit la confiance ?

Un capitalisme bancaire

Dans le modèle rhénan, ni *golden boys* effrénés, ni spéculation haletante : le capitalisme est, pour l'essentiel, aux mains des banques et son destin ne se joue pas « à la corbeille ». Les banques, en effet, y jouent pour une large part le rôle dévolu au marché financier et à la Bourse dans le modèle anglo-saxon. Les Bourses de Francfort ou de Zurich sont d'ailleurs d'une importance relativement modeste comparée à leurs homologues britannique ou même française. La capitalisation de Francfort est inférieure du tiers de celle de Londres et neuf fois moins importante que celle de New York ou de Tokyo. De même, jusqu'à une période toute récente, il n'existait ni options ni contrats à terme sur les places d'outre-Rhin. Et, d'une manière générale, les marchés financiers allemands sont étroits et peu actifs. En RFA, ce n'est pas à la Bourse ni auprès du public mais chez leur banquier que les entreprises viennent normalement chercher les financements dont elles ont besoin. Certaines d'entre elles, d'ailleurs – et non des moindres, comme Bertelsmann, premier groupe européen d'édition et de presse –, ne sont même pas cotées.

La situation, de ce point de vue, est donc à l'opposé de celle qu'on observe en Grande-Bretagne ou aux États-Unis. Et ce contraste est troublant lorsqu'on songe à la puissance financière de la RFA et au dynamisme de son économie.

Pourquoi une telle différence ? D'abord à cause de l'importance du secteur bancaire en Allemagne. Tout le monde connaît les noms de la Deutsche Bank qui contrôle une part importante de l'économie allemande, ou encore de la Dresdner Bank ou de la Commerzbank. Mais peu de gens soupçonnent l'étendue exacte de leur influence. Celle-ci vient surtout du fait qu'à la différence de ce qui se passe aux États-Unis, aucune réglementation ne limite leurs activités. Les banques allemandes ont une vocation dite « universelle », c'est-à-dire qu'elles font de tout. Elles octroient des crédits classiques et elles récoltent des dépôts. Elles interviennent sur le marché des actions et des obligations; elles gèrent la trésorerie des entreprises. Mais elles sont également banques d'affaires, conseils et opérateurs des fusions et acquisitions. Elles entretiennent enfin des réseaux d'informations économiques, financières, industrielles et commerciales qu'elles mettent à la disposition des entreprises. Avec leur clientèle, elles nouent par conséquent des relations durables et privilégiées. Des relations qui sont marquées par un esprit de coopération réciproque.

Substituts des marchés, les banques allemandes sont avant tout les financeurs des entreprises. La plupart de ces dernières ont leur « banque maison » qui s'occupe des questions financières. Tout se passe comme si les banquiers disaient aux chefs d'entreprise : produisez mieux, vendez beaucoup et laissez-nous régler les problèmes d'argent ! Au Japon, nous l'avons vu, l'intégration est plus poussée encore car souvent les groupes possèdent leur propre banque, et l'on pourrait presque dire : les banques (et les compagnies d'assurances) possèdent leurs propres groupes.

Des réseaux d'intérêts croisés

En Allemagne aussi, cette véritable communauté de travail entre banques et entreprises dépasse les strictes relations financières. Bien souvent, en effet, les banques sont des actionnaires de référence des entreprises. Et cela, de deux manières différentes : par la propriété directe d'une partie du capital ou par l'exercice du droit de vote des actionnaires qui ont leur compte chez elles. Ainsi, par ce jeu des votes cumulés, les banques exercent-elles une influence très importante au sein des conseils d'administration. Citons quelques exemples. La Deutsche Bank détient le quart (c'est-à-dire la minorité de blocage) du géant Daimler-Benz qui fait des voitures mais aussi des avions et des moteurs, de Philipp Holzmann, premier groupe de bâtiment et travaux publics, ou de Karstadt, le leader de la grande distribution, etc. La Dresdner Bank et la Commerzbank contrôlent, de leur côté, plus du quart du capital d'une dizaine de grosses sociétés.

Mais, à l'inverse, les grands groupes industriels siègent souvent au conseil de surveillance des banques dont ils sont souvent les principaux actionnaires, même si leurs participations unitaires dépassent rarement 5 %. C'est le cas de Daimler-Benz à la Deutsche Bank. Ces participations croisées créent un véritable tissu, une *communauté industrialo-financière*, solide et relativement fermée. Cette situation entraîne au moins trois conséquences – toutes favorables – sur le plan économique, que l'on retrouve dans une large mesure au Japon, comme le montre l'annexe n° I sur la fabuleuse histoire du plus grand groupe industrialo-financier du monde, le groupe Mitsubishi.

D'abord, les banquiers, par la force des choses, seront soucieux du développement à long terme des entreprises avec lesquelles ils se trouvent liés depuis longtemps et pour longtemps. Contrairement aux spéculateurs boursiers qui, chaque trimestre, exigent des résultats à tout prix, les banques allemandes jouent *sur la durée*. C'est à longue échéance qu'elles prennent des risques parfois importants pour soutenir les projets industriels les plus délicats. Citons à cet égard celui de la Metallgesellschaft qui a multiplié les prises de participation dans le secteur minier, alors même que la crise des matières premières faisait rage. Et les banques suisses qui ont investi des sommes considérables dans l'horlogerie nationale quand elle paraissait condamnée.

Deuxième conséquence, la stabilité des principaux actionnaires est un facteur de sécurité et d'apaisement pour les gestionnaires. Elle joue donc, en général, un rôle favorable à l'entreprise. Les dirigeants ne vivent pas avec, suspendue au-dessus de leur tête, l'épée de Damoclès d'une menace d'OPA. Ils peuvent se consacrer pleinement à la gestion de leur entreprise plutôt que d'épuiser leur énergie – et de gaspiller leur temps – dans d'interminables combinaisons juridiques censées les protéger contre les prises de contrôle « inamicales ». On peut voir là, incontestablement, un des facteurs de compétitivité de l'économie allemande. Et pas seulement d'elle. Au Japon, nous le verrons, le capitalisme reste marqué par des traits « féodaux » qui lui sont propres. Mais les dirigeants n'y vivent pas, eux non plus, sous la menace constante d'une restructuration imposée de l'extérieur. De même, en Suisse, les trois grandes banques helvétiques jouent un rôle sensiblement différent de celui des banques allemandes. Mais le capital des entreprises se trouve néanmoins aussi bien verrouillé car le code commercial suisse permet de n'accorder le droit de vote que de manière très restrictive. Les Pays-Bas, de leur côté, disposent d'un arsenal anti-OPA qui assure aux dirigeants d'entreprises une sécurité comparable.

Cette relative tranquillité dont jouissent les dirigeants d'entreprise dans le modèle rhénan ne signifie pas qu'ils peuvent s'assoupir ou commettre des fautes de gestion en toute impunité. Qu'il soit ou non représenté par des banques, le « noyau dur » des actionnaires joue le rôle de contrôleur et de contre-pouvoir. Il pourra parfaitement sanctionner des managers inefficaces et protéger ainsi, indirectement, les petits actionnaires.

Troisième conséquence, enfin, du rôle prépondérant des banques : il existe en RFA un réseau d'intérêts croisés très dense et très difficile à pénétrer de l'extérieur. L'économie est ainsi, non pas dirigée – le mot « dirigisme » fait horreur aux Allemands, on le verra –, mais consensuellement animée par un petit nombre de personnes qui se connaissent, se voient régulièrement. L'importance des relations personnelles est souvent décisive. Elle contribue à faire de l'Allemagne, comme des autres pays rhénans, des économies qui, si ouvertes qu'elles soient aux échanges commerciaux à l'échelle mondiale, n'en demeurent pas moins largement protégées financièrement contre les investissements directs extérieurs. Lorsqu'une entreprise se trouve en difficulté, les banques s'emploient spontanément à trouver une solution *allemande* au problème. C'est ce qui s'est passé quand le groupe Klöckner-Werke. s'est trouvé en situation critique : la Deutsche Bank a volé à son secours. De même, Nixdorf, la firme informatique en pleine déconfiture, a été rachetée par le géant de l'électronique Siemens, et cela à l'instigation des banques. Le cas de figure sera comparable en matière de fusions et acquisitions (en anglais : *mergers and acquisitions, M+A*).

On peut donc imaginer à quel type de difficultés se heurte un acheteur étranger qui voudrait lancer une OPA dans ce contexte de contrôle bancaire.

Certes, toute règle souffre certaines exceptions et la réputation d'invulnérabilité des entreprises allemandes face aux acheteurs étrangers n'est plus tout à fait aussi fondée qu'hier. En 1989, sur les 3 000 entreprises de RFA qui ont changé de mains, 459 ont été acquises par des étrangers pour un montant évalué à 20 milliards de francs (deux fois plus qu'en 1988). Et, sur ce chiffre, 63 opérations de rachats ont été faites au bénéfice d'acquéreurs... français (trois fois plus qu'en 1986). Mais ces chiffres ne doivent pas faire illusion. La plupart de ces rachats portent sur des entreprises modestes ou moyennes. En 1989, un seul rachat, celui de Colonia par les assurances Victoire, représentait plus de la moitié du total des investissements français en RFA. Et ces implantations françaises en Allemagne restent *deux fois moins nombreuses* que les implantations allemandes en France. Une disproportion qui a toutes les chances de s'aggraver au profit de l'Allemagne.

Le modèle rhénan demeure, pour l'essentiel, financièrement bouclé mais solide. Et l'économie allemande y trouve la stabilité nécessaire à son développement à long terme et à sa compétitivité. Mais, si important qu'il soit, cet atout n'est pas le seul.

Un consensus bien géré

Les auteurs d'un rapport au président de la CEE portant, en novembre 1986, sur « La RFA, ses idéaux, ses intérêts et ses inhibitions » (W. Hager et M. Noelke, European Research Associates) décelaient principalement dans la société allemande « une tendance à éviter les questions qui pourraient diviser et mettre en question le consensus ». Une tendance identique et au moins aussi forte est perceptible dans la société japonaise. Il est vrai que ces deux champions de l'économie mondiale, tous deux vaincus de la dernière guerre, ont en commun la même

SOURCE : Plantu, *Un vague souvenir,* Le Monde Éditions, 1990, p. 40.

conscience aiguë de leur propre *vulnérabilité.* Dans l'un et l'autre pays, la démocratie politique et le bien-être économique sont trop récents pour ne pas être fragiles. D'où la facilité avec laquelle s'impose une discipline sociale spécifique qui est l'un des traits du modèle rhénan.

La structure du pouvoir et l'organisation du management dans ce modèle sont en effet aussi particulières que celles du capital. Le partage des responsabilités y est plus poussé qu'ailleurs. Ce n'est certes pas la « démocrature » prônée par Claude Bébéar mais, sous des formes diverses, une véritable *cogestion* qui associe à la décision toutes les parties prenantes : actionnaires, patrons, encadrement et syndicats. Une cogestion qu'en Allemagne, une loi datant de 1976 impose à toutes les entreprises de plus de 2 000 salariés. Et qu'un mot définit : la *Mitbestimmung,* qui, *stricto sensu,* devrait d'ailleurs se traduire par « coresponsabilité » plutôt que par cogestion. Cette coresponsabilité est bel et bien présente à tous les niveaux de l'entreprise.

Au sommet de celle-ci, on trouve deux instances clés : le *directoire,* responsable de la gestion proprement dite, et le *conseil de surveillance,* élu par l'assemblée des actionnaires et chargé de superviser l'action du directoire. Ces deux organes sont tenus de collaborer en permanence pour assurer la direction harmonieuse de l'entreprise. Il existe donc un système de *check and balance* entre actionnaires et dirigeants qui permet à chacun de se faire entendre, sans pour autant que l'un prédomine.

A cette division des pouvoirs au sommet s'ajoute la fameuse cogestion – ou coresponsabilité – avec le personnel. En Allemagne, elle est le fruit d'une longue tradition qui remonte à 1848. Elle s'exerce à travers le *conseil d'établissement,* analogue aux comités d'entreprise français mais disposant de pouvoirs nettement plus étendus. Cet organe est consulté sur toutes les questions sociales (formation, licenciements, horaires, mode de paiement des salaires, organisation du travail). Et un accord doit *obligatoirement* intervenir sur ces questions entre le patronat et les conseils d'établissement. Mais les salariés allemands disposent d'un autre moyen d'expression et d'action : le conseil de surveillance dans lequel siègent leurs représentants élus. Depuis la loi de 1976 portant sur les entreprises de plus de 2000 salariés, leur nombre est *égal* à celui des actionnaires. Certes, le président du conseil de surveillance est obligatoirement choisi parmi les actionnaires et, en cas de partage des votes, sa voix sera prépondérante. Il n'empêche que la représentation et le poids des salariés dans l'un des organes décisifs de l'entreprise sont significatifs. Dans de telles conditions, le *dialogue social* est perçu comme un impératif faute duquel les entreprises ne pourraient fonctionner.

D'un point de vue français, cette organisation pourrait sembler lourde et paralysante. Et les processus de décision paraître interminables. Force est de constater, pourtant, qu'elle n'entrave nullement le dynamisme des entreprises allemandes. Elle renforce, en revanche, le sentiment d'appartenance qui fait de l'entreprise une véritable *communauté* d'intérêts. Cette communauté ou collectivité de partenaires, les sociologues américains l'appellent aujourd'hui le *stakeholder model,* par opposition au *stockholder model :* ce dernier ne connaît que l'actionnaire, le porteur d'actions *(stock)*; le premier, au contraire, traite chacun comme un véritable partenaire, porteur de responsabilités qui l'engagent *(stake).*

Au Japon, des notions plus spécifiques et plus ambiguës à nos yeux concourent au même résultat: le sentiment quasi familial – ou féodal – d'appartenance à une communauté. Ainsi un terme spécifiquement japonais – *amae* –, difficilement traduisible, exprime-t-il le désir de solidarité et de protection, la quête quasiment affective qui doit être satisfaite par l'entreprise. De même le leadership du chef d'entreprise est-il défini par un mot – *iemoto* – où les spécialistes retrouvent des connotations familiales. Selon le sociologue Marcel Bolle de Bal, « l'*amae* et le *iemoto* se complètent et s'équilibrent mutuellement: conjonction d'un principe féminin – l'amour, le sentiment, l'émotion, le groupe – et d'un principe masculin – l'autorité, la hiérarchie, la production, l'individu –, étroitement unis dans la construction quotidienne d'une organisation durable » (*Revue française de gestion,* février 1988).

Les principes de base régissant la vie des entreprises japonaises, constamment cités, ne sont jamais que la traduction sur le terrain de ces particularités culturelles : emploi à vie, rémunération à l'ancienneté, syndicalisme d'entreprise, système communautaire de motivation, etc.

Mais le résultat est le même : le sentiment collectif d'appartenance à l'entreprise, l'*affectio societatis,* est aussi fort dans le modèle rhénan ou japonais qu'il est devenu faible dans le modèle anglo-saxon.

La montée de l'incertitude donne un rôle croissant au sentiment de confiance et d'appartenance. Il devient essentiel, pour une entreprise, que tous appliquent les mêmes règles du jeu et partagent des idées et des identités permettant un jugement commun et une mobilisation naturelle. L'instabilité externe valorise la stabilité interne qui, loin de faire obstacle à l'adaptation et au changement, peut devenir un facteur de compétitivité.

A ce sujet, de même que l'Amérique ne se réduit pas à New York, ni New York à Wall Street, de même est-il important de noter que les plus grandes multinationales américaines ont échappé, dans leur gestion sociale plus encore que dans leur gestion financière, aux nouvelles contraintes du court terme qui sont à l'origine de l'évolution « néo-américaine » du modèle anglo-saxon. IBM comme ATT, General Electric comme McDonald's évitent soigneusement de tomber dans le genre économie-casino, où l'on joue les hommes à la roulette. Pour constituer et servir ensemble leurs états-majors multinationaux, il leur a bien fallu miser sur la stabilité, l'intéressement, voire la « coresponsabilité ».

Fidélité et formation

« Coresponsabilité », c'est la traduction de la fameuse *Mitbestimmung* allemande, qui ne constitue pas seulement un atout maître pour les entreprises. Elle se révèle particulièrement favorable aux salariés. D'un strict point de vue arithmétique d'abord, leurs rémunérations sont parmi les plus élevées du monde : 33 marks de l'heure contre 25 aux États-Unis et au Japon et 22 en France (au taux de change de 1988). Les rémunérations sont également plus homogènes. Les écarts de salaires sont beaucoup plus faibles qu'ailleurs (voir B. Sausay, *Le Vertige allemand,* Orban, 1985). La société allemande est ainsi plus égalitaire que la société américaine ou même française.

Plus surprenant et moins connu : la part des salaires dans le PIB allemand reste malgré tout plus faible que dans les autres pays de la CEE (67 % en 1988 contre 71 % en France, 72 % en Italie, 73 % en Grande-Bretagne). Même en tenant compte du fait que l'excédent commercial de la RFA contribue à expliquer ce phénomène, il reste qu'avec les salaires les plus élevés d'Europe, les entreprises allemandes parviennent à dégager néanmoins des marges d'autofinancement plus larges que les autres. Et en évitant les conflits sociaux.

Mieux payés, les salariés allemands travaillent pourtant moins longtemps, nous l'avons dit, que leurs homologues américains ou français. Quant aux structures de carrière et au système de promotion en vigueur dans le modèle rhénan, ils privilégient systématiquement la *qualification* et l'*ancienneté*. Pour progresser dans la hiérarchie, il vaut mieux jouer la fidélité et accroître son niveau de formation, ce qui est bénéfique pour tous. Il n'est pas rare de trouver dans les instances dirigeantes des entreprises allemandes – ou japonaises – des cadres ayant fait toute leur carrière dans la même société et ayant gravi tous les échelons de la hiérarchie. Cette conception s'oppose radicalement aux valeurs de mobilité mises en avant aux États-Unis, et qui font du changement d'emploi et d'entreprise un critère de dynamisme individuel et d'excellence. (Cette mobilité de l'individu comme synonyme d'excellence, cette autovalorisation par la nomadisation, fut d'ailleurs très en vogue en France ces dernières années. Elle l'est un peu moins aujourd'hui, même si elle continue à être enseignée dans certaines grandes écoles... avec le retard d'usage.)

D'un point de vue macro-économique, la cogestion – ou coresponsabilité – s'avère favorable à la compétitivité de l'économie. Lors de la crise des années 1981-1982, employeurs et syndicats sont parvenus à des accords limitant la hausse des salaires pour ne pas aggraver les difficultés des entreprises, les salariés allant même jusqu'à accepter des baisses de trois à quatre points du pouvoir d'achat. Le résultat a été spectaculaire : dès 1984, l'économie allemande retrouvait la croissance, créait à nouveau des emplois et regagnait des parts de marché significatives. De même, après la grande grève de 1984, les retards ont pu être comblés grâce à une mobilisation générale et concertée de tous les salariés. Mais, dès 1975, au lendemain du premier choc pétrolier, les entreprises japonaises avaient obtenu des sacrifices encore bien plus grands.

La cogestion, à condition d'être bien utilisée, est donc une arme économique redoutable. Un dernier exemple montre d'ailleurs, si besoin en était, à quel point elle devient décisive dans la compétition internationale : celui de la *formation*. On connaît l'importance de celle-ci. La véritable richesse d'une entreprise, ce n'est pas son capital ni ses immeubles, c'est la qualification et le savoir-faire de ses salariés. Or, dans ce domaine également, le modèle rhénan bénéficie d'une bonne longueur d'avance. Le système de formation est fondé lui aussi sur une coopération très étroite entre les entreprises et les salariés. Considérée depuis plusieurs années comme une *priorité* nationale, la formation s'appuie sur trois principes essentiels.

1. C'est au *plus grand nombre* qu'elle est dispensée. Ainsi, 20 % des actifs, en Allemagne, déclaraient n'avoir aucun diplôme contre 41,7 % en France. Ensuite, elle privilégie l'apprentissage qui est notablement plus développé en RFA qu'en France. Outre-Rhin, il concerne 50 % des jeunes qui, à seize ans, sortent du système de scolarité obligatoire contre 14 % en France et en Grande-Bretagne. Conséquence : moins de 7 % des jeunes de seize ans se retrouvent au chômage ou occupent un emploi sans formation complémentaire, alors que cette proportion est de 19 % en France et 44 % en Grande-Bretagne. Enfin, les filières professionnelles correspondant au BEP ou au CAP français sont également privilégiées. Elles concernent 53 % des actifs en Allemagne contre 25 % en France.

2. D'une façon générale, le système de formation allemand est nettement *plus égalitaire* qu'il ne l'est aux États-Unis (voir chapitre 2) et même en France. Si les élites américaines (ou françaises) sont parfois mieux formées que les élites allemandes, les niveaux intermédiaires le sont beaucoup moins. Les syndicats allemands sont les premiers à le reconnaître. Ainsi le principal d'entre eux, le DGB, constate que, sur 100 personnes, les 15 les plus qualifiées le sont plus en France qu'en Allemagne mais que les autres le sont beaucoup mieux en RFA. C'est donc bien sur la *formation des niveaux intermédiaires* que l'Allemagne construit le socle de son dynamisme industriel et de sa compétitivité. (Voir le rapport de 1990 au ministère de l'Industrie d'Alain Bucaille et Bérold Costa de Beauregard.) Dans les pays anglo-saxons, comme en France, la formation professionnelle ne fonctionne bien que comme un sport d'élite. Dans les pays rhénans, c'est un sport de masse.

3. Cette formation professionnelle est *largement financée par les entreprises* et par des subventions fédérales. Quant à son

contenu, il met l'accent sur l'acquisition de comportements : précision, ponctualité, fiabilité. En Allemagne, l'apprentissage est une véritable filière de promotion, il représente la voie la plus normale de la réussite professionnelle. 9 apprentis sur 10 sortent diplômés de leur apprentissage et 15 % poursuivent leur formation au-delà. En outre, le professionnalisme est sans doute mieux reconnu qu'en France. « En général, peut-on lire dans une étude récente sur la RFA, on ne devient cadre dirigeant qu'après la quarantaine, au vu des performances prouvées et non des diplômes. Il y a aussi des liaisons très étroites entre les entreprises et les universités. Les grands dirigeants assurent presque tous des enseignements » (Michel Godet, *Futuribles,* avril 1989).

La formation professionnelle dans ses rapports de fidélité à l'entreprise est déjà l'un des principaux champs de bataille entre les deux modèles de capitalisme. Ici, toutes les entreprises sont engagées, tous les salariés sont intéressés. La question se résume comme suit :

– Selon le modèle anglo-saxon, pour maximiser la compétitivité d'une entreprise, il faut maximiser la compétitivité de chacun de ceux qu'elle emploie. Il faut donc, toujours et partout, recruter les meilleurs et, pour éviter de les perdre, les payer à tout moment à leur valeur de marché. Le salaire est alors essentiellement individuel et précaire, comme l'emploi lui-même.

– Dans la conception rhénano-nippone, au contraire, on estime que l'essentiel n'est pas là. L'entreprise n'a pas le droit de traiter ses employés comme un simple facteur de production, qu'elle achète et vend sur le marché à l'instar d'une matière première. Elle a au contraire un certain devoir de sécurité, de fidélité, de formation professionnelle qui coûte cher. Par conséquent, plutôt que de payer chacun à sa valeur instantanée de marché, l'entreprise doit préparer les carrières, lisser les courbes, éviter les rivalités destructrices.

L'ordo-libéralisme[1]

En RFA, la conviction libérale et la méfiance à l'égard de l'État sont sans doute aussi fortement enracinées – sinon davantage – qu'aux États-Unis. Le dirigisme économique est officiellement perçu comme l'apanage historique des régimes autoritaires et notamment du nazisme. C'est ainsi que, depuis la réforme monétaire de Ludwig Erhard en 1948, la RFA a clairement renié le système d'économie dirigée et adopté une version spécifique de l'économie libérale capitaliste : la *Sozialmarktwirtschaft* (l'économie sociale de marché). C'est la base du credo ou de la *Weltanschauung* (vision du monde) défendue par l'école de Fribourg. Selon cette école, l'économie sociale de marché se caractérise par deux principes de base :

– Le dynamisme de l'économie doit reposer sur le marché auquel doit être assurée la plus grande liberté de fonctionnement, ce qui vise au premier chef les prix et les salaires.

– Le fonctionnement du marché ne peut à lui tout seul régir l'ensemble de la vie sociale. Il doit être équilibré, balancé par une exigence sociale posée *a priori* et dont l'État est le garant. L'État allemand se définira donc comme État social.

La *Sozialmarktwirtschaft* constitue un ensemble composite :

– Le courant du *Welfare State* (Beveridge) fait du *Sozial-Staat* le gardien de la protection sociale et de la libre négociation des partenaires sociaux.

– Le courant social-démocrate (issu de la République de Weimar) est le fondateur de la participation des salariés à la vie de l'entreprise et de l'établissement. Sur cette base, la législation sur la cogestion *(Mitbestimmung)* se développe continûment dans les dix premières années de la reconstruction allemande et fait encore aujourd'hui l'objet de vifs débats en RFA.

– La loi fondamentale de 1949 – c'est sans doute l'élément le plus original – va faire de la gestion monétaire un pilier auto-

1. Les développements qui suivent reprennent pour l'essentiel une étude de Jérôme Vignon, que je remercie vivement.

nome de la stabilité (un autre mot pour signifier politique anticrise). Le statut actuel de la Bundesbank, bien que non directement constitutionnel, en est l'illustration la plus forte.

– L'autonomie de la banque centrale est en relation avec l'ensemble de l'architecture des banques commerciales, conduisant celles-ci à jouer un rôle majeur dans le financement des entreprises : la politique de stabilité monétaire allemande ne serait pas aussi efficace si les banques commerciales n'étaient pas aussi engagées dans le financement à long terme de l'industrie.

– L'interventionnisme de l'État, le dirigisme sont condamnables dans la mesure où ils entraînent des distorsions de concurrence. L'idée centrale est là, dans l'égalité des conditions de la concurrence.

Depuis plus de trente ans que j'étudie l'économie allemande et que je travaille avec des Allemands, je demeure étonné par la difficulté qu'ils éprouvent à faire comprendre à l'étranger que leur système économique est authentiquement libéral. Certes, personne ne conteste que, depuis un demi-siècle, toute l'économie allemande soit fondée sur la liberté des échanges commerciaux. La seule critique fondée à cet égard porte sur les questions de normalisation. L'industrie allemande, depuis plus d'un siècle, a élaboré des normes professionnelles auxquelles elle est d'autant plus attachée que, d'une part, ces normes sont généralement très exigeantes du point de vue de la qualité et que, d'autre part, elles sont admises par les importateurs de produits allemands, c'est-à-dire par une clientèle mondiale.

Ce point mis à part, la doctrine de la *Sozialmarktwirtschaft* considère que l'État n'a le *droit* d'intervenir dans la vie économique ou sociale que pour deux raisons seulement, mais que ces mêmes raisons lui créent de véritables *devoirs* d'intervention.

La première raison est l'égalisation des conditions de la concurrence. De là l'importance du Bundeskartellamt, qui veille soigneusement à éviter les ententes et les abus de position dominante. D'autre part, pour que l'égalité de la concurrence soit assurée, il faut que les petites et les moyennes entreprises soient aidées contre les excès de pouvoir des grandes, de là des conditions de crédit et de fiscalité avantageuses (on retrouve un peu le même concept aux États-Unis avec la Small Business Administration). De même, pour que les conditions de la concurrence soient égales entre les diverses parties du pays, il faut une politique d'aménagement du territoire qui, tout particulièrement, développe les infrastructures dans les régions les moins favorisées ; à cet égard, l'expérience allemande est exemplaire. Enfin, lorsque d'autres pays, notamment sous le couvert du budget militaire, financent des dépenses de recherche sur fonds publics, il est normal que la République fédérale fasse de même.

Le deuxième fondement des interventions d'État est à caractère social. De là, à titre conjoncturel, les subventions aux chantiers navals et aux mines pour « humaniser » le rythme des adaptations ; c'est cette philosophie qui a prévalu, avec grand succès, à la CECA (Communauté européenne du charbon et de l'acier), chargée de reconvertir la plus grande partie des activités minières et sidérurgiques européennes. D'autre part, structurellement, la doctrine allemande veut que les représentants des travailleurs puissent jouer un rôle actif, d'abord dans la gestion sociale des entreprises, et même, on vient de le voir, par leur participation à leur gestion économique et financière.

L'adhésion de plus en plus forte de l'Allemagne à la politique agricole commune (PAC) de la CEE constitue en quelque sorte une synthèse de ces différents motifs d'intervention : égalité dans la concurrence, souci des évolutions sociales et de l'aménagement du territoire. En outre, depuis peu, l'agriculture allemande joue un rôle de plus en plus positif, grâce aux subventions qu'elle reçoit de Bruxelles à ce titre, en faveur de l'amélioration de l'environnement et de la protection des paysages ruraux.

Enfin, on l'a vu, il est clair que, pour ce qui concerne l'actionnariat de ses entreprises, l'Allemagne demeure un pays à tendance fortement protectionniste.

Voilà, en résumé, ce qu'on appelle parfois « l'ordo-libéralisme ». On comprend que ce libéralisme n'empêche nullement l'État de remplir sa fonction propre. C'est pourquoi la part des dépenses publiques dans le PIB allemand (47 à 48 %) est paradoxalement presque aussi élevée qu'en France (51 %) et nettement supérieure à celle du Japon (33 %). En Allemagne comme en France, les transferts publics aux entreprises représentent environ 2 % du PIB. Il est vrai que les pouvoirs publics de la RFA, État fédéral, sont fortement décentralisés, ce qui leur impose la recherche du dialogue et du consensus. On a pu dire également que « le libéralisme fédéral servait de paravent à l'interventionnisme des Länder ». Ce n'est pas tout à fait vrai.

Ce qui l'est en revanche, c'est que, comme en Suisse des cantons, le pouvoir central procède en Allemagne des Länders et que les villes possèdent une vieille tradition d'indépendance, avec les pouvoirs correspondants. Ainsi les compétences de chacun sont-elles bien établies, comme en témoigne, notamment, la répartition des moyens budgétaires. Le budget de l'État est ainsi de 280 milliards de DM contre 270 pour les Länder et 180 pour les municipalités. L'État prend en charge les services administratifs généraux, les subventions aux budgets sociaux et la défense. Les Länder sont responsables de l'éducation et de la sécurité publique. Les communes, quant à elles, financent l'aide sociale, les infrastructures sportives et culturelles, etc.

Ce partage impose une concertation permanente et une redistribution des moyens financiers. Les ressources des Länder subissent d'ailleurs une égalisation afin d'éviter qu'aucun d'entre eux ne dispose d'un revenu par habitant inférieur de 5 % à la moyenne d'ensemble. 5 % seulement ! Alors que, entre les régions françaises, l'écart correspondant est de l'ordre de 30 à 40 % ! Il y a là un autre enseignement de l'expérience allemande que j'ai toujours eu de la peine à faire comprendre en France. Les Français demeurent en majorité persuadés que, parce qu'elle est un pays centralisé, où le rôle des collectivités locales, malgré la loi de décentralisation Defferre, demeure mineur par rapport à celui de l'État central, la France est évidemment le pays de la plus grande égalité dans la répartition des richesses, au plan géographique comme au plan social ! En réalité, tout démontre le contraire. Et singulièrement, le remarquable exemple de solidarité sociale et de politique active d'aménagement du territoire qui est celui de l'Allemagne.

Enfin, une planification concertée est mise en œuvre pour coordonner l'action des différentes collectivités publiques. Elle s'exerce dans le cadre de contrats conclus dans la perspective d'un projet commun. Tous ces exemples sont cités ici pour montrer à quel point les administrations et les hommes politiques d'outre-Rhin sont rompus aux mécanismes du consensus.

Ils appliquent ces méthodes dans tous les domaines ou presque. En matière salariale, le gouvernement n'intervient pas directement, mais il incite les partenaires sociaux à respecter certaines normes ou à ne pas perturber les grands équilibres économiques et monétaires. En matière de santé, par exemple, c'est le chancelier Helmut Schmidt qui avait incité patronat, syndicats et caisses d'assurance maladie à s'accorder sur une réduction des dépenses de santé. Mais on est loin de la situation française où le secteur public a longtemps joué un rôle directeur dans l'évolution des rémunérations.

Des syndicats puissants et responsables

Mais cette concertation permanente et ce consensus modèle seraient inimaginables sans la présence active de syndicats puissants, représentatifs et responsables. Les syndicats allemands le sont, incontestablement. Alors qu'un peu partout en Europe une désaffection spectaculaire à l'égard des organisations syndicales est perceptible, les syndicats allemands, après le léger recul du début des années quatre-vingt, *voient à nouveau augmenter le nombre de leurs adhérents*. Le taux de syndicalisation de la population active, l'un des plus élevés du monde, a retrouvé son niveau des années soixante, soit près de 42 %, contre à peine 10 % en France. Les syndicats d'outre-Rhin regroupent ainsi plus de 9 millions de salariés, dont 7,7 millions pour la seule Deutscher Gewerkschaftsbund (DGB). Et leur puissance financière est à la mesure de leur représentativité, d'autant plus que les cotisations sont relativement élevées (2 % du salaire prélevés directement). Elle leur permet de disposer de moyens d'action que leur envient la plupart de leurs homologues dans le monde : plus de 3 000 permanents dans les services fédéraux, un patri moine qui reste considérable malgré les difficultés rencontrées par leur compagnie d'assurances Volkfursorge, leur banque BFG, et surtout leur société immobilière. Mais ils possèdent surtout des caisses de grève qui leur permettent, le cas échéant, de verser aux syndiqués en grève ou lock-outés jusqu'à 60 % de leurs salaires. Un instrument de dissuasion très efficace à l'égard du patronat.

Les syndicats allemands ont pu également mettre en place des procédures de sélection et de formation de leurs élus au sein des instances représentatives. Ils disposent de centres de recherches économiques et sociales qui leur permettent de suivre l'actualité. Le niveau de formation des permanents syndicaux est donc particulièrement élevé. Ils sont en mesure, lors d'une négociation, de présenter des scénarios à moyen terme, cohérents et argumentés. Sans compter qu'ils disposent d'un moyen d'intervention et de pression supplémentaire : leur présence, par élus interposés, au parlement fédéral. Plusieurs députés importants, en effet, viennent du monde syndical : on estime qu'en moyenne 40 % des députés des unions chrétiennes-démocrates CDU/CSU appartiennent à un syndicat. Cette interpénétration entre le monde syndical et le monde politique favorise sans aucun doute le consensus et le règlement souple des dossiers.

Mais, cette puissance considérable, c'est assez souvent au service de la collectivité qu'ils la placent (voir Bérold Costa de Beauregard et Alain Bucaille, *op. cit.*). Autrement dit, les syndicats allemands sont économiquement plus « responsables » que ne le sont leurs homologues à l'étranger. Avec le patronat, ils gèrent en grande partie le système de formation ; ils débattent de la formation continue, du contenu de cet enseignement ; ils ont en charge également les centres de qualification des chômeurs et contribuent ainsi à réinsérer 150 000 personnes par an.

Et puis, comme on le sait, leurs positions restent le plus souvent mesurées et raisonnables. Les impératifs économiques sont pris en compte. Une attitude favorable au consensus est une attitude *payante* puisque les salaires allemands, on l'a vu, sont élevés. Ce souci constant de ne pas compromettre les grands équilibres – et de ne pas favoriser l'inflation, si redoutée en Allemagne – est notamment mis en lumière par deux caractéristiques du dialogue social outre-Rhin.

1. Le processus de négociation est régulier. Il porte sur une période de trois ou quatre ans. La dernière grande vague de négociations salariales remonte ainsi à 1986-1987.

2. Pendant la durée de l'accord, les syndicats s'engagent à ne pas en contester les dispositions de manière conflictuelle. C'est ainsi que le nombre de journées de travail perdues pour fait de grève est en Allemagne le plus faible du monde occidental. (28 000 en 1988, contre 568 000 en France, 1 920 000 en Grande-Bretagne, 5 644 000 en Italie et 12 215 000 aux États-Unis).

A coté de ces syndicats puissants et jouant le jeu du consensus et de la cogestion, il faut signaler l'extraordinaire vitalité du système associatif allemand. Les associations de chercheurs, par exemple, regroupent quelque 80 000 scientifiques à travers toute l'Allemagne. Elles diffusent des informations scientifiques, s'occupent de la carrière et des conditions de travail de leurs membres et constituent, de ce fait, une véritable administration informelle, souple et légère, de la recherche scientifique. Quant aux associations de défense de l'environnement, pour citer un autre exemple, elles ont montré à plusieurs reprises leur puissance et leur sérieux dans la préparation des dossiers.

Au total, le mouvement associatif qui rassemble et mobilise les forces vives de la société civile joue un rôle clé dans le fonctionnement, en Allemagne, du modèle rhénan : celui d'un relais institutionnel et d'un lieu d'expression des citoyens.

Mais toutes ces institutions, politiques ou associatives, ne seraient rien si elles ne fondaient pas leur action sur une éthique collective particulière.

Des valeurs partagées

Les pays que nous englobons ici dans le modèle rhénan ont enfin – et surtout – en commun un certain nombre de *valeurs*. Énumérons les principales.

1. Il s'agit d'abord, nous l'avons vu, de sociétés relativement

égalitaires. La hiérarchie des revenus et l'éventail des salaires y sont beaucoup moins ouverts que dans les pays anglo-saxons. En outre, le système fiscal y est nettement plus redistributif. Non seulement la fiscalité directe l'emporte sur la fiscalité indirecte, mais les tranches supérieures maximales de l'impôt sur le revenu y sont plus élevées qu'en Grande-Bretagne (40 %) ou qu'aux États-Unis (33 %). A cela s'ajoute une imposition sur le capital qui est acceptée par l'opinion.

2. L'intérêt collectif y prévaut ordinairement sur les intérêts individuels au sens étroit du terme. Dans ce modèle, la communauté dans laquelle s'insère l'individu revêt une importance particulière : l'entreprise, la ville, l'association, le syndicat sont autant de structures protectrices et stabilisatrices. Et le primat accordé à l'intérêt général est illustré par d'innombrables exemples dont certains peuvent nous surprendre. Ainsi le puissant syndicat IG Metall a-t-il accepté, au moment de la réunification allemande, de renoncer de lui-même à la revendication sur les 35 heures. Et cela, alors même qu'il attendait depuis trois ans la fin de l'accord avec le patronat pour pouvoir négocier. Le président d'IG Metall a déclaré que ses adhérents estimaient *qu'il fallait d'abord relever le défi de la réunification.*

Cette préférence accordée au « collectif » ne signifie pourtant pas que les pays intégrés au modèle rhénan soient des adeptes du collectivisme ou même de l'économie centralisée. Bien au contraire. Le principe du libéralisme et de l'économie de marché est inscrit dans la charte fondamentale de la RFA. La libre concurrence, on l'a vu, est rigoureusement préservée par l'Office fédéral des cartels – le Bundeskartelamt – qui a pu interdire, par exemple, à une entreprise allemande de racheter un concurrent étranger au motif que la libre concurrence risquait de ne plus être assurée. On imagine mal une telle interdiction en France, où chaque rachat d'entreprise étrangère est salué par des cocoricos enthousiastes. De même, il n'existe pas de planification à la française – indicative – en RFA, en Suisse, au Japon ou aux Pays-Bas. L'État ne s'y substitue jamais au marché. Au mieux, il l'infléchit ou l'oriente. Sans plus.

Et pourtant, comme son nom l'indique pour l'Allemagne,

cette économie de marché est aussi une économie « sociale ». Qu'est-ce à dire ? Que les institutions sociales y sont traditionnellement puissantes. Et depuis longtemps. La sécurité sociale a été inventée par Bismarck en 1881. L'assurance maladie n'exige là-bas qu'une participation modeste des assurés : environ 10 % contre près de 20 % en France et 35 % aux États-Unis. Les retraites également sont généreuses, car appuyées, pour une part importante, sur une épargne individuelle gérée par les entreprises.

Ce rééquilibrage social du capitalisme rhénan trouve enfin sa traduction au niveau politique. Contrairement à ce qui se passe outre-Atlantique, on constate dans ces pays une participation active et massive des citoyens à la vie publique. Les taux d'abstention aux élections demeurent relativement bas. Les partis sont puissants et structurés. Ils peuvent donc assurer à leurs adhérents et à leurs élus une formation de qualité, au sein d'organismes prestigieux comme la Fondation Hébert pour le SPD ou la Fondation Adenauer pour la CDU. La loi *impose* d'ailleurs aux hommes politiques de participer activement à la vie des institutions : des amendes sont prévues en cas d'absence au Parlement ; le vote des parlementaires est personnel ; le cumul des mandats est strictement limité à deux.

Le modèle rhénan est donc original. Il incarne une synthèse réussie entre le capitalisme et la social-démocratie. L'impression d'équilibre qu'il donne est *a priori* séduisante. Mais son efficacité ne l'est pas moins.

Mais tout cela reste étonnamment peu connu. Il est vrai que les peuples heureux n'ont pas d'histoire. Le bonheur n'est pas une *success story*.

6

La supériorité économique du modèle rhénan

Pour être correctement appréciées, les situations les plus inouïes requièrent un effort de mémoire. Souvenons-nous de ce qu'était l'équilibre du monde après la Seconde Guerre mondiale. Les États-Unis triomphaient sans partage et l'arme atomique venait tout juste de signer – dramatiquement – leur *imperium* sur la planète. Surpuissance militaire, épargnée par la guerre sur son propre sol, l'Amérique était aussi une formidable superpuissance économique, qui, à l'époque, au lieu de réduire ses impôts, a dégagé des *excédents* budgétaires pour venir, dans le cadre du plan Marshall, secourir l'Europe dévastée. L'URSS n'était pas encore capable – comme on le vit lors de la crise de Berlin – de la défier durablement. Et la culture du vainqueur – cet *American way of life* que semblaient littéralement *porter sur eux* les G. I. débarqués à Omaha Beach – fascinait le monde entier. Y compris ses anciens adversaires. Et pour longtemps.

Quant aux deux principales « puissances de l'Axe », l'Allemagne et le Japon, on sait de quel prix terrible elles payaient leur défaite. Des pays exsangues, des villes en ruines, des industries détruites et des nations traumatisées au plus profond d'elles-mêmes par l'aventure tragique dans laquelle les avaient entraînées leurs dirigeants. Les immenses et lugubres champs de pierres brûlées qu'étaient devenus Dresde ou Nagasaki, Berlin ou Hiroshima, soulignaient, à eux seuls, l'incommensurable gravité du désastre.

La victoire des vaincus

Moins d'un demi-siècle plus tard... Le 19 octobre 1987, un krach boursier secoue subitement les places financières. A New York, Wall Street est pris de vertige. En catastrophe et pour éviter le pire, le gouvernement américain se résout à injecter des liquidités dans le circuit financier. En d'autres termes, et *via* la Réserve fédérale, il ouvre tout grand le robinet à dollars. Mais sait-on qu'avant de le faire, il a dû demander l'avis et même l'accord de... la Banque du Japon et de la Bundesbank allemande ? Prodigieux retournement du rapport des forces : les vaincus d'hier dictent – courtoisement – leur loi à leur ancien vainqueur. Un peu plus tard, et de la même façon, l'Allemagne fédérale imposera au monde, sans coup férir, la réunification, en « rachetant » quasiment la RDA en faillite. Mais elle prouvera du même coup qu'elle est capable d'en supporter, seule, le fardeau économique. Bonn, fin 1989, ne réclame ni aide, ni soutien. Bien au contraire, les Allemands signent au même moment avec Moscou des accords d'aide économique qui reviennent – notamment – à faire financer par l'Allemagne... le rapatriement échelonné des divisions de l'Armée rouge stationnées dans l'ancienne RDA. (Y compris la construction future de casernes sur le sol soviétique !) La richissime Allemagne, en somme, a désormais les moyens de racheter sa propre indépendance. En payant cash.

Ainsi les deux anciens vaincus, nouveaux venus du capitalisme rhénan, sont-ils devenus, *en moins de deux générations*, les deux géants économiques du monde qui concurrencent directement l'ancienne hégémonie américaine. Certes, chacun d'entre eux a des raisons *particulières* d'avoir si bien réussi. Autrement dit, il existe une spécificité de l'économie japonaise et une spécificité de l'économie allemande, différentes l'une de l'autre et qu'on ne saurait enfermer dans des schémas identiques. Mais il n'empêche ! Les traits communs à ces deux capitalismes triomphants sont assez nombreux pour qu'on puisse poser l'hypothèse de la supériorité globale d'un modèle. D'une supériorité ou, comme on le verra, de plusieurs.

Mais commençons par l'économie proprement dite. C'est aujourd'hui la mère – et la marque – de la vraie puissance. Dans un monde où le capitalisme triomphe, ne serait-ce que par la déroute de son adversaire idéologique, le pouvoir ira à ceux qui savent d'abord en tirer le meilleur profit économique. Et, dans ce domaine, la supériorité du modèle rhénan paraît de plus en plus forte.

Si, depuis 1971 – et la fin de la convertibilité du dollar –, le dollar n'est plus tout à fait la monnaie étalon qu'il était après Bretton Woods (1946), l'Amérique jouit toujours d'un véritable *privilège monétaire* hérité de son ancienne puissance (voir chapitre I). Il est bien réel et il dure encore. Mais il se trouve de plus en plus menacé par l'accession de l'Allemagne et du Japon au rang de puissances monétaires. Le mark et le yen grignotent peu à peu les positions du dollar.

Dans l'ensemble des réserves internationales, les deux monnaies représentent près de 20 % des avoirs en devises des banques centrales. Ce pourcentage a *doublé en vingt ans*. Encore la Bundesbank et la Banque du Japon se sont-elles, en permanence, efforcées de freiner l'extension internationale de leur monnaie pour pouvoir en garder le contrôle. On imagine ce qu'il serait advenu, quel serait le poids respectif de chacune si les autorités monétaires allemandes et japonaises avaient choisi une politique plus souple.

Mais à ce poids réel déjà considérable s'ajoute ce qu'on pourrait appeler un « poids psychologique ». C'est un fait que les deux monnaies jouissent désormais du statut informel de *monnaie forte*. Dans l'opinion, des actifs libellés en marks ou, quoique dans une moindre mesure, en yens signifient une valeur économiquement sûre. Progressivement, les deux pays sont ainsi devenus les centres d'une zone géographique monétaire autour de laquelle gravitent les monnaies des États périphériques.

Sa Majesté le mark

L'Europe, avec le Système monétaire européen (SME) qui est en fait une sorte de zone mark, en fournit un bon exemple. Le SME date de 1979. A l'initiative du chancelier Helmut Schmidt et du président Giscard d'Estaing, il s'agissait pour les pays de la Communauté – à l'exception de certains, dont la Grande-Bretagne – de créer un système de change où les monnaies ne pourraient plus « flotter » les unes par rapport aux autres qu'à l'intérieur d'étroites limites. De plus, une unité de référence, l'ECU, représentant un « panier » de monnaies européennes, était créée. Plus concrètement, l'objectif du SME était double.

1. Contenir les fluctuations erratiques des changes qui nuisaient à la stabilité des échanges au sein de la Communauté.

2. Imposer une discipline commune à chacun des pays membres, contraints de pratiquer une politique économique compatible avec les engagements pris concernant les taux de change.

Ce double objectif a été atteint. Et, de ce point de vue, le SME est une réussite incontestable. Certes, quelques réajustements des parités furent nécessaires, mais on peut dire que les monnaies sont restées relativement stables les unes par rapport aux autres. Quant à la discipline économique que s'imposait chaque pays membre, faut-il rappeler à titre d'exemple que le « tournant de la rigueur », décidé en 1983 par le gouvernement socialiste français, fut principalement dicté par la volonté de rester à l'intérieur du SME, d'en respecter les contraintes et de sauver le franc ?

Mais c'est malgré tout l'Allemagne qui a tiré le plus grand profit du SME. De quelle manière ? Deux avantages au moins sont à noter au bénéfice des Allemands.

1. Durant toutes ces années, le mark s'est de plus en plus affirmé comme la *monnaie de référence* en Europe. C'est sur lui que s'ajustent toutes les autres monnaies faisant partie du SME. Ainsi la politique monétaire de chaque État se trouve-t-elle, bon

gré mal gré, déterminée dans une large mesure par celle du partenaire allemand. En France, par exemple, la Banque de France surveille au jour le jour, voire heure par heure, le taux de change entre le mark et le franc. Lorsqu'un écart excessif est constaté, elle agit aussitôt en conséquence. Et les autres banques centrales européennes font la même chose. Ainsi, toutes les fois que les Allemands augmentent leurs taux d'intérêt, leurs voisins de la Communauté sont le plus souvent obligés d'aller dans le même sens. De même, la mise en place de l'union économique et monétaire, étape essentielle vers l'Europe politique, est largement soumise à la bonne volonté des Allemands. Et ce n'est pas un hasard si l'Eurofed, future banque centrale européenne, emprunte la plupart de ses structures et de ses règles de gestion à la Bundesbank. Une condition posée par l'Allemagne pour qu'elle donne son aval à l'union monétaire.

2. Second avantage : la faculté pour l'Allemagne, du fait de sa puissance monétaire, de maintenir des taux d'intérêt relativement bas. Comme le mark est très demandé à travers le monde en raison de son prestige, Bonn n'a nul besoin d'augmenter le prix de l'argent pour attirer les capitaux étrangers. Ce facteur, s'ajoutant à la faible inflation qui garantit au mark un pouvoir

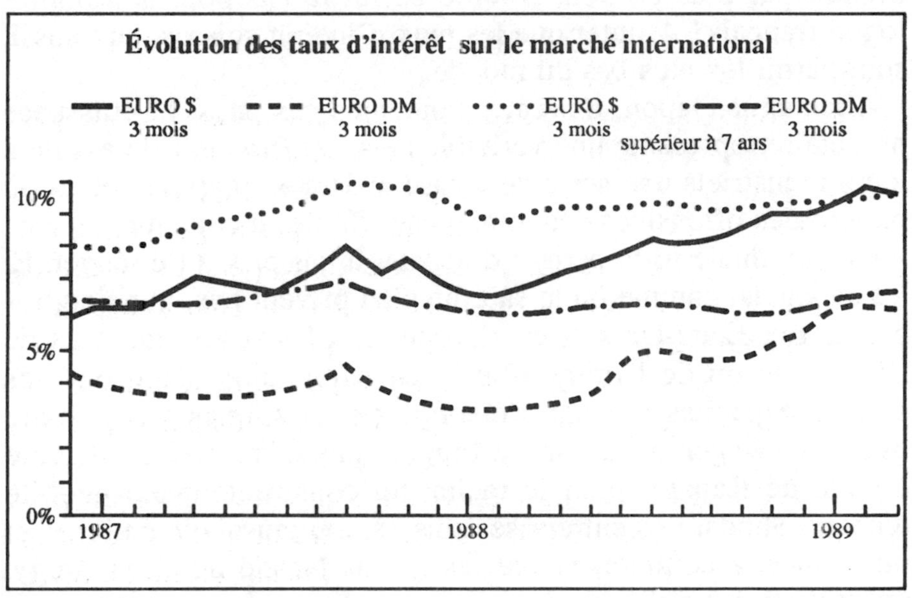

SOURCE : OCDE.

d'achat stable, explique que les taux d'intérêt allemands soient plus bas qu'à l'étranger. A titre d'exemple, sachons que la différence était, fin 1990, d'un point et demi avec la France et de six à sept points avec la Grande-Bretagne. Il est facile d'imaginer quel substantiel bénéfice en retirent les entreprises et les ménages allemands qui désirent emprunter.

La « base arrière » monétaire

Des phénomènes comparables se retrouvent au Japon. Même si c'est à un moindre degré, car ce pays n'appartient pas à un quelconque système de changes fixes. A Tokyo aussi, le yen reste sous-évalué, les taux d'intérêt sont bas et l'influence japonaise sur la scène économique grandit. Quant à la petite Suisse, elle possède elle aussi une monnaie que lui envient les autres pays. Le franc suisse est encore la quatrième monnaie de réserve dans le monde. Le franc suisse qui fut créé en même temps que le franc germinal mais dont la valeur n'a pas été divisée par plus de 300, comme ce fut le cas pour son homologue français ! A noter que les taux d'intérêt suisses, eux aussi, sont parmi les plus bas du monde.

Allemagne, Japon, Suisse... Pour tous ces pays, la puissance monétaire représente une véritable *force de frappe*. Elle assure à leurs industriels une sorte de « base arrière » inexpugnable d'où partent des offensives économiques difficiles à contenir.

Une monnaie forte permet d'acheter à bas prix à l'étranger. Et les Japonais, comme on le sait, ne s'en privent pas, qui s'approprient aux États-Unis et en Europe les plus beaux fleurons de l'industrie ou de l'immobilier. Les Allemands disposent des mêmes capacités d'achat. Personne ne fut surpris d'apprendre que Volkswagen a pu faire, à Prague, une offre bien supérieure à celle de Renault pour le rachat du constructeur automobile tchèque Skoda. Les entreprises suisses, tout aussi dynamiques et puissantes, à commencer par les géants Nestlé ou Ciba-Geigy, ont investi des milliards de dollars aux États-Unis.

Tous ces investissements à l'étranger ont un objectif et (ou) une conséquence : ils permettent aux pays rhénans de contrôler plus étroitement leurs marchés d'exportation. La stratégie japonaise dans l'industrie automobile en est un bon exemple. Menacés par les tentations protectionnistes du Congrès américain, les constructeurs nippons ont adopté la méthode de la « délocalisation » et choisissent d'implanter leurs usines sur le sol américain – ou britannique – et de produire sur place. Rien qu'aux États-Unis, on estime qu'en 1992 ils produiront près de 2 millions de véhicules par an, soit 16 % de la production des firmes américaines. C'est le « défi américain » à l'envers.

En général, dans leur politique d'investissements à l'étranger, les entreprises du modèle rhénan préfèrent éviter des prises de contrôle brutales et spéculatives ; en s'implantant à l'étranger progressivement et méthodiquement ; en construisant leurs filiales selon leur propre méthode, leur culture et sous leur direction. Ce qui donne parfois lieu à des scènes pittoresques mais révélatrices. En Normandie par exemple, on peut voir chaque matin des ouvriers et employés français faisant scrupuleusement leur gymnastique à la japonaise avant de commencer leur journée de travail : ce sont les salariés de l'usine Akaï où les techniques du management japonais ont été tout naturellement mises en pratique. Avec des résultats indiscutables et parfois spectaculaires : aux États-Unis, où le même phénomène est enregistré, on estime que les Japonais ont réussi à recréer dans leurs filiales américaines un « microclimat » qui leur a permis d'améliorer la productivité d'environ 50 % par rapport aux usines américaines correspondantes. A bien réfléchir, cette saynète est parlante pour une autre raison encore : c'est bien pour étendre solidement l'entreprise que ces investissements à l'étranger sont effectués et non pas pour acquérir des actifs que l'on revendra dans les meilleurs délais, en empochant un bénéfice.

Cette stratégie est très efficace. La pénétration progressive des entreprises du modèle rhénan s'appuie sur une base financière solide et puissante. Et cela entraîne pour elles deux avantages majeurs.

1. Le marché se trouve *durablement* conquis. Après plusieurs

années d'implantation, on est en effet, sur place, familiarisé avec la marque, les produits et l'entreprise. A l'inverse, celle-ci dispose d'un personnel, d'un site de production et de réseaux de distribution qu'elle connaît bien.

2. Les mesures protectionnistes sont beaucoup plus difficiles à mettre en œuvre contre ces entreprises délocalisées. Sont-elles seulement possibles ? C'est tout le débat qui oppose Européens et Japonais au sujet des « usines-tournevis » que ces derniers veulent implanter dans la CEE pour accéder sans contraintes au marché communautaire.

Expansion internationale, influence économique et politique : tels sont les dividendes que retirent les pays rhénans de leur stabilité monétaire et de leur puissance financière. Ils sont essentiels. Mais ce ne sont pas les seuls.

Le cercle vertueux de la monnaie forte

Cette expression est familière aux économistes. Que signifie-t-elle ? Elle désigne, en fait, tous les *effets positifs* qu'entraîne pour un pays la possession d'une monnaie forte. Des effets qui peuvent paraître paradoxaux. A première vue, en effet, on serait tenté de penser qu'une monnaie forte constitue un handicap économique en rendant plus coûteux les produits nationaux à l'étranger et donc plus difficiles les exportations. Les pays qui, de loin en loin, sacrifient à la dévaluation pour « doper » leurs exportations le savent bien. Ne serait-il donc pas plus logique de parler du « cercle vertueux de la monnaie faible » ? Cette remarque semble anecdotique. Elle ne l'est pas. La question, en effet, commande à la plupart des enjeux internationaux des années quatre-vingt-dix. Elle mérite par conséquent d'être brièvement « remise à plat ».

Que nous enseigne la théorie économique au sujet de la dépréciation de la monnaie ? Qu'elle entraîne aussitôt deux effets bien connus sur la balance commerciale : les importations, exprimées en monnaie nationale, deviennent plus chères tandis que les produits exportés, payés en devises étrangères, voient leurs prix baisser. Il s'ensuit très logiquement un schéma en deux temps.

1. A *très court terme,* la balance commerciale s'en trouve affectée de manière négative. Il faut, en effet, payer tout de suite des importations plus coûteuses alors même que les acheteurs étrangers n'ont pas encore pris conscience que les exportations qui leur sont destinées sont devenues moins chères. Le délai de réponse joue dans un sens mais pas dans l'autre. La balance commerciale en pâtit.

2. A *moyen terme,* toutefois, elle se redresse. Le pays importe moins de produits étrangers devenus trop chers et ses exportations se trouvent améliorées. Ce redressement intervient en général assez vite et ses effets compensent la dégradation initiale. Au total, on peut donc aboutir, c'est vrai, à un renforcement de la position économique internationale du pays concerné.

Cet enchaînement automatique des deux effets est appelé la « courbe en J » par les économistes. Si on représente en effet graphiquement l'évolution de la balance commerciale en fonction du temps, on obtient un superbe J majuscule. C'est en fonction de cette fameuse courbe que furent décidées de très nombreuses politiques économiques dans les années cinquante, soixante, soixante-dix et quatre-vingt. Notamment en France avec le plan Rueff de 1958-1959 ou les dévaluations du gouvernement Mauroy en 1981-1983. Cette même « courbe en J » inspire depuis 1985 la politique américaine : on laisse baisser le dollar pour redresser, à tout prix, le vertigineux déficit commercial. Potion magique, remède miracle, la dépréciation monétaire semble ainsi parée de toutes les vertus.

Mais c'est bien à tort. Car ce J magnifique, dont naguère encore la jambe s'envolait littéralement vers l'avenir radieux des excédents commerciaux, ne tient plus ses promesses. Cette belle construction ne résiste plus ni à l'épreuve des faits, ni même à la critique théorique. Les faits ? L'Allemagne (avant la réunification) et le Japon, pays à monnaie forte, n'en finissent pas d'accumuler des excédents commerciaux. La France et l'Italie, en revanche, qui ont beaucoup recouru à la dévaluation, n'arrivent pas à rétablir durablement leur solde commercial. Quant aux États-Unis, chacun sait que la chute régulière du dollar depuis 1985 n'a pas encore abouti à redresser leurs échanges extérieurs. Comment est-ce possible? Comment les faits peuvent-ils démentir aussi spectaculairement un mécanisme qui, sur le papier, semble aussi rigoureux?

C'est ici que la critique théorique suggère quelques correctifs concernant les hypothèses mêmes de la « courbe en J ». Trois remarques peuvent être faites.

D'abord, dans le cas d'une dépréciation de la monnaie, rien ne prouve que le prix des importations augmente ni que celui des produits exportés baisse *dans les mêmes proportions* que la dépréciation monétaire. Importateurs et exportateurs, en effet, peuvent avoir des comportements « à la marge » qui vont à contre-courant des effets attendus. Les exportateurs, par exemple, peuvent très bien profiter de la prime qui leur est ainsi donnée pour augmenter leurs prix, donc leurs marges. Quant aux importateurs, il n'est pas exclu qu'ils préfèrent consentir des sacrifices en termes de prix pour conserver leurs parts de marché sur tel ou tel produit. C'est d'ailleurs ce qui s'est passé peu ou prou en France, en 1981-1983 : les entreprises exportatrices françaises ont profité des dévaluations pour augmenter leurs prix et compenser ainsi les charges supplémentaires que leur imposaient les mesures socialistes, les importateurs comprimant les leurs pour ne pas perdre leurs clients.

Seconde remarque : une baisse de la monnaie provoque assez souvent ce que les théoriciens appellent de l'« inflation importée ». Les importations étant plus chères, la hausse se répercute sur l'ensemble des produits. C'est naturellement le cas lorsqu'il s'agit du pétrole, des matières premières ou des biens d'équipement. A terme, on aboutit dans le meilleur des cas à un retour à la case départ, dans le pire à une accélération de l'inflation. Le gouvernement, dès lors, n'a plus d'autre recours que de laisser à nouveau filer sa monnaie pour « sauver les meubles ». Et les déficits s'accumulent alors en cascade...

Troisième remarque : pour qu'une dévaluation serve à relancer véritablement les exportations, encore faut-il que les entreprises aient la capacité et surtout la volonté de conquérir de nouveaux marchés. Faute de cela, elles ne pourront pas profiter de la chance qui leur est offerte et le redressement tant attendu de la balance commerciale n'aura pas lieu. Ce n'est pas une hypothèse d'école. Depuis 1985, pour ne citer que cet exemple, les insuffisances de l'industrie américaine empêchent celle-ci de tirer profit de la baisse du dollar et de regagner les marchés perdus au profit des Japonais et des Européens.

La conclusion de tout cela est simple à formuler : une chute de la monnaie, le « remède » de la dévaluation est une drogue douce à laquelle on s'accoutume. Elle est dangereuse car elle dispense celui qui s'y adonne de regarder en face ses véritables faiblesses. Elle ressemble à un élixir miracle aux effets fugitifs qui procure, à bon compte, l'illusion d'un « mieux ». Elle est l'amorce d'un cercle vicieux dont les Français connaissent bien la fatalité : ils s'y sont trouvés enfermés de 1970 à 1983.

A l'inverse, la stratégie de la monnaie forte peut sembler, à première vue, âpre et difficile, pour ne pas dire héroïque. Elle constitue un défi redoutable pour les entreprises dont les exportations se trouvent pénalisées et que les produits étrangers, rendus moins chers, risquent de venir concurrencer chez elles. C'est également un défi pour le pays lui-même dont la balance commerciale peut faire les frais de cette rigueur monétaire. Mais, en économie comme ailleurs, les défis ont du bon. Ils permettent de mobiliser les énergies, ils interdisent de s'abandonner à la facilité, ils sont porteurs de promesses. Constatons d'ailleurs que cette « stratégie de la monnaie forte » est aussi celle des pays qui réussissent le mieux : Allemagne, Japon, Suisse, Pays-Bas... Ce n'est pas par hasard.

Outre le fait qu'elle permet d'échapper aux effets pervers de la dévaluation, tels que nous venons de les énumérer, une monnaie forte comporte, à terme, de précieux avantages.

Elle oblige d'abord les entreprises à faire des efforts de productivité, seul moyen pour elles de compenser le renchérissement relatif de leurs produits. Elle est en quelque sorte, pour le management, un aiguillon autrement efficace, sur la durée, que les menaces d'OPA. On a pu le constater au Japon. En 1986 et

1987, pour faire face aux inconvénients de l'*endaka* (hausse du yen par rapport au dollar), le constructeur automobile Nissan est parvenu à *améliorer sa productivité de 10 % par an,* ce qui lui a permis de diminuer dans les mêmes proportions le prix de ses voitures. Dans le même temps, on le sait, la productivité américaine s'affaissait. Au point que Paul Gray, président du MIT, pouvait déclarer en octobre 1990 au journal *L'Expansion :* « Le problème pour nous n'est pas de redresser notre compétitivité mais de l'empêcher de décliner davantage. »

SOURCE : *Wirtschaftswoche,* n° 31, 27 juillet 1990, p. 90 (« Mon Dieu, il a encore plongé ! »).

Une monnaie forte incite, ensuite, les entreprises à se spécialiser dans les produits dits de haut de gamme, ceux à propos desquels ce n'est plus vraiment le prix mais la *qualité,* l'innovation, le service après-vente, qui font la différence. Toutes choses impliquant un effort de recherche soutenu qui se révèle extrêmement profitable à l'entreprise. Les machines-outils allemandes en sont un bon exemple. Elles sont chères mais représentent ce qu'il y a de mieux dans leur catégorie. De même, dans l'industrie automobile, Daimler-Benz et BMW se sont fait une spécialité des voitures de luxe et s'en portent fort bien. (Depuis 1989, la valeur globale des voitures vendues par les Allemands aux Japonais est supérieure à celle des voitures japonaises vendues en Allemagne. La performance n'est pas négligeable !)

N'est-il pas remarquable, d'ailleurs, que les deux pays qui, avant 1940, étaient les pays de la camelote, de la pacotille, soient aujourd'hui réputés les deux champions de la qualité : l'Allemagne et le Japon ? N'est-ce pas un nouvel indice de l'existence d'un modèle germano-nippon dont l'énergie, jadis guerrière, s'est transférée vers les prouesses de la conquête industrielle *via* la discipline monétaire ?

La monnaie forte, en somme, ce chemin escarpé qui exige efforts, persévérance et imagination, est pour une économie le meilleur moyen d'exceller sans s'amollir. Le cercle vertueux de la monnaie forte est donc payant.

Écrite aujourd'hui, cette conclusion peut paraître banale. Tant mieux ! Mais cela ne doit pas faire oublier que, pendant une génération, tous les esprits forts, dont la France est si bien dotée, ont expliqué qu'il était plus efficace pour le développement économique de faire du franc français une monnaie fondante qui était dévaluée tous les deux ans. Leur prétendu keynésianisme est parvenu, jusqu'en 1975, à tourner en ridicule la stupide rigueur avec laquelle ces balourds d'Allemands se privaient des commodités de l'inflation contrôlée pour accélérer la croissance économique.

Aux côtés de Raymond Barre, je me suis battu pendant cinq ans pour la cause méconnue, dénigrée, de la monnaie forte. Cette cause a gagné depuis 1983, successivement soutenue par les ministres des Finances Jacques Delors, Édouard Balladur et surtout Pierre Bérégovoy. C'est sûrement le plus beau cadeau que l'exemple du modèle rhénan a fait à la France.

Les vraies armes de la puissance

Les performances des économies rhénanes sont même depuis plusieurs années à la « une » de nos journaux. Et la célébration inlassable de cette réussite sert de contrepoint amer aux difficultés accrues que rencontrent les économies « anglo-saxonnes » prisonnières des déficits ou de l'inflation. Une question, parfaitement logique, revient donc sans cesse dans la presse : comment font-ils ? Quelles sont les vraies armes de cette puissance ? C'est tout au long de ce livre que j'essaie de répondre à cette question. Mais ajoutons ici une remarque. La force de ces économies repose avant tout sur une *capacité industrielle* hors pair et une *agressivité commerciale* obstinée.

L'industrie des pays rhénans, c'est un fait, est la meilleure du monde. Et elle pèse lourd. La part relative de l'industrie dans l'économie est plus importante en Allemagne, au Japon ou en Suède que dans les autres pays de l'OCDE. Elle représente environ 30 % du PIB et de la main-d'œuvre salariée dans un cas, moins de 25 % dans l'autre. Aux États-Unis, cette part est même inférieure à 20 %. Au nombre s'ajoute la qualité, on l'a dit. Dans la plupart des secteurs industriels, les pays de type rhénan dominent : ils sont solidement ancrés dans les branches traditionnelles et consacrent un effort exceptionnel aux industries d'avenir. Dans les dix premières entreprises mondiales de la sidérurgie, de l'automobile, de la chimie, du textile, de la construction navale, de l'électricité et de l'agro-alimentaire, on trouve ainsi une forte majorité de firmes rhénanes, qu'elles soient japonaises, allemandes, néerlandaises ou suisses (Toyota, Nissan, Daimler-Benz, Mitsubishi, Bayer, Hoechst, BASF, Nestlé, Hoffmann-La Roche, Siemens, Matsushita, etc.).

Certes, dans les secteurs d'avenir, elles sont moins fortes et les Américains dominent encore. Mais pour combien de temps ? Déjà, dans les domaines de l'aéronautique, de l'informatique, de l'électronique ou de l'optique, les progrès des industries japonaises ou allemandes sont spectaculaires. Dans l'informatique, par exemple, qui est depuis trente ans une véritable chasse gardée américaine (sept des dix premières entreprises mondiales sont américaines), la percée japonaise inquiète Washington. Les Japonais ont acquis en effet la maîtrise quasi totale des périphériques (écrans, disques, imprimantes) et un quasi-monopole sur les mémoires et les composants. A la limite, les ordinateurs sont toujours américains mais tout ce qui se trouve à l'intérieur est japonais.

Ce dynamisme exceptionnel des industries du modèle rhénan repose sur trois facteurs principaux.

1. Une attention toute particulière portée à la *production*. Allemands, Japonais, Suisses ou Suédois cherchent en permanence à améliorer la qualité de leurs produits, à réduire les coûts en augmentant la productivité. Ces efforts impliquent des investissements soutenus en machines et en équipements. Les quatre pays cités plus haut ont les taux d'investissement parmi les plus élevés de l'OCDE. (Et sachons qu'avec une économie deux fois plus petite que celle des États-Unis, les Japonais investissent, depuis 1989, davantage que les Américains.) Cette politique de production et de management est fondée sur des *méthodes de gestion* très modernes. C'est du Japon que nous viennent les fameux « cercles de qualité » ou les « stocks zéro » qu'on utilise maintenant pour produire la XM chez Citroën ou la R19 chez Renault. Des méthodes qui font d'ailleurs appel à la participation et à l'intelligence de chacun. Elles exigent qu'un consensus minimal soit la règle et que les agents de production soient écoutés. Et entendus.

2. Ces méthodes, qui rompent définitivement avec le taylorisme caricatural des *Temps modernes* de Chaplin, où chaque ouvrier n'était que l'exécutant mécanique de gestes répétitifs, supposent qu'un effort particulier soit consacré, nous l'avons dit, à la *formation* (voir chapitre 5). Ce système d'enseignement professionnel, qui allie apprentissage et formation continue, mobilise dans les pays rhénans des sommes deux fois plus importantes qu'ailleurs. Mais cet effort est efficace : nulle pénurie d'ingénieurs en Allemagne ou au Japon. La formation est l'un des facteurs clés du dynamisme industriel des pays rhénans.

3. Le niveau des efforts de recherche-développement (R&D) consentis par les entreprises. C'est l'un des points où le contraste est le plus saisissant entre modèle atlantique et modèle rhénan. Dans ce dernier, l'investissement en R&D est incomparable : il représente *grosso modo* 3 % du PIB en Allemagne, au Japon et en Suède. En outre, il est d'abord consacré à la recherche civile et tourné vers les technologies de base utili-

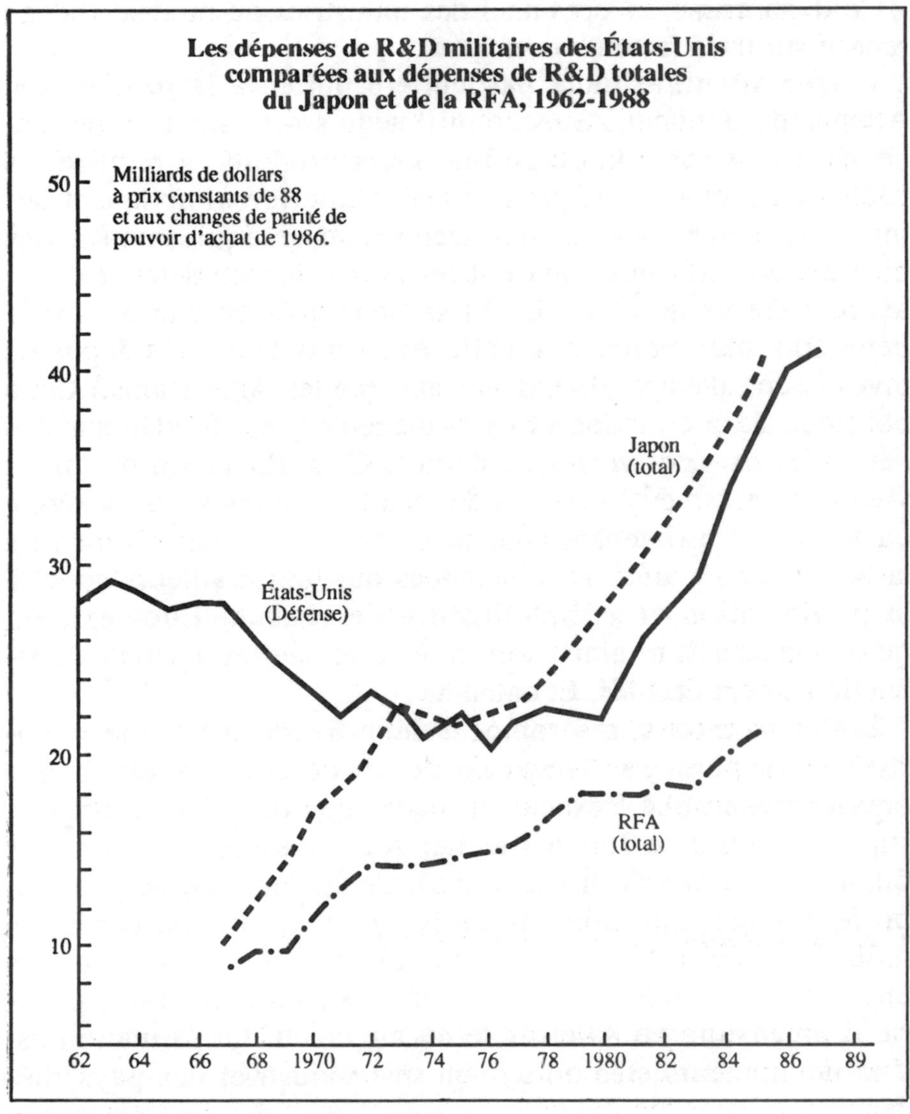

SOURCE : National Science Foundation et OCDE.

sables dans toute l'industrie. Aux États-Unis, en revanche, la R&D mobilise 2,7 % du PIB mais plus du tiers de cette somme (1 %) est affecté à l'industrie d'armement.

Notons que, dans les pays rhénans, l'action des pouvoirs publics est très féconde en ce domaine : les aides à la recherche, les programmes technologiques civils drainent des sommes considérables. Le fameux MITI japonais établit ainsi une liste de dix programmes prioritaires autour desquels les entreprises privées doivent se mobiliser. L'un des plus célèbres fut le programme robotique lancé voici une vingtaine d'années et qui permet aujourd'hui au Japon, devenu leader mondial en ce domaine, de produire davantage de robots que l'ensemble de ses partenaires de l'OCDE.

Tous facteurs confondus, les pays rhénans disposent donc de l'industrie la plus puissante. Et cette puissance de production est remarquablement servie par une « force de frappe » commerciale très efficace. Pas étonnant, dans ces conditions, si les pays rhénans se révèlent être des champions de l'exportation. L'Allemagne a longtemps été le premier d'entre eux. Le Japon n'a plus rien à lui envier. Un examen plus attentif de ces capacités d'exportation révèle, par exemple, que, dans les principales industries allemandes (automobile, chimie, mécanique, électrotechnique), la part du chiffre d'affaires exporté frôle les 45 %. Aux États-Unis, la part du PIB réservé à l'exportation ne dépasse pas 13 % et les industries américaines souffrent de ce qu'un rapport du MIT appelle l'« esprit de clocher ».

Sur presque tous les marchés mondiaux, on trouve donc désormais un ou plusieurs Allemands, des Japonais et des Suisses serrant de près les Américains et quelques Français ou Anglais.

Culture économique et culture de l'économie

L'expression peut sembler facile. Ou hâtive. « Culture de l'économie », n'est-ce pas là un concept flou ou tautologique comme le sont les diagnostics des médecins de Molière ? Ce

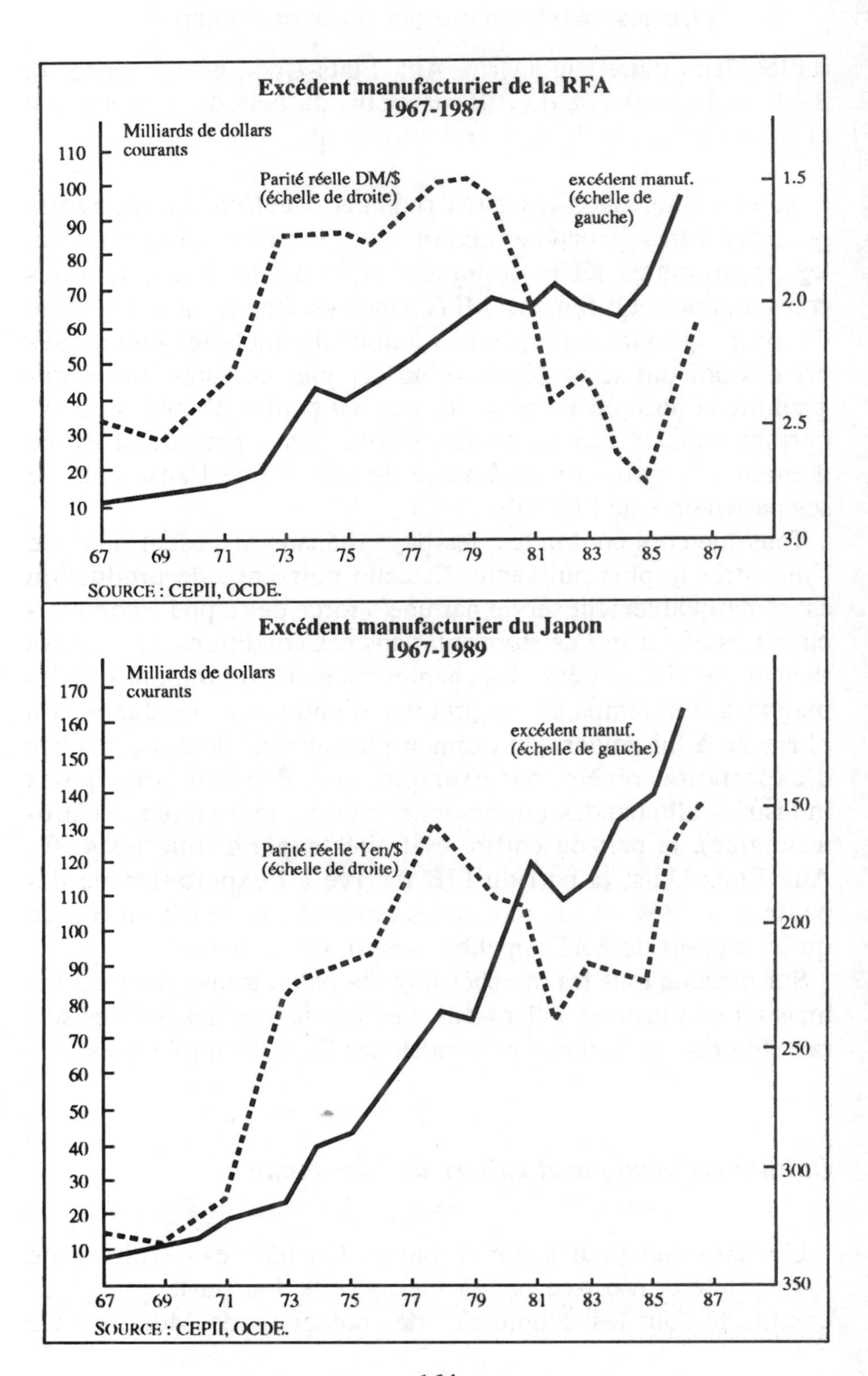
Excédent manufacturier de la RFA
1967-1987
Milliards de dollars
courants
110
100
90
80
70
60
50
40
30
20
10
Parité réelle DM/$
(échelle de droite)
excédent manuf.
(échelle de
gauche)
1.5
2.0
2.5
3.0
67
69
71
73
75
77
79
81
83
85
87
SOURCE : CEPII, OCDE.
Excédent manufacturier du Japon
1967-1989
Milliards de dollars
courants
170
160
150
140
130
120
110
100
90
80
70
60
50
40
30
20
10
excédent manuf.
(échelle de gauche)
Parité réelle Yen/$
(échelle de droite)
150
200
250
300
350
67
69
71
73
75
77
79
81
83
85
87
SOURCE : CEPII, OCDE.

n'est pas sûr. Si l'on veut qualifier d'un mot un ensemble de comportements individuels partagés par le plus grand nombre, appuyés sur des institutions, des règles reconnues par tous et un patrimoine commun, alors il faut bien parler de « culture ». Une culture de l'économie propre au modèle rhénan et dont on peut énumérer les principaux traits.

La propension des ménages à épargner est l'un d'entre eux. Le Japon, l'Allemagne ou la Suisse[1] se distinguent de leurs homologues de l'OCDE par un *taux d'épargne élevé.* Cette épargne est indispensable pour financer l'économie, et son insuffisance se traduit, dans de nombreux pays, en termes de déficit extérieur. Lorsque l'argent manque chez soi, il faut bien aller le chercher au-dehors. C'est ce que fait l'Amérique, dont les ménages sont les « cigales » du monde développé, achètent

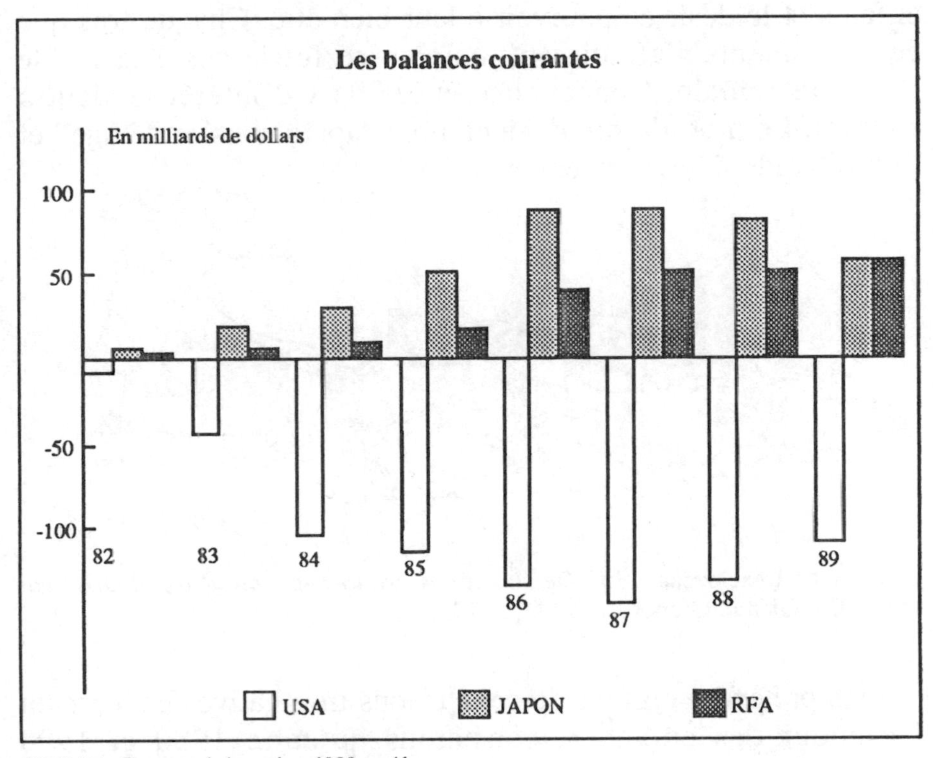

SOURCE : *Comptes de la nation*, 1989, p. 41

1. L'Italie aussi, mais en Italie l'épargne sert d'abord à financer un énorme déficit budgétaire.

tout à crédit et sont parfois si endettés qu'ils doivent consacrer 25 % de leurs revenus à payer des intérêts. L'insuffisance de l'épargne est l'une des explications des déficits commerciaux américains. A l'inverse, les Allemands et les Japonais, qui disposent d'une épargne surabondante, peuvent tout à la fois financer eux-mêmes leurs investissements et prêter au-dehors à des taux avantageux. D'où des excédents extérieurs considérables.

Les grands auteurs de la pensée libérale ont toujours considéré que le rythme du progrès était lié à la capacité d'épargner. Cette capacité – dont dépend l'évolution des taux d'intérêt – est liée elle-même à des facteurs culturels, à une sensibilité collective qui peut changer selon les circonstances. En 1930, à l'université Yale, l'économiste Irving Fisher avait cité l'un de ces facteurs : « La cause principale d'une baisse des taux d'intérêt [et donc d'une augmentation de l'épargne] est l'amour de ses enfants et le désir de pourvoir à leur bien-être. Chaque fois que ces sentiments s'affadissent, comme ce fut le cas à la fin de l'Empire romain, l'impatience et les taux d'intérêt tendent à s'élever. Le mot d'ordre devient alors "après nous le déluge" et l'on dilapide fiévreusement. »

SOURCE : Desclozeaux, *130 Dessins d'observation faits au «Nouvel Observateur»*, Éd. Glénat, Grenoble, 1974, p. 123.

Sans prétendre en tirer de conclusions trop hâtives concernant l'« amour des enfants », constatons qu'entre 1980 et 1990 l'épargne nationale a évolué en des sens opposés dans les pays rhénans et aux États-Unis. Dans le premier cas, elle a *augmenté*, passant de 31 à 35 % du PIB au Japon et de 22 à 26 % en Allemagne, alors qu'elle *diminuait* en Amérique, chutant de 19 à 13 % dans la même période (source : OCDE).

Notons bien pour la suite cette opposition entre le capitalisme des cigales qui vivent au jour le jour et le capitalisme des fourmis qui, aujourd'hui, préparent demain. Elle touche peut-être au dilemme le plus fondamental de cette fin de siècle et à l'éthique de notre civilisation.

Dans ces pays rhénans, on peut également observer que l'importance de l'économie est perçue par toute la population. Il s'ensuit un climat diffus de mobilisation civique dont le rôle n'est pas négligeable. On se moque parfois du comportement des Japonais qui, lorsqu'ils voyagent à l'étranger, sont spontanément à l'affût de tous renseignements qui pourraient être utiles à leur entreprise. On y voit une forme « douce » d'espionnage industriel. Il faut surtout y voir un état d'esprit particulier, un civisme d'entreprise dont les Allemands, eux non plus, ne sont pas dépourvus. Cet intérêt du public pour l'économie nationale est d'ailleurs cultivé, relayé, coordonné par des institutions. En Allemagne par exemple, les banques fournissent régulièrement à leurs clients des analyses économiques variées et complètes. Au Japon, le MITI et les maisons de commerce recueillent dans le monde entier toutes les informations qui peuvent être utiles aux entreprises. D'une façon générale, un effort soutenu et systématique est consacré dans les entreprises à l'analyse de ce qui se fait « ailleurs ». Et notamment dans les laboratoires de recherche des concurrents. Comment qualifier cette curiosité sans cesse en éveil et cette ouverture vers l'extérieur, sinon par l'expression « culture de l'économie » ?

Sans doute est-ce une « culture » ainsi partagée qui explique la manière dont ces pays ont, en quelque sorte, affranchi leur économie des fatalités électorales ou politiciennes bien connues. Les cycles politiques erratiques qui impliquent des dépenses supplémentaires avant les élections et un retour à plus de rigueur aussitôt après sont quasiment bannis. Les banques centrales d'Allemagne et de Suisse – pour citer un autre exemple – jouissent, vis-à-vis du pouvoir politique, d'une indépendance à peu près totale. Elle leur permet d'assurer, contre vents et marées, une bonne tenue de leur monnaie, et c'est la charte fondatrice de la Bundesbank elle-même qui impose ce devoir à ses dirigeants. On est loin de la tutelle qu'exerce traditionnellement, en France, le ministère des Finances sur la Banque de France. Les cinq grands instituts de prévision économique allemands bénéficient de la même indépendance et leurs statistiques servent de références indiscutées, aux gouvernements comme aux partenaires sociaux.

C'est également cette « culture » commune qui explique la manière dont les pouvoirs publics assujettissent leur politique au souci permanent de renforcer la position internationale de l'économie. C'est la fameuse « Japan Incorporated » qui fait du Japon une immense entreprise lancée à la conquête des marchés mondiaux.

C'est cette même « culture » qui justifie le statut particulier – et privilégié – dont bénéficie l'entreprise dans le modèle rhénan. Elle n'est jamais considérée comme la simple rencontre provisoire d'intérêts convergents, ni comme une simple « machine à *cash-flow* ». Elle est au contraire conçue comme une institution, une communauté durable qu'il faut protéger. A charge pour elle d'assurer en retour la protection de ses membres.

7
La supériorité sociale du modèle rhénan

L'expression, notons-le d'emblée, est ambiguë. On ne saurait parler de « supériorité sociale » de la même façon qu'on parle de « supériorité économique ». Et cela pour une raison simple : la plupart des critères, cette fois, ne sont pas quantifiables. Les performances sociales d'un modèle économique ne s'évaluent pas – ou pas seulement – en termes de courbes, de statistiques, d'indices et de pourcentages. Tout jugement sur les avantages sociaux de tel ou tel pays implique un fort coefficient de *subjectivité*. Le type de société concerné, les valeurs partagées par la population, l'organisation sociale (ou familiale) elle-même, tout cela introduit des distorsions que les économistes connaissent bien. Avançons donc, sur ce terrain, avec prudence...

Comment pourrait-on, malgré tout, définir quelques critères de comparaison significatifs ? J'en propose trois qui ont le mérite de la simplicité et de la clarté.

1. Le degré de *sécurité* offert par chaque modèle à ses citoyens. La façon dont ils se trouvent protégés contre les risques majeurs : maladie, chômage, déséquilibres familiaux, etc.

2. La réduction des *inégalités* sociales et la manière dont sont corrigées les exclusions le plus criantes. Le volume et la forme de l'aide accordée aux plus démunis.

3. L'*ouverture,* c'est-à-dire la faculté plus ou moins grande, pour chacun, de gravir les différents échelons socio-économiques.

Une évidence, d'ores et déjà, s'impose : dans les deux premiers domaines, le modèle rhénan l'emporte très nettement sur le modèle néo-américain. Je dis bien *néo-américain* et non anglo-saxon. En matière sociale, en effet, la Grande-Bretagne se distingue des États-Unis. Et c'est peu de dire qu'elle s'en distingue. Disposant, depuis longtemps, d'un système de sécurité sociale inconnu outre-Atlantique, elle s'oppose carrément à l'Amérique en ce domaine.

A ces réserves près, on verra que la comparaison entre les deux modèles garde tout son sens. Elle le garde d'autant mieux que la supériorité sociale du modèle rhénan ne s'accompagne pas, comme on le croit trop souvent, d'un surcoût dont pâtirait la compétitivité de l'économie. Certes, la justice sociale a un prix et doit être financée par des ressources publiques. Mais ils se trompent, ceux qui pensent que ces dépenses ne peuvent être réalisées qu'au détriment de l'économie. Nous verrons, au contraire, que *compétitivité peut rimer avec solidarité.*

Une santé hors de prix

Deux anecdotes qui parlent d'elles-mêmes. La première est rapportée par le journaliste Jean-Paul Dubois *(Le Nouvel Observateur).* Cela se passe un dimanche au Dade Medical Center de Miami (Floride). Un homme est assez gravement malade depuis trois jours. Il souffre. Il a de la fièvre. Comme c'est dimanche et que tous les cabinets médicaux sont fermés, il se rend à l'hôpital sur Lejeune Boulevard. Là, on l'adresse aux urgences, où une réceptionniste lui demande son nom et lui réclame... 200 dollars d'avance. « C'est une caution, un dépôt de garantie, lui dit-elle. Si le médecin ne vous hospitalise pas, on ne vous fera payer que la consultation et on vous rendra la différence. » Il explique qu'il n'a pas cette somme sur lui. Elle répond qu'elle est désolée, mais qu'il faut aller voir ailleurs.

Seconde anecdote. Dans une petite ville de la côte Est, un employé d'une entreprise locale qui souffre d'une rage de dents se demande s'il ira chez le dentiste. S'il y va, il devra *nécessai-*

rement se faire arracher sa dent malade. Pourquoi ? Les dentistes américains seraient-ils incapables de lui prodiguer des soins moins expéditifs ? Non, bien sûr, mais notre homme n'a pas d'assurance personnelle, et le coût d'une prothèse est beaucoup trop élevé pour son budget. Alors, il n'a pas d'autre choix : ou perdre sa dent, ou souffrir.

Ces deux exemples n'ont rien d'extraordinaire. Ils rejoignent ce que nous disions du « dualisme » de la société américaine (voir chapitre 2). Mais ils illustrent également l'absence d'un système généralisé de protection sociale aux États-Unis. Les dépenses *publiques* de santé y sont proportionnellement *deux fois plus faibles* que celles des grands pays occidentaux. Il n'existe pas, outre-Atlantique, d'assurance maladie obligatoire. Chaque Américain doit s'en remettre, selon ses ressources, à une assurance privée, et l'on estime à 35 millions le nombre d'habitants qui ne bénéficient d'aucune assurance de ce type.

Les allocations chômage sont pratiquement inconnues, du moins à l'échelle nationale, alors que la durée moyenne des préavis de licenciement dans les PME est de deux jours. Quant aux allocations familiales, elles n'existent pas. Les seuls programmes sociaux d'envergure sont ceux qui furent mis en place par les administrations Kennedy et Johnson, dans les années soixante. Ils sont essentiellement destinés aux personnes âgées (MEDICARE) et aux personnes vivant au-dessous du seuil de pauvreté (MEDICAID). Mais une fraction importante de la population est maintenue à l'écart de cette protection.

Le système social du modèle néo-américain est donc nettement insuffisant et lacunaire. En outre, il pâtit gravement de deux inconvénients bien connus.

1. Le délire procédurier qui s'est emparé des Américains a touché la médecine de plein fouet (voir chapitre 2). Quotidiennement, la presse signale les amendes colossales auxquelles sont condamnés des médecins, des anesthésistes ou des dentistes contre lesquels se sont retournés des patients, pressés de le faire par des avocats « chasseurs de primes ». Il est en effet devenu courant aux États-Unis de consulter son avocat avant de se rendre chez son médecin ou à l'hôpital. A l'inverse, la première personne que l'on rencontre dans les institutions de santé

est bien souvent l'avocat des médecins ou de l'hôpital. Le moindre soin prend ainsi l'allure d'une guérilla juridique dont les résultats ne sont pas réjouissants. Médecins et cliniques, en effet, doivent s'assurer contre les procès éventuels de leurs clients (quand ils trouvent des compagnies pour l'accepter) et consacrent des budgets importants à leurs avocats. Tous ces frais, bien entendu, sont répercutés sur les tarifs de soins qui deviennent prohibitifs.

2. Contrairement à ce que l'on pourrait croire, ce système privé de protection sociale n'est pas plus économique que ses homologues européens gérés, eux, par la collectivité. Au contraire. C'est aux États-Unis que les dépenses de santé (11 % du PIB) sont les plus élevées du monde. Et paradoxalement, parmi les pays de l'OCDE, c'est en Grande-Bretagne, pays de la protection sociale universelle et gratuite, que ces dépenses sont le plus faibles : moins de 7 % du PIB.

Les parapluies rhénans

Les assurances sociales ont été fondées en Allemagne par Bismarck. C'est Lord Beveridge, son disciple le plus célèbre sur ce point, qui a introduit le fameux Système national de santé (le NHS) en Grande-Bretagne. C'est un principe analogue de protection sociale généralisée qui a commencé à être mis en œuvre en 1946 en France, où, aujourd'hui, 99,9 % de la population active est prise en charge par le système d'assurance maladie. De la même façon, dans des pays comme la Suède, l'Allemagne, la Suisse ou le Japon, seule une petite fraction de la population ne bénéficie pas de la protection sociale.

Les Allemands sont très largement couverts contre les principaux risques (maladie, accidents du travail, chômage) et bénéficient d'un régime de retraite de base très avantageux. La Suède, patrie de la social-démocratie, est dans le même cas. Les citoyens sont aussi bien protégés qu'en Allemagne et les chômeurs se voient secourus par des systèmes efficaces incluant des programmes de formation et de réinsertion. Quant au Japon, il dispose d'une assurance maladie qui est l'une des plus généreuses du monde : la gratuité des soins y est totale et généralisée.

Jusqu'en 1985, les dépenses de santé en Allemagne continuaient à augmenter beaucoup plus rapidement que le PIB et l'équilibre de l'assurance maladie était menacé. Les facteurs de ce dérapage sont les mêmes qu'ailleurs : vieillissement des populations, progrès technologiques qui s'accompagnent du développement de nouveaux appareils très coûteux (scanners, échographies, lithotriteurs...), augmentation globale de la demande de soins médicaux et de la consommation de médicaments, les deux étant naturellement stimulés par la gratuité des soins. Malgré cela, aucun pays rhénan n'a laissé les dépenses de santé dépasser 9 % du PIB. Mieux, depuis 1985, l'Allemagne est parvenue à les maîtriser d'une manière exemplaire.

Sur ce problème, si fondamental, de la qualité des soins et de la maîtrise des dépenses de santé, il faut retenir les trois chiffres déjà cités : Grande-Bretagne, 7 % du PIB ; Allemagne, 9 % du PIB ; États-Unis, 11 % du PIB. Et prendre conscience de l'extraordinaire paradoxe qu'ils traduisent. En effet, des trois pays, celui qui a la moins bonne situation sanitaire est aussi celui qui dépense le plus, les États-Unis. Or, les États-Unis devraient être celui qui, à qualité égale, dépense le moins, puisque son système de santé est essentiellement privé, tout ordonné à l'efficacité, avec une extraordinaire sophistication des systèmes de contrôle du type HMO (Health Management Organisation). Certes, en Angleterre, il faut souvent faire la queue avant d'être admis à l'hôpital ; certes, le système allemand des médecins de caisse ne laisse pas une pleine liberté de choix au patient. N'empêche que les faits sont là : en matière de santé, le système du marché, celui qui se fonde sur l'intérêt pécuniaire personnel du médecin, n'est pas toujours le plus efficace, tant s'en faut. J'en conclus pour ma part que la santé n'est certainement pas un domaine que l'on peut, sans discernement, livrer aux lois du marché.

Quoi qu'il en soit, il est clair qu'au total les pays du modèle rhénan savent donc, mieux que d'autres, combiner la justice sociale, la prise en charge collective des dépenses et l'efficacité de la gestion. Cette aptitude particulière se fonde sur un ensemble de valeurs et de priorités qui ne sont pas les mêmes qu'en Amérique. L'idée de *responsabilité collective*, par exemple, est profondément ancrée dans la mentalité publique et prise en compte par les organisations politiques ou syndicales. Son corollaire, c'est une autodiscipline plus remarquable qu'on ne le pense parfois. Certes, il existe partout des fraudes, des abus, de faux chômeurs et des tendances à la « surconsommation » médicale. Mais, au total, chacun demeure conscient des risques qu'il y aurait à trop demander à la protection sociale. Au Japon, par exemple, où le vieillissement de la population est préoccupant, un programme a été lancé pour reculer l'âge de la retraite. En Suisse, pour les mêmes raisons, les citoyens ont renoncé par référendum (à 64 % de majorité) à avancer l'âge de la retraite de 65 à... 62 ans.

A cette responsabilité collective, s'ajoute une discipline que les pouvoirs publics n'ont pas trop de mal à faire respecter. En Allemagne, le gouvernement exige des partenaires sociaux (syndicats, patronat, médecins, assurés, caisses) qu'ils se mettent d'accord pour limiter la progression des dépenses de santé. En Suède, il est hors de question que les chômeurs pris en charge par l'assurance chômage refusent les emplois qu'elle leur propose. Autre exemple, extrême celui-là : l'aide publique aux nécessiteux n'est pas en Suisse un droit mais une dette, qui devra être remboursée dès que la situation du bénéficiaire se sera améliorée.

Prenons maintenant l'un après l'autre les points qui précèdent et posons-nous la question de savoir si, à cet égard, la France mérite d'être classée parmi les pays rhénans. Malheureusement, la réponse est largement négative. Singulièrement, en matière d'assurance maladie, notre système est l'un des plus fragiles du fait que tout le monde tire à peu près librement des chèques sur la sécurité sociale, mais que personne n'a l'impression de les payer réellement : je fixe librement le nombre des consultations et des soins que je demande à mes médecins ; ils fixent librement les ordonnances qu'ils me font ; le tout presque gratuitement. Cela n'existe dans aucun autre pays. Plus le temps passe et plus il devient clair qu'il y a là un mélange de capitalisme et de socialisme particulièrement séduisant à court terme, mais à long terme pervers.

Les dérapages américains

Aux États-Unis aussi, si le gouvernement multiplie les efforts pour limiter la progression des dépenses de santé, c'est le plus souvent en vain. Un bon exemple de cet échec est fourni par la réforme mise en œuvre dans les hôpitaux pour améliorer la gestion et limiter les remboursements à la charge des programmes fédéraux. En 1984, le Congrès a cherché à limiter la croissance des dépenses de santé financées par MEDICARE. Pour cela, il a décidé de changer le système de remboursement aux hôpitaux qui était calculé sur la base des actes médicaux effectués sur les malades. Comme en France, chaque opération médicale était décomposée en différents actes (chirurgie, anesthésie, salle d'opération, examens biologiques, etc.) faisant, chacun, l'objet d'un tarif servant de base au remboursement par les assurances et par MEDICARE. Méthode très précise, mais particulièrement complexe et favorisant la fraude. Elle permettait en effet de multiplier certains actes sur un même patient (les examens radiologiques par exemple) afin d'accroître le montant des remboursements. Devant cette multiplication des actes, il devenait impossible aux payeurs de distinguer ceux qui étaient utiles de ceux qui ne l'étaient pas. En outre, la tarification n'était pas toujours adaptée aux nouvelles techniques, ce qui permettait à certains médecins d'être surpayés. Le tarif d'une opération du ménisque, par exemple, était toujours calculé sur la base d'une opération de deux heures, alors que l'endoscopie permet désormais de réaliser l'intervention en dix minutes.

Pour corriger tout cela, le Congrès a mis en place un système de paiement non plus par acte, mais *par pathologie*. Chaque patient est maintenant remboursé en fonction d'un prix standard : 1 000 dollars pour une appendicite, 100 000 dollars pour un traitement de l'hémophilie, etc. C'est à l'hôpital de s'accommoder de ces tarifs. S'il est mal géré et que les coûts se révèlent plus élevés, tant pis pour lui. A l'inverse, si ses charges sont moins lourdes, le bénéfice lui est acquis. Le système repose, bien entendu, sur le fait, vérifié statistiquement, que 95 % des maladies peuvent être regroupées en 465 pathologies précises susceptibles d'être tarifées en fonction des coûts moyens standard. Voilà qui paraît simple, clair et contrôlable. Et calculer le remboursement en fonction du coût total du traitement semble une méthode logique incitant à la bonne gestion.

Mais l'absence d'une véritable responsabilité collective a rendu fort malaisée la mise en œuvre du nouveau système. Certains hôpitaux, mal gérés, ont connu aussitôt de graves difficultés financières. Nombre d'entre eux ont donc été tentés de se spécialiser dans les pathologies les mieux remboursées ou celles dans lesquelles ils étaient les plus compétitifs. D'autres – plus rares, heureusement – se sont efforcés d'identifier les malades « à risque » pour les refouler. Pourquoi, en effet, dans un contexte qui légitime le profit à court terme, ne pas maximiser les bénéfices que l'on peut tirer des remboursements de l'assurance maladie ? Au pays de l'argent roi, c'est dans la logique des choses. Ainsi s'est trouvée pervertie une réforme qui semblait cohérente. Résultat : en dépit des premiers résultats encourageants, la progression des dépenses d'hospitalisation ne s'est pas ralentie aux États-Unis.

Réforme excellente, mais résultat nul, pourquoi ? De même que les Français n'auraient jamais bâti comme ils l'ont fait leur système de sécurité sociale s'ils s'étaient auparavant informés à l'étranger, de même, sans doute, les auteurs de cette réforme avaient-ils oublié d'étudier comment font les pays rhénans. Il existe en effet une sorte d'« autisme » américain. Rien n'est plus difficile en effet pour certains, là-bas, que d'imaginer qu'il puisse y avoir plus efficace que l'économie de marché, et surtout hors des États-Unis.

La logique de l'égalité

Les pays rhénans, nous l'avons vu, sont relativement égalitaires. L'éventail des revenus y est nettement moins ouvert que dans les pays anglo-saxons. Sur un plan plus général, on constate que la classe moyenne y est désormais statistiquement plus importante qu'aux États-Unis qui furent pourtant le pays par excellence de la *middle class*. Si l'on définit la classe moyenne comme l'ensemble des personnes dont les revenus sont proches de la moyenne nationale, alors elle ne représente plus qu'environ 50 % de la population en Amérique contre 75 % en Allemagne et 80 % en Suède ou en Suisse. Au Japon, des enquêtes menées depuis trente ans montrent que 89 % des Japonais se définissent comme faisant partie de la classe moyenne; subjectif mais significatif.

Cette limitation relative des inégalités dans les pays rhénans implique que la lutte contre l'exclusion et la pauvreté y est mieux organisée et plus efficace que dans le modèle atlantique. En Suède, par exemple, la population a gardé très vif le souvenir des terribles pauvretés du début du siècle. Un mot désigne, en suédois, ce qui fut toujours et demeure l'impératif national : le mot *trygghet* qui signifie sécurité. L'assistance sociale et la lutte contre le chômage, première forme d'exclusion, y sont donc particulièrement développées. Le plein emploi est un objectif national que les pouvoirs publics s'engagent à atteindre. C'est l'Arbetsmarknadsstyrelsen (Direction nationale de l'emploi) qui en a la charge et qui dispose pour cela d'un budget important.

Aux États-Unis, il n'existe pas de véritables institutions nationales destinées à ce que l'on appelle la « lutte contre la pauvreté ». Ce sont les communes ou les États qui en sont chargés. Mais la modestie des ressources publiques qui lui sont affectées limite le plus souvent sa portée. Si actives, généreuses et dévouées soient-elles, les grandes et puissantes associations charitables privées ne suffisent pas à en compenser l'insuffisance. Le recours à la notion de charité individuelle et privée plutôt qu'à celle de droits sociaux garantis par l'État est d'ailleurs dans la logique du capitalisme pur et dur que voulut restaurer Reagan. Selon cette logique, les inégalités non seulement sont légitimes mais constituent un stimulant pour la compétition acharnée dont profitera, *in fine*, la collectivité. Au début des années quatre-vingt, après l'installation de l'équipe Reagan à la Maison-Blanche, d'innombrables débats eurent lieu sur ce thème en Amérique. Substance du discours reaganien (en simplifiant) : la pauvreté n'est pas un problème politique et ne concerne pas l'État. C'est affaire de morale et de charité.

Même idéologie, même terminologie chez Mme Thatcher : le modèle qu'il faut ici qualifier de « reagano-thatchérien » n'est pas la facette conjoncturelle d'un simple changement de politique économique. Il traduit l'émergence d'une nouvelle morale, celle qui est faite par et pour les gagneurs-riches-charitables. Pour mesurer le changement que cela traduit, il suffit de rappeler que, jusque vers 1975, l'une des propositions de progrès social les plus discutées aux États-Unis était l'« impôt négatif sur le revenu », c'est-à-dire le revenu minimum garanti. Aujourd'hui, au moment même où la France vient de l'instituer (RMI), cette idée paraît là-bas si étrange que, pour un peu, l'expression même de progrès social apparaîtrait contradictoire dans ses deux termes.

Cette légitimation philosophique de l'inégalité par les théoriciens du *supply side*, comme George Gilder, renoue, en fait, avec un discours libéral très ancien. Au milieu du XIXe siècle, déjà, Dunover expliquait que « l'enfer de la misère » était nécessaire à l'harmonie générale car il obligeait les hommes à « bien se conduire » et à travailler dur. Gilder n'exprime pas autre chose lorsqu'il écrit : « Imposer davantage les riches, c'est affaiblir l'investissement ; parallèlement, donner davantage aux pauvres, c'est réduire les incitations au travail. De telles mesures ne peuvent que diminuer la productivité » (*Richesse et Pauvreté*, trad. fr., Albin Michel, 1981).

L'argumentation servit à justifier les coupes sombres qui furent pratiquées dans les programmes sociaux. Des coupes qui expliquent la réapparition aujourd'hui de vastes « poches » de pauvreté (voir chapitre 2). Elle justifia également les déréglementations de toutes sortes aboutissant à diminuer la protection des salariés pour redynamiser les entreprises. Et, assurait-on, améliorer l'emploi. Riccardo Petrella, directeur de programme à la CEE, résume ainsi – pour la critiquer – cette argumentation : « La remise en cause des avantages sociaux des salariés est légitime, car elle favorise une amélioration globale de l'emploi grâce à une meilleure compétitivité des entreprises du pays » (*Le Monde diplomatique*, janvier 1991).

En RFA, l'attitude collective à l'égard de la pauvreté est radicalement contraire. En caricaturant un peu, on pourrait dire que la misère est quasi *interdite* par la loi fédérale sur l'aide sociale. Aux termes de cette loi, en effet, la collectivité doit assurer à ceux qui n'en ont pas les moyens le logement, la nourriture, les soins et les besoins de consommation essentiels. Les dépenses d'aide sociale à ce titre s'élèvent à 28 milliards de DM. Il existe en outre un quasi-revenu minimum fixé à 1 200 DM par mois. Le correspondant du journal *Le Monde* à Bonn, Luc Rozenzweig, notait à propos de la misère en Allemagne : « Aujourd'hui, 3,3 millions de personnes, soit 5 % de la population, reçoivent des subsides des bureaux d'aide sociale. Et pourtant, cette pauvreté statistiquement établie est bien peu visible dans un pays où ce qui frappe d'emblée, c'est plutôt l'aisance dans laquelle vit la grande majorité de la population. Le mendiant est une espèce en voie de disparition dans les rues des grandes villes allemandes, si l'on excepte les quelques "punks" de Berlin ou de Hambourg qui "font la manche" plutôt pour le sport que par nécessité vitale » (*Le Monde,* 7 août 1990).

A noter d'ailleurs un paradoxe peu connu et que signale ce même journal : avec l'augmentation du nombre des divorces et des naissances en dehors du mariage, la pauvreté, aujourd'hui en Allemagne, est avant tout *devenue féminine.* Ainsi, 65 % des mères élevant seules un enfant (leur nombre ne cesse d'augmenter) ont un revenu proche du seuil de pauvreté.

En Suède, la politique salariale est dite « de solidarité ». Elle a pour double objectif d'assurer une certaine égalité sociale et de limiter les écarts de salaires entre les différents secteurs d'activité.

Ce caractère moins inégalitaire du modèle rhénan se trouve encore renforcé, nous l'avons dit, par un système fiscal qui assure une meilleure redistribution. Citons un seul paramètre mais qui a valeur d'indice : la tranche maximale d'imposition est beaucoup plus élevée en France (57 %), en Suède (où elle atteint encore 72 %), en Allemagne, au Japon (où elle dépasse 55 %) qu'en Grande-Bretagne (40 %) ou aux États-Unis (33 %). Sans compter l'impôt sur le capital qui existe dans les pays rhénans, y compris en Suisse.

Ici, je m'arrête un instant, saisi de découvrir que je viens de laisser passer une singulière incongruité. N'ai-je pas laissé entendre qu'une tranche maximale à 55 % peut être préférable à une tranche maximale de 33 %? Quel archaïsme obsessionnellement rhénanophile !

L'inégalité dans les pays rhénans n'est pas seulement moindre, elle est aussi mieux acceptée car elle se fonde sur des critères bien intégrés par les salariés : l'ancienneté et la qualification. Dans une banque japonaise, un jeune diplômé des meilleures universités, bien qu'il soit le seul à parler anglais dans son service, doit attendre une quinzaine d'années pour en devenir le chef et encore quinze ans pour accéder au poste de directeur. Dans les entreprises allemandes ou suisses, la hiérarchie des qualifications détermine assez rigoureusement la hiérarchie des postes et des rémunérations. L'inégalité relative des revenus s'en trouve légitimée et bénéficie donc, elle aussi, d'un fort consensus.

L'appel du rêve et le poids de l'Histoire

Le modèle rhénan, d'une certaine manière, est plus rigide que le modèle néo-américain. La mobilité sociale y est moins rapide, la réussite individuelle moins éclatante. Mais est-ce un inconvénient ou un avantage ?

L'Amérique fut toujours – et demeure – la société du rêve. C'est surtout de rêves (et de peines) qu'étaient chargés les immigrants venus du monde entier et qui débarquaient d'abord sur Ellis Island, cette antichambre de l'eldorado américain. Rêves d'une nouvelle vie, rêves de liberté et de fortune, volonté fiévreuse de réussir qui sont partie intégrante de l'*American dream*. Chaque Américain d'aujourd'hui compte, parmi ses ancêtres, un immigrant venu d'Irlande, de Pologne ou d'Italie qui a connu les difficultés, la misère et le labeur. Et qui « s'en est sorti », comme on dit.

L'Amérique n'est pas seulement la société du rêve, elle est celle du self-made man à qui nulle réussite n'est théoriquement inaccessible. Comme tout soldat de Napoléon portait son bâton de maréchal dans sa gibecière, tout Américain peut espérer trouver au bout de la route son premier « million de dollars ». Ou même entrer un jour à la Maison-Blanche... En d'autres termes, la mobilité sociale non seulement est beaucoup plus forte aux États-Unis qu'ailleurs, mais elle participe du mythe fondateur lui-même.

La société américaine, constituée par immigrations successives, est fondamentalement démocratique. Les valeurs aristocratiques européennes ou japonaises n'ont pas (ou peu) cours. Il n'existe d'ailleurs pas de véritable stratification sociale acquise au cours des siècles et plus ou moins figée d'une génération à l'autre. Sans doute les WASP *(White Anglo-Saxon Protestants)* figurent-ils une sorte d'aristocratie « ethnique » et ont-ils bénéficié de certains avantages. Mais ceux-ci ont été progressivement grignotés, et les autres catégories d'immigrants (Irlandais, juifs, Italiens, Polonais, Hongrois ou Hispaniques...) les ont peu à peu rattrapés ou sont en passe de le faire.

Certes, ce principe de *melting pot* qui fonde l'Amérique a ses limites et ne fonctionne d'ailleurs plus comme par le passé (voir chapitre 2) ; il n'en reste pas moins que la capacité d'absorption et d'intégration de la société américaine reste infiniment supérieure à celle des pays rhénans (Japon compris).

La mobilité sociale, d'ailleurs, se trouve favorisée par cette possibilité d'enrichissement rapide propre à l'Amérique. De ce point de vue, l'argent roi est un avantage. Principal étalon de valeur, il constitue un critère social brutal mais simple et efficace. Le petit marchand de hamburgers peut devenir un autre

Rockefeller... Et les fortunes fabuleuses réalisées grâce à la spéculation des années quatre-vingt correspondaient, dans bien des cas, à une mobilité sociale record !

En Allemagne comme au Japon – où la croissance démographique est également défaillante –, les politiques d'immigration se sont plutôt soldées par des échecs. En Allemagne fédérale, les étrangers représentent 7,6 % de la population (soit 4,6 millions de personnes), mais ne sont pas assimilés. Le vocabulaire lui-même est d'ailleurs révélateur : les travailleurs immigrés sont appelés *Gastarbeiter,* ce qui veut dire « travailleurs invités ». Quant aux problèmes aigus que pose la forte minorité turque (1,5 million de personnes), ils n'ont jamais été résolus. Au demeurant, les mariages mixtes, qui sont un indice d'intégration, sont très rares en Allemagne. L'historien et démographe Emmanuel Todd souligne cette résistance particulière de la société allemande à toute idée d'intégration : « L'ensemble de la mécanique juridique et sociale aboutit à la constitution, sur le sol allemand, d'un *ordre étranger,* analogue moderne des ordres d'Ancien Régime. [...] Si le code de la nationalité et les mœurs ne changent pas en Allemagne, le pays va retrouver sa structure d'ordre traditionnelle. L'homogénéisation de la société allemande, le mélange des classes, péniblement réalisé pendant la Seconde Guerre mondiale, n'aurait alors duré que quelques décennies » (*L'Invention de l'Europe,* Éd. du Seuil, 1990).

Ajoutons que des réactions xénophobes se renforcent dans l'extrême droite allemande et que l'afflux des réfugiés en provenance d'Europe de l'Est (de Pologne notamment) a aggravé ces tensions.

Au Japon, la condition des immigrés venus des pays d'Asie voisins (Corée du Sud, Philippines, Chine) est inférieure. En Suisse, l'immigration a toujours été très contrôlée, bien que les immigrés soient 1,5 million pour une population de 6,5 millions. La Suisse limite sévèrement leur installation, n'hésite pas à les renvoyer chez eux et emploie d'ailleurs un grand nombre de frontaliers. Même la Suède, où, pourtant, les immigrés sont peu nombreux, n'est pas parvenue à résoudre les problèmes qu'ils posent.

Quant à la Grande-Bretagne, elle connaît une situation intermédiaire. Très ouverte à l'origine, elle pratique un individualisme qui permet d'assez nombreux mariages mixtes et la stabilisation, sur son territoire, d'une importante population de nationalité britannique mais d'origine africaine, antillaise, pakistanaise ou indienne. A la différence de l'Allemagne, elle accorde volontiers la naturalisation. Cependant, remarque encore Emmanuel Todd : « Il semble qu'on assiste en Grande-Bretagne plus qu'en France à la constitution de ghettos ethniques, à un repliement sur elles-mêmes des communautés d'origines antillaise, musulmane ou indienne [...] La pratique britannique semble retrouver une séparation du type allemand. »

Au total, l'enrichissement individuel spectaculaire n'est pas aussi facile dans les pays rhénans que dans le monde anglo-saxon. D'ailleurs, la Bourse offre moins de possibilités et la spéculation immobilière est restée limitée, sauf au Japon. Les pays du modèle rhénan sont moins fluides socialement. Les situations acquises le sont durablement et les évolutions sont lentes. La société est moins exposée aux changements brutaux et aux influences extérieures. Est-ce une faiblesse ou une force ? Que vaut-il mieux, la stabilité des sociétés mi-closes ou l'instabilité des sociétés ouvertes ? Selon la réponse que l'on fait à cette question, on se situe dans l'un ou l'autre des deux camps du combat capitalisme contre capitalisme.

La bataille des prélèvements obligatoires

Nous avons vu que les dépenses de santé représentent 11 % du PIB aux États-Unis, 7 % en Grande-Bretagne. Mais ces deux chiffres ne sont pas comparables. En effet, les dépenses de santé sont essentiellement *privées* aux États-Unis, mais publiques en Grande-Bretagne, où Margaret Thatcher n'a pas réussi à les privatiser.

Du point de vue de l'économie globale, dans le cas des États-Unis, peu importe le coût du système : dès lors qu'il est financé par les consommateurs, il n'y a aucun inconvénient à ce que

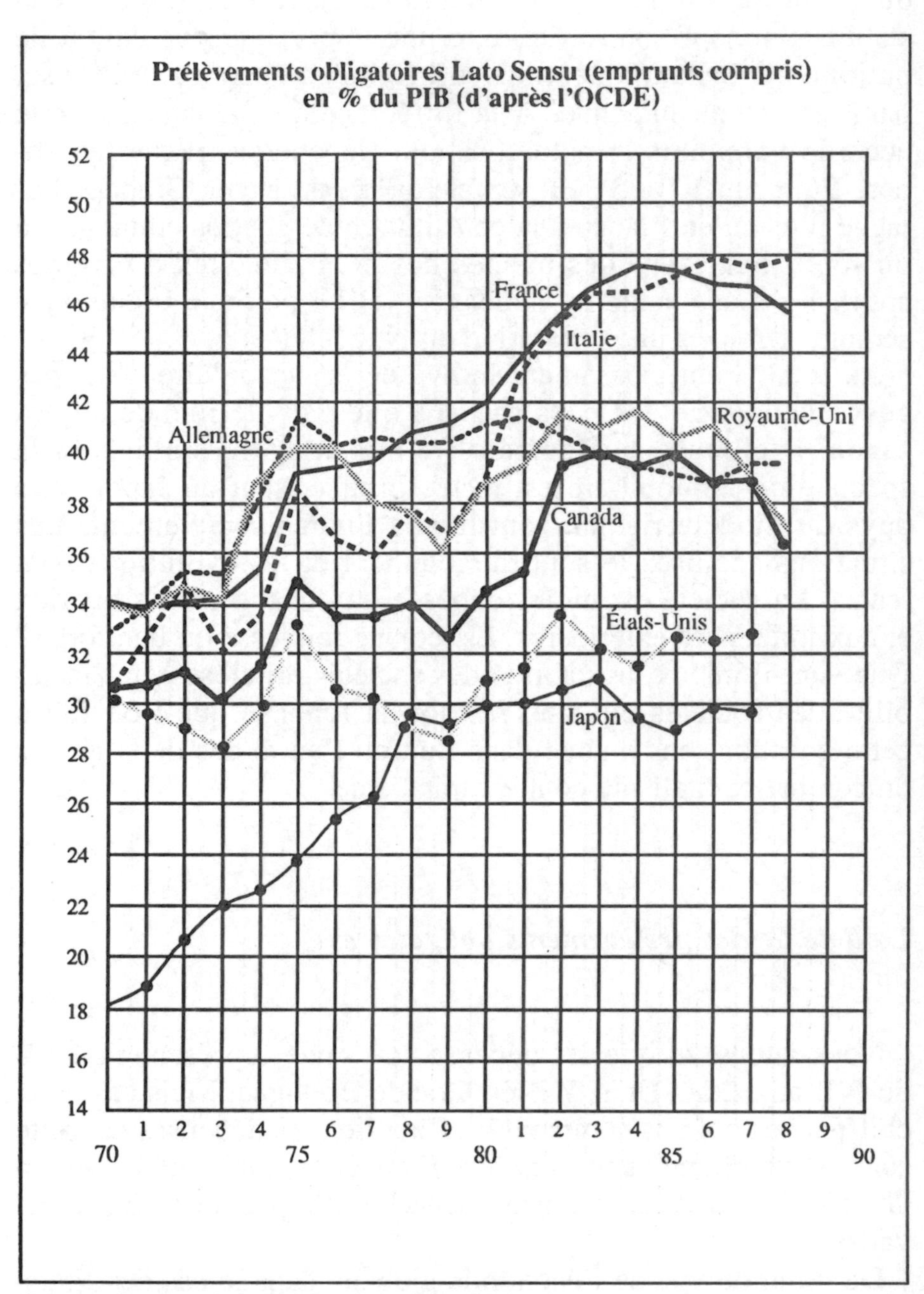

SOURCE: *Chroniques de la SEDEIS*, n° 6, 15 juin 1990.

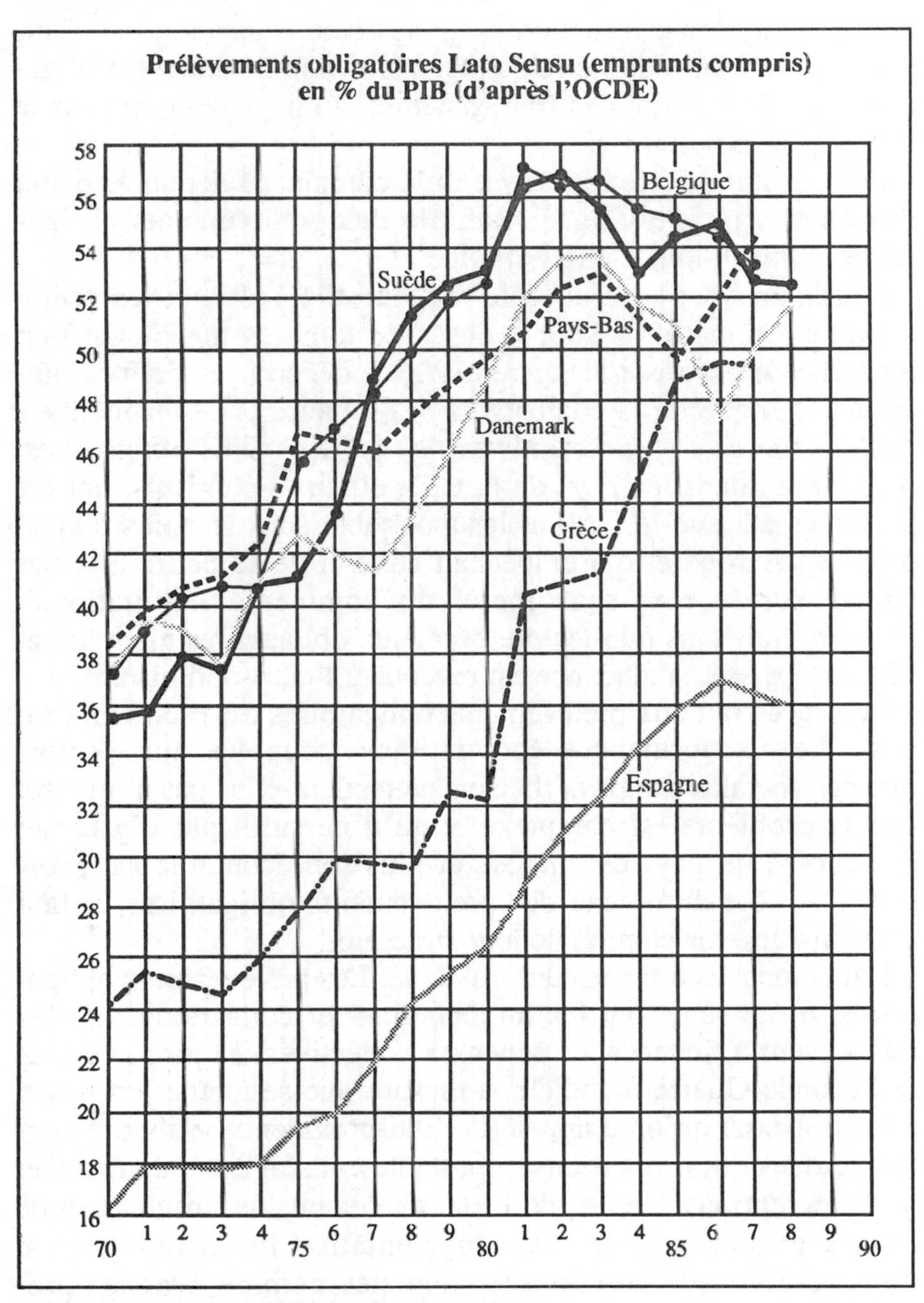

SOURCE : *Chroniques de la SEDEIS*, n° 6, 15 juin 1990.

ceux-ci achètent davantage de santé plutôt que de voyages, de vêtements ou de meubles. Au contraire, étant essentiellement public, le système britannique (le système français aussi, dans une large mesure) doit être financé par des prélèvements obligatoires qui font partie des frais généraux du pays et pèsent sur la compétitivité nationale.

C'est à partir de cette analyse qu'a commencé depuis le début des années quatre-vingt la bataille des prélèvements obligatoires. Elle est loin d'être terminée.

L'attaque est partie du côté reagano-thatchérien : les prélèvements obligatoires sont accusés de tous les maux. On leur reproche de pénaliser les entreprises, de décourager l'effort individuel, d'engourdir la combativité des sociétés et des économies. A l'époque de l'europessimisme, les prélèvements obligatoires, plus élevés dans les pays de la CEE qu'aux États-Unis, ont été présentés comme le fardeau insupportable sous le poids duquel ployait l'Europe et qui empêchait celle-ci de se battre à armes égales sur le ring sans merci du commerce international. Aujourd'hui, sans que les prélèvements obligatoires aient sensiblement baissé, la tendance est revenue à l'euro-optimisme.

Le procès fait aux prélèvements obligatoires est-il un bon procès ? Les performances économiques couplées aux performances sociales des pays rhénans ne tendent-elles pas à montrer que le problème est complexe et qu'il ne suffit pas d'affirmer que moins un pays est imposé et plus son économie est prospère ? A côté du niveau des prélèvements obligatoires, il faut notamment tenir compte de leur structure.

Rappelons les données du problème. Les prélèvements obligatoires, on le sait, sont les impôts, taxes et cotisations sociales qui servent à financer les dépenses collectives. Depuis la fin de la Seconde Guerre mondiale, à mesure que se mettait en place, en Europe, ce qu'on a appelé l'« État-providence », ils ont augmenté dans des proportions importantes. Il s'agissait de financer les interventions accrues de l'État et l'extension progressive de la couverture sociale. Cette augmentation fut si rapide et si considérable que certains économistes comme Wagner prévoyaient qu'à ce rythme la croissance des dépenses publiques, et par là même celle des recettes publiques, serait un jour supérieure à celle de la richesse nationale. Cela voulait dire en clair que le poids des administrations publiques sur l'économie était condamné à croître indéfiniment jusqu'à atteindre 100 %. Une collectivisation « rampante »...

En réaction contre cette évolution qui leur semblait conduire vers ce que Friedrich von Hayek appelait *La Route de la servitude*, les économistes libéraux n'ont jamais cessé de critiquer le poids excessif des prélèvements obligatoires qui aboutirait à des résultats inverses de ceux escomptés. On connaît, par exemple, la fameuse courbe de l'économiste américain Laffer qui montre que le rendement de l'impôt décroît au-delà d'un certain taux d'imposition. Lorsqu'on dit que « trop d'impôt tue l'impôt », on veut dire que, s'ils sont excessivement imposés, sous quelque forme que ce soit, les contribuables n'ont plus vraiment de raisons de travailler davantage puisque les revenus supplémentaires leur seront confisqués.

A partir de cette critique, tout un courant de pensée s'est développé et a exercé une influence politique croissante dans les années quatre-vingt. De nombreuses réformes fiscales furent mises en œuvre, qui s'en inspiraient. La Grande-Bretagne et les États-Unis ont drastiquement réduit les taux d'imposition sur les revenus et sur les sociétés. La France s'est engagée à contenir puis à réduire ses prélèvements obligatoires. En Suède, en Allemagne, aux Pays-Bas, les gouvernements libéraux se sont lancés dans des réformes comparables.

Si cette argumentation hostile aux prélèvements a porté, c'est qu'elle comportait une large part de vérité, surtout dans les pays d'Europe marqués par la social-démocratie. Il est vrai que le niveau des prélèvements en Suède et en Grande-Bretagne était devenu tel qu'il pesait dangereusement sur l'économie et la société en général. On se souvient que certains Anglais ou Suédois parmi les plus dynamiques ou créatifs, comme le metteur en scène Ingmar Bergman, préférèrent s'expatrier. Les prélèvements n'étaient pas seulement excessifs, ils aboutissaient à une véritable inquisition fiscale, quasi policière, faisant peser sur le pays un climat lourd et soupçonneux. En outre, l'appareil fiscal proprement dit tendait à devenir une machinerie complexe et bureaucratisée, c'est-à-dire coûteuse et inefficace. Le « rendement de l'impôt » s'en ressentait, et l'argent du contribuable se trouvait partiellement gaspillé.

D'autre part, il est évident que des charges trop élevées nuisent à la compétitivité des entreprises, au moment précis où la concurrence internationale devient plus sévère. De même que certains contribuables s'expatrient, certaines entreprises (dans le textile ou l'électronique notamment) n'ont d'autre recours que de délocaliser une partie de leurs activités pour trouver, hors des frontières nationales, des conditions fiscales et sociales plus acceptables.

Les critiques furent donc en partie justifiées, mais elles sont allées trop loin. La vulgate des années quatre-vingt a quasiment *diabolisé les prélèvements obligatoires* en les rendant responsables de toutes les difficultés économiques. Elle s'est en outre focalisée, de manière obsessionnelle, sur leur *niveau,* ce qui procédait d'une analyse à courte vue. Il est faux, en effet, d'établir un lien mécanique et certain entre le niveau des prélèvements obligatoires et les performances d'une économie. Pour s'en convaincre, il suffit de réfléchir à certains chiffres. Aux États-Unis, le taux de prélèvement obligatoire représente 30 % du PIB contre 44 % en France, 40 % en Allemagne et 52 % en Suède.

Le Japon est un cas à part, plus proche des États-Unis avec 29 %, mais, s'il est cité en exemple par les libéraux, c'est souvent à tort. Pour trois raisons au moins : 1) avec une structure démographique comparable, c'est-à-dire la même proportion de personnes âgées, ce taux atteindrait 32 %; 2) la plus grande partie des retraites n'est pas comptée dans ce chiffre, car elles ne sont pas versées par des organismes publics, mais proviennent de fonds privés n'entrant pas dans la comptabilité des prélèvements obligatoires; 3) enfin, même au Japon, le niveau des prélèvements est en augmentation constante depuis vingt ans.

La France devenue cigale

On voit bien, avec les chiffres ci-dessus, que les performances économiques de l'Allemagne se sont accommodées de taux élevés de prélèvements. A l'inverse, les allégements fiscaux et la compression des dépenses sociales aux États-Unis n'ont pas freiné le déclin économique ni même amélioré la compétitivité américaine face au Japon. En Amérique, désormais, nul ne peut plus accuser les syndicats, l'administration ou les « faux chômeurs » d'être responsables du marasme. Les travailleurs américains, qui étaient autrefois à l'avant-garde du progrès social, sont aujourd'hui moins bien traités que la plupart de leurs homologues européens. Si les États-Unis se « tiers-mondisent », c'est à l'hyper-libéralisme lui-même qu'il faut réclamer des comptes. L'Amérique est un pays sans complexes à l'égard de l'argent et plutôt fier de cela. Mais c'est *pour cette raison* notamment qu'elle commence à faire des complexes avec… sa compétitivité. De même l'Amérique, société brutale, ne fait guère de complexes au sujet des hommes, et *c'est précisément cela qui commence à lui coûter cher.*

Comment expliquer cette apparente contradiction ? Par un fait qui semble acquis aujourd'hui : ce n'est pas tant le niveau global des prélèvements obligatoires qui compte que leur structure. Il ne s'agit pas seulement de savoir combien on paie, mais aussi qui paie et comment. Or, de ce point de vue, il est frappant de constater la profonde similitude qui rapproche les pays européens du modèle rhénan et les oppose au modèle anglo-saxon.

Dans les pays rhénans, par exemple, la sécurité sociale compte pour plus de 35 % des prélèvements alors qu'elle ne représente que 28 % aux États-Unis. En outre, les charges sociales pesant sur les salaires (par opposition à celles pesant sur les entreprises) sont beaucoup plus lourdes dans les pays rhénans (environ 40 %) que dans les pays anglo-saxons (25 %). La part du salaire directement perçue par les salariés est donc plus faible dans les pays rhénans. En clair, cela signifie qu'il existe un socle de solidarité au profit des moins favorisés qui est financé collectivement, par prélèvement sur l'ensemble des salaires. Cela n'est-il pas juste ?

La présence d'un système social avancé qui implique des charges coûteuses n'est donc pas fatalement un handicap économique. Et, sans céder au paradoxe, on pourrait même dire que c'est parfois le contraire. L'économie peut en tirer un profit très concret. Les recettes publiques, c'est le cas en Allemagne, peuvent servir à financer des programmes destinés à améliorer l'efficacité économique : programmes de formation, bien sûr, mais aussi investissements en recherche, amélioration des grandes infrastructures, etc. Il existe aussi quantité de dépenses publiques « invisibles » (routes, postes, téléphone, chemin de fer, ports...) qui profitent directement ou indirectement aux entreprises et qui sont trop rarement prises en considération. Sauf *a contrario,* lorsque, comme aux États-Unis, le délabrement des services publics devient une nuisance.

A cause de cela, on peut être assuré que le capitalisme anglo-saxon sera le prochain champ de la bataille des prélèvements obligatoires : la Grande-Bretagne et les États-Unis surtout n'échapperont pas à de nouvelles augmentations d'impôt.

Il y a un autre pays où la bataille va aussi faire rage, mais à front renversé, c'est la France. Parmi les pays comparables, la France est de beaucoup celle qui subit les plus lourds prélèvements obligatoires (44,6 % contre 40 % en Allemagne et en Grande-Bretagne). De plus, si l'État français maîtrise bien son budget, les dépenses sociales dérapent de plus en plus vite pour la santé et surtout pour les retraites obligatoires. L'État français peut se réjouir d'avoir entièrement remboursé sa dette extérieure et rigoureusement limité sa dette intérieure. Mais, faute d'avoir constitué des réserves pour le financement des retraites, les entreprises françaises ont accumulé une dette (hors bilan) de l'ordre de 10 000 milliards de francs, soit près de deux années de PIB, soit encore près de 200 000 F par personne, qui représentent les engagements vis-à-vis des futurs retraités, dont les pensions devront être financées par des cotisations obligatoires qui pèseront d'un poids croissant sur la compétitivité des entreprises françaises.

Mais, ici aussi, la France constitue un cas *sui generis* inassimilable à aucun des deux types de capitalisme. Chacun d'entre eux, à sa manière, y compris le modèle néo-américain qui pourtant néglige le long terme, a fait des réserves pour financer les retraites de ses travailleurs. Vieux pays de l'épargne et de la prévoyance, voici que la France, elle, commence à découvrir qu'elle se comporte comme la plus imprévoyante des cigales.

Sur un plan plus général, il faut souligner l'importance déterminante, à moyen et long termes, de ce qu'on pourrait appeler la cohésion d'une société, son homogénéité, son harmonie. C'est là un facteur immatériel et donc impossible à quantifier. Mais c'est lorsqu'il fait défaut lui aussi qu'on mesure son importance. La dureté d'une société, le déchirement de son « tissu », les tensions qui l'habitent, tout cela a un « coût » en termes économiques. Voilà un *effet pervers des inégalités* qu'oublient de prendre en compte les ultra-libéraux partisans de l'« économie de l'offre ». Dans les sociétés plus homogènes, la population est plus instruite, mieux formée et donc mieux à même de s'adapter aux changements du monde et aux exigences du progrès. Ainsi, les sociétés les plus harmonieuses sur le plan social sont le plus souvent celles dont les économies sont les plus performantes.

Ces quelques idées que les conservateurs américains ont tant de mal à intégrer dans leurs réflexions ne devraient d'ailleurs pas nous surprendre. Elles ne font jamais que rejoindre l'ancienne et fameuse remarque de Schumpeter qui disait en substance : c'est *parce qu'elles ont des freins* que les automobiles peuvent rouler plus vite. Le capitalisme est dans le même cas. C'est grâce aux limitations que les pouvoirs publics et la société civile lui imposent, grâce aux correctifs qu'ils apportent aux lois mécaniques du marché, que celui-ci devient *plus performant.*

A ce point, nous débouchons sur deux paradoxes.

Le premier est la bonne nouvelle que nous découvrons peu à peu à mesure que nous avançons dans notre enquête : il n'est pas vrai que l'efficacité économique doive nécessairement être nourrie de l'injustice sociale. Il est faux de croire que de nouvelles contradictions opposeraient désormais le développement économique à la justice sociale. Entre justice et efficacité, la conciliation, les synergies existent plus que jamais. Nous les avons rencontrées dans tous les pays du modèle rhénan.

N'empêche que – second paradoxe – cette réalité est tellement méconnue qu'un étrange phénomène se produit depuis quelques années à travers le monde : c'est au moment même où le modèle néo-américain se révèle moins efficace que le modèle rhénan que, néanmoins, politiquement et idéologiquement, il parvient à le faire reculer !

8
Le recul du modèle rhénan

La supériorité économique et sociale du modèle rhénan étant avérée, on devrait s'attendre à le voir triompher politiquement. Forts de leurs succès, les pays rhénans devraient logiquement se montrer imperméables aux influences – au « virus » ! – venues du dehors. Moins que jamais, en tout cas, ils ne devraient être sensibles aux sirènes d'outre-Atlantique ni vraiment troublés par les tapages tape-à-l'œil de l'économie-casino.

Par un extraordinaire paradoxe, c'est *l'inverse qui se produit.* Le modèle rhénan subit de plein fouet les influences politiques, médiatiques, culturelles de son concurrent américain. Et, dans les faits, il ne cesse de reculer politiquement. Non point seulement dans des pays qui sont en quelque sorte hésitants ou partagés entre les deux modèles, mais aussi *sur ses propres terres.*

La séduction par l'Amérique demeure si forte que même les pays incarnant le modèle rhénan et jouissant de ses réussites cèdent à ses charmes et sont victimes de ses illusions. Cela signifie que, dans ces pays, des évolutions – des « dérives » ? – économiques, financières ou sociales sont perceptibles, qui tendent à remettre en cause les fondements mêmes du modèle. Je me contenterai de citer ici quelques exemples.

Le piège de l'inégalité

Comparé à son rival d'outre-Atlantique, le modèle rhénan, nous l'avons maintes fois souligné, est *relativement égalitaire.* C'est ce qui fait en grande partie sa cohésion et qui contribue à perpétuer le consensus social dont il tire de grands bénéfices. Or cette égalité relative, qui demeure, se trouve de plus en plus battue en brèche. Une nouvelle richesse, tapageuse, rapidement acquise et atypique, apparaît. C'est particulièrement net au Japon, où ce phénomène marque une rupture significative avec le passé.

Après la guerre, en effet, la croissance spectaculaire de l'économie japonaise avait largement profité au plus grand nombre. Il est vrai que la plupart des anciennes fortunes avaient été détruites par le conflit. Dans le grand mouvement d'apprentissage de la démocratie et d'imitation de l'Amérique, l'enseignement avait été démocratisé. Une classe moyenne japonaise s'était progressivement créée. Si bien que le redressement économique du Japon s'était fait sur des bases relativement égalitaires. Bien sûr, certains avaient profité de la reconstruction plus que d'autres, et de nouvelles fortunes étaient apparues. Mais ces richesses demeuraient à la fois discrètes et bien acceptées. Elles étaient en quelque sorte *légitimées* par les duretés de la reconstruction et les mérites personnels – réels ou supposés – qui les fondaient. Jusqu'au milieu des années quatre-vingt, elles n'entamaient guère le pudique et frugal consensus japonais.

Ce n'est plus le cas aujourd'hui. Une classe de nouveaux riches s'est fait jour, qui sacrifie ostensiblement à la consommation et au luxe. Il s'agit notamment des propriétaires de terrains, enrichis par l'extraordinaire « boom » immobilier urbain, des promoteurs et spéculateurs comblés par la Bourse. Les experts estiment que ces deux marchés – l'immobilier et la Bourse – ont engendré 400 000 milliards de yens (20 000 milliards de francs) de plus-values. Et ce pactole, bien entendu, n'a profité qu'à quelques-uns.

A Tokyo, Osaka et dans les grandes villes, les propriétaires de petits bouts de terrain bien placés sont devenus virtuellement richissimes, au point que la société japonaise s'est trouvée littéralement coupée en deux : les propriétaires et les autres. Ces derniers, qui représentent tout de même 70 % de la population, doivent, pour la plupart, se résigner à ne jamais accéder à la propriété, ou bien continuent d'épargner dans ce but mais avec un espoir qui s'amenuise. Et ce n'est pas n'importe quel espoir.

Après la guerre, l'accession à la propriété représentait l'un des grands rêves individuels copiés sur l'*American way of life*, copié jusque dans les mots : *mai homu* pour *my home* ! Ce rêve qui s'évanouit, c'est un phénomène chargé de symboles. Et de frustrations.

Les nouvelles fortunes édifiées au Japon ne sont d'ailleurs pas aussi facilement admises qu'autrefois. Ne serait-ce que parce qu'elles ont été quasiment instantanées. Autrement dit, elles n'ont pas bénéficié de la légitimation du temps. Au Japon, un propriétaire peut maintenant accumuler des milliards de yens en un temps record. Et sans même être obligé de vendre son terrain pour réaliser une plus-value : l'enchérissement prodigieux de ce dernier lui permet d'emprunter de l'argent à bon compte et de tirer profit de la spéculation financière, ce qui est interdit à un non-propriétaire. On considère que les plus gros contribuables japonais sont ainsi des propriétaires dont les actifs ont été multipliés par dix ou par cent en quelques années.

Voilà qui contraste spectaculairement avec les traditions de ce pays où le capitalisme a toujours été identifié avec le travail, le mérite et l'effort. Les nouveaux riches des années quatre-vingt ne sont guère acceptés.

Ils le sont d'autant moins que cet enrichissement subit, extravagant, d'une minorité, coïncide avec la généralisation d'habitudes de consommation nouvelles. Le luxe, le faste, l'ostentation et le snobisme consumériste ont fait leur apparition au Japon. Les parfumeurs, maisons de haute couture, exportateurs de vins fins, joailliers qui ont une chaîne de magasins au Japon, en savent quelque chose. Les petits-fils des samouraïs et des kamikazes sont devenus des Narcisses du cosmétique qui commencent leur journée en s'appliquant un gel hydratant sur le visage. La vente de diamants a ainsi augmenté de 58 % entre 1987 et 1988. La progression des ventes de voitures de luxe (Mercedes, Porsche, Rolls, Jaguar ou Ferrari) atteint 100 % par an. Et les nouveaux riches sont parfois appelés les *Benz-soku*, littéralement, les « gens à la Mercedes ».

La société japonaise est ainsi engagée dans une *course à la consommation* qui bouleverse insidieusement ses habitudes, bouscule ses traditions, remet en question ses valeurs. Et cela de façon caricaturale, comme s'il s'agissait de rattraper le temps perdu. Il existe à la télévision japonaise une émission de « télé-achat » qui passe vers minuit, mais bénéficie malgré cela d'une forte audience. On peut y acheter aussi bien un château en Touraine vendu 10 millions de francs qu'une vieille Rolls ayant appartenu à la duchesse de Kent ou une modeste Fiat qui fut celle du pape dans les années soixante. Les nouveaux riches japonais sont désormais l'équivalent de ce qu'étaient les bourgeois anglais enrichis de la fin du XIXe siècle ou de ces Américains flambeurs des années cinquante-soixante qui jouaient des millions de dollars dans les casinos de la Côte d'Azur. La force du yen, la fascination de l'argent et le désir de paraître changent les mentalités.

Ces inégalités, plus criantes qu'elles ne l'ont jamais été, ne sont plus aussi bien admises, et une proportion importante des Japonais se sent mise à l'écart. A la question : « Avez-vous une vie aisée ? », 62 % des Japonais interrogés par le quotidien *Asahi Shimbun* répondent non. 60 % d'entre eux estiment que les inégalités vont encore s'accroître dangereusement. Or c'est un fait que cette majorité silencieuse est de moins en moins disposée à accepter le mode de vie traditionnel fait de travail, d'épargne et de dévouement civique.

Pour l'économie japonaise, ces phénomènes d'américanisation, qui touchent notamment la jeunesse, peuvent avoir des conséquences sensibles. Le snobisme et la priorité spontanément accordée aux produits de luxe étrangers remettent en cause le fameux nationalisme économique nippon qui était le meilleur garant de l'excédent commercial. Ils menacent également les habitudes d'épargne des ménages, qui, on l'a dit, sont l'une des forces de l'économie. Ce déclin est d'ailleurs amorcé : le taux d'épargne rapporté au revenu disponible brut est tombé à 16 % en 1989 contre 24 % en 1970. Une partie notable des Japonais se décourage d'épargner, notamment pour le logement.

Quant au dévouement total à l'entreprise, à ce culte du travail dont le monde extérieur s'étonne encore, il se trouve affecté par la découverte – progressive – de l'hédonisme et de la consommation de masse par les Japonais. A Tokyo, déjà, il arrive que l'on ironise sur l'ardeur au travail des... Coréens. Les pays industrialisés que menacent les exportations japonaises regardent avec quelque espoir ces transformations de la société nippone et y voient les symptômes d'un inéluctable affaiblissement de leur principal concurrent.

Menaces sur le consensus

Le fameux consensus social se trouve lui aussi remis en cause dans plusieurs pays du modèle rhénan. Le consensus et les priorités qui le fondent : primat du collectif sur les intérêts individuels, puissance syndicale et associative, mode de gestion des entreprises.

Le recul du sentiment collectif devant la montée de l'individualisme est particulièrement net en Suède. L'État-providence y est dorénavant contesté, et l'on a beaucoup écrit ces dernières années sur la « fin du modèle suédois ». De nombreux économistes, dont ceux du gouvernement, estiment que la protection sociale quasi totale coûte décidément trop cher à l'économie. La lourdeur des prélèvements obligatoires pousse toujours les plus dynamiques à l'émigration et incite les entreprises suédoises à investir à l'étranger. Le flux d'investissements de la Suède à l'extérieur a d'ailleurs énormément augmenté puisqu'il est passé de 6,9 milliards de francs en 1982 à 51, 6 milliards en 1989. En outre, le système fiscal ne pousse guère à l'épargne, et le taux d'épargne des ménages est devenu négatif.

Notons au passage qu'il y a là un précédent à méditer pour la France : un pays dont le taux des prélèvements obligatoires, et notamment des cotisations sociales assises sur les salaires, est beaucoup plus élevé que celui des pays voisins doit s'attendre à des pertes de substance de ce type.

Le recul de l'esprit civique fait que les salariés ont tendance à abuser de plus en plus de la générosité du système social. Comme le disent les Suédois eux-mêmes, le pays détient deux records : celui de la bonne santé et celui des congés maladie. Ceux-ci atteignent 26 jours par salarié et par an. Mais faut-il s'en étonner quand on sait que les jours d'absence sont intégralement payés et qu'il n'y a pratiquement aucun contrôle? L'absentéisme bat, lui aussi, des records dans les entreprises, atteignant souvent le taux à peine croyable de 20 %.

Les Suédois, en somme, commencent à vouloir tirer parti du système sans se préoccuper des conséquences de leur comportement sur la survie dudit système. Boutade d'un économiste suédois : « L'assurance obligatoire fonctionne très bien tant que les gens n'ont pas appris à s'en servir. »

Les réactions à ce dérapage ne se sont pas fait attendre. Le gouvernement social-démocrate de M. Carlsson a annoncé le 26 octobre 1989 une réduction du train de vie de l'État d'environ 13,5 milliards de francs (15 milliards de couronnes suédoises) ; il a également entrepris de libéraliser l'économie : baisse des impôts, déréglementation du secteur bancaire et des mouvements internationaux de capitaux, baisse des subventions à l'agriculture, etc.

Il est vrai que le fameux « modèle suédois » connaît des difficultés dont certaines remontent au début des années soixante-dix. « De fait, écrivait le *Financial Times* le 29 octobre 1990, l'économie suédoise a commencé à présenter des signes inquiétants de sclérose. Son rythme de croissance qui, Japon mis à part, avait été le plus rapide des pays occidentaux depuis la fin du XIXe siècle a commencé à se ralentir. La croissance de la productivité s'est affaiblie. La balance des paiements s'est inscrite en déficit. [...] Mais surtout les hausses de prix et de salaires sur un marché du travail étroit sont venues saper la compétitivité du pays. »

L'intérêt du cas suédois est qu'il permet d'apprécier ce qu'il y a d'universellement valable dans la nouvelle révolution conservatrice reagano-thatchérienne. Comme l'Angleterre travailliste, la Suède social-démocrate a maintenant compris qu'elle était allée trop loin dans le sens d'une solidarité qui commence avec des intentions généreuses et finit par s'enliser dans l'irresponsabilité et une certaine paresse que sanctionnent – c'est le cas – la diminution relative du niveau de vie, l'inflation et le déséquilibre extérieur. Dans le combat des deux capitalismes, le premier vaincu, du côté rhénan, c'est la Suède.

Individualisme et démographie

On pourrait s'étonner de voir ranger les problèmes démographiques au chapitre du « recul » du modèle rhénan. Est-ce justifié ? Oui, si l'on veut bien admettre que le déclin démographique traduit et accompagne, toujours, une progression de l'individualisme. Tous les pays du modèle rhénan se trouvent confrontés à une situation démographique préoccupante et le « taux de renouvellement » de la population (2,1 enfants par femme) n'y est plus assuré. Conséquences : au Japon et en Allemagne, la population active devrait régresser et la proportion d'inactifs par rapport aux actifs être multipliée par 1,5 pour atteindre près de 60 %.

Cette évolution est comparable à celle de tous les pays développés, mais elle est beaucoup plus marquée. Pour autant que l'on puisse interpréter ces phénomènes de population, au Japon et en Allemagne, la chute continue de la démographie traduit probablement un moindre espoir dans l'avenir, une volonté de vivre plus confortablement, une préférence de plus en plus marquée pour l'individualisme. « La RFA a peur de l'avenir », titrait *Le Monde* le 25 avril 1989. Au Japon, les contraintes économiques, financières et sociales (le logement !) incitent également les ménages à limiter le nombre d'enfants.

On a souvent décrit les conséquences quasi arithmétiques de ces chutes de la démographie sur la vitalité d'une économie : manque de main-d'œuvre, accroissement du poids des inactifs et crise subséquente du système de retraites, renchérissement de la protection sociale du fait de la diminution du nombre des cotisants, etc. Mais il faut y ajouter une moindre efficacité de la recherche qui a besoin de jeunes scientifiques en grand nombre, un risque d'alanguissement général de l'économie, une tendance au repli sur soi-même, qui est le fait des sociétés vieillissantes. En toute logique, les pays rhénans que menace une telle insuffisance démographique devraient prendre en compte l'intérêt général et promouvoir des politiques natalistes énergiques.

Ce n'est pas le cas. Les gouvernements hésitent à prendre des mesures qui ne seraient pas forcément comprises et dont l'efficacité n'est d'ailleurs pas assurée.

Mais ces perspectives sont maintenant profondément modifiées par la forte pression des candidats à l'immigration en provenance de l'Est.

Nouvelles mœurs, nouvelles revendications

Un autre exemple de l'évolution des mœurs est fourni par les rapports qu'entretiennent désormais les pays rhénans avec le travail. On a déjà vu qu'en Allemagne, la durée du travail était l'une des plus faibles de l'OCDE. Et l'objectif des syndicats demeure, à moyen terme, la semaine de 35 heures. Au Japon, le phénomène est plus spectaculaire parce qu'il est plus récent.

Dans ce pays où, jusqu'alors, les salariés sacrifiaient tout à leur travail et à leur entreprise, un sentiment de lassitude apparaît. Actuellement, les Japonais prennent en général une seule semaine de congé par an mais les jeunes générations réclament davantage : au moins deux ou trois semaines. Le gouvernement encourage d'ailleurs ce mouvement et il a proposé, sans succès pour le moment, de réduire de 44 à 42 heures la semaine de travail. Signe des temps : les industries de loisirs connaissent au Japon une croissance exceptionnelle depuis quelques années. Un mouvement d'opinion se dessine qui condamne de plus en plus fort les inconvénients du... travail excessif. La presse publie reportages et études sur les conséquences du surtravail : stress, mortalité prématurée, déséquilibre de la vie familiale, etc. Le ministère de la Santé a réalisé une étude montrant l'extension du phénomène de « mort subite » qui frappe les salariés surmenés. Selon cette étude, 10 % des adultes mâles qui meurent chaque année se sont littéralement « tués au travail ».

Au-delà des conséquences proprement physiologiques, on s'inquiète de plus en plus, au Japon, des conséquences *sociologiques* de cet état de fait. Les horaires draconiens et le surmenage chronique poussent au suicide, au divorce, à l'alcoolisme. Le miracle japonais montre là ses limites. Et les jeunes refusent de plus en plus ouvertement le mode de vie qu'il impliquait. Il est vrai qu'ils n'ont plus les mêmes motivations que leurs parents, soucieux – comme l'étaient les Allemands – de reconstruire un pays vaincu, humilié et affaibli par la guerre. Maintenant que la prospérité est là, que le yen triomphe, que le Japon croule sous ses excédents commerciaux et financiers, la volonté de *profiter du présent* se fait jour. Cette envie grandissante n'ira pas sans conséquences sur le fonctionnement du « modèle » japonais et sur une société qui apprend à vivre avec des libertés individuelles qui ne lui sont pas familières.

A cet affaiblissement du sentiment collectif s'ajoute, ce qui est assez logique, un relatif déclin – très relatif comparé au cas français – du mouvement syndical et des procédures de négociation collective dans les pays du modèle rhénan. Certes, la désyndicalisation est un phénomène mondial ; il touche les États-Unis, la France, la Grande-Bretagne, la Suède, le Japon et même, à un bien moindre degré, l'Allemagne. Mais, dans le modèle rhénan, où les syndicats constituent depuis toujours l'un des piliers du consensus social, cette tendance prend une autre signification.

La désyndicalisation est très marquée en Suède, par exemple, où la grande centrale LO se trouve pénalisée par la libéralisation du marché du travail ayant abouti à décentraliser les procédures de négociation collective. (C'est désormais *au niveau des entreprises* et non plus à l'échelon national qu'employeurs et salariés se rencontrent pour négocier.) Paradoxalement, cette flexibilité nouvelle a favorisé des dérapages salariaux qui sont source d'inflation et compromettent la compétitivité suédoise. Cela signifie que l'ancienne discipline syndicale et salariale dont LO était le garant s'est trouvée mise en cause. Faute d'être encadrées et coordonnées, les négociations cèdent de plus en plus souvent à une surenchère, que favorise d'ailleurs la pénurie de main-d'œuvre. Belle illustration des inconvénients d'un affaiblissement des syndicats ; preuve supplémentaire que flexibilité et désyndicalisation ne riment pas toujours avec efficacité.

Si les syndicats s'affaiblissent dans plusieurs pays rhénans, les modes de gestion des entreprises se trouvent, eux aussi, critiqués. La structure hiérarchique très minutieusement codifiée et qui s'appuie sur l'ancienneté (j'ai montré quels étaient ses avantages) est parfois jugée trop lourde, paralysante. Nombreux sont désormais les jeunes diplômés japonais qui n'acceptent plus l'obligation d'attendre quinze ans pour devenir chef et quinze autres années pour accéder au poste de directeur. D'une façon plus générale, des voix s'élèvent pour dénoncer le *formalisme* un peu caricatural qui, au Japon, préside aux relations hiérarchiques. Des voix qui commencent à être entendues. Toyota, entreprise modèle, a ainsi supprimé le titre de chef qui fleurait le paternalisme d'antan. En Allemagne, Siemens a renoncé de la même façon à plusieurs échelons hiérarchiques pour accélérer les échanges d'informations et les prises de décision. Quant au système traditionnel du *directoire* et du *conseil de surveillance*, voilà qu'il fait l'objet lui aussi de sévères critiques. On lui reproche sa lourdeur et sa lenteur.

Les contestations sont analogues en ce qui concerne le système de rémunération. Elles trahissent une influence directe ou indirecte du modèle néo-américain. Les jeunes diplômés allemands ou japonais qui sont passés par les universités américaines reçoivent des offres de sociétés étrangères implantées dans leur pays et s'impatientent devant la hiérarchie des rémunérations fondée sur l'ancienneté et la qualification. Ils réclament de meilleurs salaires plus vite et un rythme de carrière plus rapide. La contestation du modèle traditionnel est particulièrement vive dans les entreprises qui se développent le plus rapidement. Les jeunes cadres préfèrent ouvertement le management des *success stories* à l'américaine au lourd et sage « plan de carrière » germanique ou nippon.

Là aussi, l'effet de diffusion est spectaculaire. Nul n'est prophète en son pays et, vue de loin, l'Amérique brille encore de tous ses feux. Cette influence – qu'on pourra ou non déplorer – s'exerce encore à un autre niveau. Plus essentiel, peut-être.

Les attraits de la finance

Chaque fois que, dans les chapitres précédents, je soulignais l'avantage que constitue, pour les entreprises du modèle rhénan, le fait de pouvoir souvent encore bénéficier d'un actionnariat stable et de financements bancaires assurés, je pensais à la réaction des petits actionnaires qui me liraient.

En effet, d'un côté, ils aiment s'attacher aux entreprises dans lesquelles ils ont investi. Mais, de l'autre, qu'est-ce pour eux qu'une OPA, sinon précisément une « offre publique d'achat », une offre qui s'adresse à eux-mêmes et qui leur permet de faire, sur l'action visée, l'affaire de leur vie ?

C'est l'objet même de la législation des OPA, précisément, que de permettre de satisfaire les intérêts légitimes de ces petits actionnaires en les faisant profiter d'une offre plus élevée que les cours boursiers, et qui, dans les autres pays, est en général réservée aux actionnaires privilégiés, ceux qui sont porteurs de « blocs ».

Partant de là, je connais bien le raisonnement qui consiste à dire : pas d'OPA, donc peu de plus-values. Me sentant moi-même interpellé, j'ai fait calculer sur une longue période l'évolution des indices des actions au comptant de quatre places boursières (du modèle rhénan) – Francfort, Zurich, Amsterdam et Tokyo – et des deux grandes places anglo-saxonnes. Pour 100 dollars placés sur chacune de ces places ainsi qu'à Paris le 31 décembre 1980, voici quelle est leur valeur dix ans plus tard :

Tokyo	334,1
Amsterdam	252,4
Francfort	238,5
Paris	213,9
Londres	173,3
New York	172,2
Zurich	172,0

Les résultats sont impressionnants : malgré l'extraordinaire effervescence des marchés financiers anglo-saxons pendant les années quatre-vingt, ce sont, de loin, les marchés rhénans qui l'emportent (à l'exception de celui de Zurich dont la stagnation, depuis 1986, traduit les problèmes particuliers de la Suisse face au marché unique européen).

Toutefois, je ne présente cette conclusion que sous réserves, car les chiffres ci-dessus sont le résultat de simples calculs personnels et non d'une recherche scientifique, qui supposerait notamment la comparaison de l'échantillonnage des indices. En outre, cette conclusion n'est que partielle, car, si elle intègre les mouvements de change, elle ne tient compte ni des dividendes (qui sont plus élevés dans les pays anglo-saxons) ni de la fiscalité. Néanmoins, il n'est pas sans intérêt, pour tranquilliser les petits actionnaires, de souligner que le résultat est au minimum celui d'un match nul.

Sauf naturellement en ce qui concerne le Japon, où le réveil de la Bourse, depuis le début des années quatre-vingt, s'est parfois mué en une véritable frénésie entraînant une hausse record des cours du désormais célèbre indice Nikkei. Les PER (rapport des cours des actions au bénéfice des sociétés) ont atteint près de 60, ce qui représente 4 à 6 fois de ce qu'on observe aux États-Unis ou en Grande-Bretagne. Les grandes banques d'affaires japonaises ont donc engrangé des profits considérables. Dans le petit monde international de la finance, tout le monde connaît aujourd'hui les Nomura, Dai-Ichi, Sumitomo, Daiwa, etc. Des marchés à terme et des marchés à option, calqués sur ceux de Chicago, Londres ou Paris, se sont ouverts au Japon.

En Allemagne, avec retard, avec regret, car ce n'est pas dans leur culture, les grandes banques se sont lancées sur les nouveaux marchés internationaux. La finance se réveille sous l'influence de cette « fête américaine ». Un peu comme si les fastes et les paillettes du Crazy Horse Saloon influençaient, à la longue, l'austère vertu d'une pension religieuse. A Francfort, comme à Tokyo, la Bourse entend prendre sa revanche.

D'ailleurs, deux affaires récentes ont créé une brèche dans la tradition de protectionnisme financier qui caractérise le modèle rhénan.

La première : début 1991, le numéro un de l'assurance néerlandaise, Nat-Ned, a proposé une OPE (offre publique d'échange) entre ses titres et ceux de la troisième banque des Pays-Bas, la NMB Postbank, de manière à réaliser une fusion sans précédent aux Pays-Bas. Les petits actionnaires, groupés en association, ont immédiatement protesté contre les termes de l'échange qu'ils jugeaient insuffisants. D'autre part, le groupe d'assurances Aegon détenait de son côté 17 % des titres de Nat-Ned. Mais l'addition de leurs efforts n'a pas été suffisante pour empêcher, après majoration de l'offre initiale, une fusion – symbolique de la pénétration, sur les bords du Rhin, du modèle anglo-saxon.

Le deuxième cas, Pirelli-Continental, est encore plus intéressant, car il fait intervenir en Allemagne une entreprise italienne, Pirelli. Ce fabricant de pneumatiques, cinquième mondial sur un marché où la concentration est extrême, a acheté, petit à petit, 51 % des actions de son concurrent allemand Continental Gummi-Werke. Et alors ? Cela ne lui donne pratiquement aucun pouvoir, car les statuts de Continental prévoient, comme il est courant en Allemagne, que le nombre maximum des droits de vote est limité à 5 %. La fusion proposée par Pirelli est naturellement rejetée par le directoire de Continental.

Mais ce qui est nouveau, c'est que les actionnaires parviennent néanmoins à convoquer une assemblée extraordinaire qui supprime la clause limitant à 5 % le nombre maximum des droits de vote. Cette suppression est acquise à 66 % des suffrages exprimés. Le directoire a perdu, les actionnaires ont gagné. C'est un tournant dans l'histoire financière du capitalisme allemand, qui consacre la montée en puissance des actionnaires par rapport aux gestionnaires et ne peut que contribuer à l'animation de la Bourse.

Avec cette nouvelle importance prise peu à peu par la finance, notamment par les actionnaires, le rôle des banques à l'égard des entreprises évolue. En Allemagne, les observateurs ont noté que la vocation traditionnelle de *Haus-Bank* (« banque maison ») commence à reculer, un peu comme s'effrite chez nous la tradition du « médecin de famille ». Sollicitées par les banques étrangères dont les offres sont alléchantes, tentées par les avantages du marché financier, les entreprises sont moins fidèles que jadis à leur banquier habituel. D'autre part, les banques ne sont plus, comme hier, systématiquement porteuses, dans les assemblées générales, des mandats des actionnaires dont elles gèrent les comptes. Il leur faut désormais un mandat explicite. Plus globalement, certains partis politiques allemands, comme le SPD et le parti libéral, réclament qu'on diminue le pouvoir de contrôle exercé par les banques sur l'économie. L'objectif serait de limiter à 15 % le poids de celles-ci dans le capital des entreprises.

La montée en puissance des marchés financiers dans les pays rhénans entraîne une autre conséquence : la relative perte d'indépendance des autorités monétaires nationales et plus généralement des pouvoirs publics. Le phénomène est logique : plus les marchés financiers et les activités financières s'internationalisent, plus les banques centrales et les directions du Trésor sont tributaires des mouvements de capitaux internationaux et des réactions des marchés intérieurs. Elles ne peuvent plus agir avec la même liberté sur les grandes variables économiques : fiscalité, taux d'intérêt, masse monétaire, etc.

L'expérience de la retenue à la source que le chancelier Kohl a essayé d'instaurer en RFA, et à laquelle il a dû renoncer en raison de la fuite massive de capitaux qu'elle provoquait, est un bon exemple de cette nouvelle dépendance. Même si la Bundesbank s'est singularisée en janvier 1991 par une hausse de ses taux directeurs en contradiction avec la résolution adoptée dix jours plus tôt par le groupe des Sept, il demeure qu'en général les banques centrales japonaise et allemande sont contraintes d'adapter l'évolution de leurs taux d'intérêt en fonction de celle de l'eurodollar, qui dépend elle-même étroitement des décisions prises par la Réserve fédérale américaine. Cette moindre autonomie des autorités monétaires du Japon et de l'Allemagne traduit une moindre autonomie des politiques économiques qui contraste avec la puissance de ces deux pays au sein de l'économie mondiale.

Au chapitre de cette *contagion financière* du modèle néo-américain, faut-il ranger enfin l'apparition dans les pays rhénans de comportements douteux, voire délictueux, inséparables de « l'économie-casino » ? Détournements de fonds et délits d'initiés défraient, là-aussi, la chronique. En Allemagne, le scandale Volkswagen, qui a fait grand bruit, était révélateur : un cadre supérieur jouait sur les marchés financiers l'argent de la société. En revanche, aucune grande société américaine ne se serait probablement permis, comme ce fut le cas en Allemagne, de contribuer à la construction de l'industrie « chimique » irakienne. De même, qui se plaindrait que les banques suisses aient été contraintes de renoncer à leur sacro-saint secret professionnel sous la pression américaine, ce qui a notamment fait éclater la colère de Saddam Hussein lorsque plus de 20 milliards de dollars appartenant à l'Irak ont été bloqués dans les coffres genevois, bâlois et zurichois ?

Au Japon, c'est la moralité de la Kabuto Cho (Bourse) qui est de plus en plus contestée. Nombreuses y sont en effet les opérations derrière lesquelles on décèle les agissements de la mafia ou des manipulations de taux parfaitement illégales. Quant aux « affaires », le Japon n'en est pas privé. Celle de la société Recruit Cosmos a déjà fait tomber, on s'en souvient, deux Premiers ministres.

En résumé, l'argent facile s'introduit peu à peu au cœur des économies du modèle rhénan. Cette contagion y est d'autant plus fâcheuse que, contrairement aux pays anglo-saxons, elles ne sont guère armées pour ce genre de situation, ne disposant pas des règlements nécessaires ni des moyens d'investigation. Mais ce n'est là qu'un peu d'écume sur l'immense vague de ce qu'on appelle la globalisation financière.

Un des vecteurs les plus puissants de diffusion du modèle néo-américain est sans doute la finance. On a montré son rôle dans l'évolution du capitalisme américain et son influence dans celle du Japon et de la RFA. La finance est en effet un levier d'une puissance incomparable pour faire pénétrer les idées capitalistes et notamment renforcer la puissance du marché dans la sphère économique et la tutelle qu'il exerce sur les entreprises.

Depuis quinze ans, il a pesé de manière considérable et inconnue jusqu'alors sur l'ensemble des États capitalistes. C'est le phénomène de *globalisation financière* qui a frappé le monde avec une force sans précédent. Cette globalisation s'appuie sur des tendances lourdes qui en font une véritable lame de fond et non simplement une mode passagère : l'innovation, l'internationalisation et la déréglementation. Avant d'examiner ces éléments fondamentaux, il faut revenir sur l'histoire du phénomène de globalisation pour identifier les ruptures qui ont amené le développement fantastique de la sphère financière.

Les ruptures

Dater la globalisation financière est difficile. Il est vrai, en effet, que les mouvements internationaux de capitaux existent depuis des siècles. Ce sont les banquiers lombards qui financent l'Europe de la Renaissance, comme en témoigne encore le « taux lombard », qui est le taux d'intérêt directeur de la Bundesbank, ou Lombard Street, qui est une des principales artères de la City de Londres. Ensuite, ce seront les Anglais et les Français qui exporteront leurs capitaux tout au long du XIXe siècle dans le monde entier et en particulier dans leurs empires coloniaux. Les emprunts russes, la dette turque seront financés par de l'épargne française et anglaise.

Après la Première Guerre mondiale, la puissance financière britannique est considérable sur le plan international, même si celle des États-Unis commence à se manifester. La crise de 1929 montrera d'ailleurs l'influence des mouvements de capitaux puisque les chocs boursiers se transmettront par le canal financier international. Au lendemain de la Seconde Guerre mondiale, toutefois, le système financier international semble s'être durablement assagi, et les États veillent jalousement au maintien de la stabilité et de la pérennité du dispositif mis en place.

Issu des accords de Bretton Woods, le système monétaire et financier mondial semble à la fois solide, crédible et cohérent. L'or est la référence ultime, le dollar est son *alter ego (as good as gold)*, et les autres monnaies se définissent par rapport à la devise américaine dans le cadre d'un système de parités fixes. Des institutions gardiennes du temple sont mises en place : le

Fonds monétaire international (FMI), chargé de veiller aux ajustements de balance des paiements, et la Banque mondiale (BIRD), responsable du financement de projets de développement et de reconstruction économiques. Tout le système repose sur la prééminence incontestée du dollar, à la fois référence des autres monnaies et instrument d'échange international. Il correspond logiquement à la prééminence économique et politique des États-Unis qui produisent la moitié de la production mondiale, possèdent 50 % du stock d'or et ont en matière technique une avance considérable. L'hégémonie monétaire et financière en découle et personne ne saurait la contester. Au total, on demeure dans une logique de l'économie encadrée par les États et surtout par l'Amérique.

Ce bel ensemble n'allait pas résister aux bouleversements financiers et monétaires qui ont affecté l'économie mondiale. Trois ruptures essentielles vont en effet la marquer. En premier lieu, l'hégémonie américaine décline rapidement, et avec elle celle du dollar. Le Japon et l'Europe rattrapent leur retard. D'autres monnaies s'internationalisent : le mark, le franc suisse et le yen.

En second lieu, le système de Bretton Woods s'effondre un beau jour d'août 1971, le 15 exactement, où le président Nixon annonce la fin de la convertibilité or du dollar. Le dollar est dévalué de 80 %. Aux accords de la Jamaïque en 1976, les changes fixes sont définitivement abandonnés pour un système de changes flottants. En outre, les institutions internationales (FMI, BIRD) ont failli à leur mission car elles n'ont jamais pu acquérir la surface suffisante pour contraindre les États à assumer une discipline collective. Bretton Woods était d'ailleurs condamné en raison de ses propres contradictions. Du fait de l'importance du dollar pour financer l'économie mondiale, il était soumis à deux exigences contradictoires : d'une part il devait alimenter le monde en liquidités suffisantes pour faire tourner la machine, c'est-à-dire, en fait, maintenir un déficit de la balance des paiements américaine pour fournir les dollars nécessaires ; d'autre part, les autorités américaines devaient assurer la convertibilité or de leur monnaie et limiter pour des raisons évidentes leur déficit extérieur. Le dilemme était donc entre asphyxier l'économie mondiale ou faire grossir indéfiniment le déficit et la masse de dollars en circulation, au risque pour les États-Unis de ne pouvoir assurer leurs engagements. Bretton Woods explose donc et entraîne avec lui tout le semblant d'ordre et de discipline collective qui avait existé depuis 1945. Il laisse les monnaies flotter au gré des courants aléatoires et plus ou moins tumultueux des mouvements de capitaux.

Un autre bouleversement de fond résulte de cette rupture institutionnelle. Il est d'ordre quasi symbolique, puisqu'il s'attaque à la nature de la monnaie. Celle-ci devient une simple marchandise comme les autres : *« Money is a commodity »*, selon la célèbre formule de Milton Friedman, l'économiste ultra-libéral de Chicago. *Commodity,* le mot est fort. Il s'applique tout aussi bien à l'entreprise, qui est, on l'a dit, une *commodity* dans le modèle anglo-saxon et une *community* dans le modèle germano-nippon. La monnaie n'est plus un étalon fixe, sinon intangible, ni cette statue de poche sculptée dans l'or en hommage à la stabilité des valeurs et qui avait inspiré tout le XIXe siècle. Elle devient un actif quelconque échangé sur des marchés comme le blé, les métaux ou le bœuf. On lui appliquera donc également les techniques qui ont déjà fait fortune sur les marchés agricoles et de matières premières, en construisant des marchés à terme, des options, des swaps, etc. Les instruments qui permettent aux fermiers de vendre leurs carcasses de porc, leurs jus d'orange ou leur soja à trois mois sur les grands marchés de Chicago. *C'est naturellement à Chicago* que vont se développer les *« futures »* sur taux d'intérêt, les options de change et les contrats mark/dollar. La monnaie change de statut, et cela provoque le raz de marée de l'innovation financière.

La dernière rupture qui a provoqué l'essor de la finance est celle des déséquilibres mondiaux. Avec les chocs pétroliers, les chocs dollar, les déséquilibres commerciaux, la dette du tiers monde, le monde a vécu dans la tourmente depuis 1973. Cela s'est traduit par des fluctuations formidables et brutales sur les principales variables financières : les taux d'intérêt, les changes, les cours des actions et des obligations en Bourse. Sur les taux d'intérêt, par exemple, les variations enregistrées sur les quatre premiers mois de 1980 aux États-Unis ont été supérieures à dix points.

Face à ces incertitudes, il ne faut pas s'étonner que l'ensemble des opérateurs aient cherché à se protéger, d'où l'essor des nouveaux marchés de couverture à terme ou d'options. On imagine le risque pour un investisseur français de faire une opération aux États-Unis à horizon de cinq à dix ans. Si le cours du dollar chute de 50 % (ce qui est déjà arrivé deux fois en dix ans), toute la rentabilité de l'investissement est compromise. Pour un importateur dont les marges sont de quelques pourcent, une variation de la même ampleur dans le mauvais sens est également catastrophique. Or ces variations sont désormais quotidiennes. C'est ainsi que se sont construites les énormes masses financières qui gravitent autour de la planète sur des produits totalement immatériels censés couvrir des risques que plus personne ne perçoit, mais que tout le monde devra en revanche supporter. Cela nous amène à évoquer la première des grandes tendances de fond qui a provoqué l'émergence de cette globalisation financière : l'innovation.

L'innovation : les moyens au service de la finance

Le phénomène de globalisation financière ne se serait pas produit à une telle échelle sans moyens technologiques et juridiques. Sur le plan technologique, ce sont l'informatique et les télécommunications qui ont donné à la finance ses armes et sa puissance. Grâce aux ordinateurs, aux satellites, aux câbles, les données financières peuvent circuler librement à travers le monde et être traitées instantanément. L'introduction des nouvelles technologies a ainsi permis de baisser de 98 % le coût des transactions. Derrière leurs écrans, les *golden boys* interviennent en permanence sur les différents marchés de la planète. On traite du bon du Trésor américain à Paris. On négocie de l'action Elf-Aquitaine à Londres ou à Tokyo. Et c'est *à Chicago* que l'ECU européen est d'abord coté. La technologie a fourni le vecteur de l'expansion financière.

Le second élément d'innovation est financier. Jusqu'aux années soixante-dix en effet, la sphère financière était restée étonnamment peu créative. Les banques faisaient des crédits et on ne négociait sur les marchés que des titres traditionnels : actions et obligations. Mais, depuis quinze ans, les marchés financiers ont vu apparaître une variété considérable et sans précédent de nouveaux produits. Les produits de couverture (contrats à terme, options) se sont développés. Les titres nouveaux à bons de souscription, de conversion d'options, etc., se sont multipliés. Des produits aux noms exotiques ont pullulé : le NIF, TRUF, MOFF, etc.

S'est donc construite toute une nouvelle sphère financière dont l'importance est devenue primordiale. Sur les marchés à terme de Chicago, où se négocient la plupart de ces nouveaux produits, le volume de transactions est entre le double et le triple de celui de Wall Street. En outre, ces innovations financières ont prospéré dans le domaine international, accentuant la globalisation des marchés. Les produits négociés sur les places de chaque pays sont évidemment ouverts aux étrangers. Les pouvoirs publics poussent même à l'internationalisation des nouveaux marchés. Le MATIF français est un des marchés où les Allemands viennent se couvrir parce que le modèle rhénan, avec ses puissantes institutions bancaires et son goût pour les valeurs sûres et stables, a beaucoup tardé à s'engager dans ces innovations sophistiquées qui plaisent au contraire beaucoup aux Anglo-Saxons : la globalisation financière, c'est aussi la monnaie qui sort des rigidités bancaires pour accéder aux fantaisies boursières. D'une manière générale, l'internationalisation financière s'est ainsi considérablement renforcée à partir des concepts et des techniques anglo-saxons.

Cette internationalisation de la sphère financière est ainsi une conséquence directe de son développement. Mais, plus fondamentalement, elle est aussi et surtout le reflet d'une économie qui se mondialise dans tous les domaines et qui entraîne avec elle la finance.

C'est d'abord par le commerce que ce phénomène se propage.

C'est d'ailleurs une évidence plus ancienne que le capitalisme. Ce qui est nouveau, en revanche, c'est l'essor du commerce mondial depuis 1945. Il a en effet crû à un rythme deux fois plus rapide que celui de la production mondiale, signe que la proportion des biens et services échangés sur le plan international par rapport à ceux qui restent dans le pays où ils sont produits s'accroît. Corollaire : les économies s'ouvrent sur l'extérieur, comme en témoigne le ratio des importations rapportées au PIB qui double aux États-Unis entre 1970 et 1990 pour atteindre 14 % ou qui s'établit à 23 % en France en 1990 contre 15 % en 1960.

La dynamique du commerce international est très puissante. Elle entraîne derrière elle une mondialisation de l'industrie sous l'effet de deux mouvements. D'une part, les entreprises cherchent à conquérir de nouveaux marchés et par conséquent s'implantent au plus près des clients potentiels. C'est l'attitude des grandes multinationales. D'autre part, certaines entreprises doivent délocaliser une partie de leur production pour abaisser leurs coûts de main-d'œuvre. C'est ainsi que l'électronique produit une grande partie des éléments de base des appareils en Asie du Sud-Est.

L'internationalisation commerciale et industrielle de l'économie suscite des flux financiers internationaux gigantesques. Il faut financer le commerce mondial et les investissements internationaux, couvrir les risques, rapatrier les dividendes, etc. La dynamique financière est dès lors alimentée par un besoin croissant de capitaux transfrontaliers. S'ajoutent à cela les mouvements financiers nés des excédents pétroliers de l'OPEP ou des excédents japonais ou allemands qui cherchent des placements dans les zones qui manquent de capitaux.

Au total, les capitaux internationaux représentent une masse gigantesque toujours en mouvement aux quatre coins de la planète. Sur le marché des changes, le volume de transactions *quotidiennes* est de près de 900 milliards de dollars, l'équivalent du PIB *annuel* de la France. En comparaison, les réserves totales des banques centrales ne s'élèvent qu'à environ 700 milliards de dollars. Les capitaux franchissent les frontières, les océans, les déserts en quelques millièmes de seconde. Ils s'investissent simultanément sur tous les marchés de la planète sans arrêt ni répit. La finance mondiale fonctionne ainsi en continu. Lorsque Tokyo ferme, les positions sont transférées à Londres qui ouvre, puis à New York pour repasser encore au Japon quelques heures plus tard. Les intermédiaires financiers, notamment les banques, doivent désormais développer des réseaux mondiaux qui couvrent les trois grands pôles financiers : États-Unis, Japon et Europe. Nomura, la grande banque d'affaires japonaise, a ainsi transféré son centre de commandement des opérations de marché à Londres. Il n'y a plus qu'un seul marché mondial de l'argent, un océan sur lequel les places ne sont plus que des esquifs ballottés au gré des fluctuations des capitaux.

Déréglementation/réglementation

Le dernier facteur de globalisation, et non le moindre, a été la déréglementation. On connaît l'influence de la réglementation sur les mouvements de capitaux. Dans les années soixante, c'est pour contourner une réglementation pénalisante que les banques *américaines* ont massivement délocalisé leurs activités à Londres et que s'est ainsi développé le marché des eurodollars. Inversement, la déréglementation permet d'ouvrir les vannes des marchés internationaux. Aux États-Unis, la suppression de la célèbre réglementation Q, qui limitait la rémunération des dépôts à vue, a décuplé l'activité des banques, qui se sont lancées dans une chasse effrénée au client. En France, la création des SICAV et des FCP, en 1978, a été une réussite, puisqu'ils gèrent désormais plus de 1 500 milliards de francs.

Sous l'influence américaine et anglaise, la déréglementation s'est généralisée. Pour rester dans la course, les différentes places financières ont allégé les règles, supprimé les barrières, fait sauter les verrous. En France, le Trésor, obsédé par la place de Londres, a massivement déréglementé les marchés financiers français. Il fallait surtout ne pas pénaliser Paris.

La sphère financière est ainsi porteuse d'une double logique.

D'une part, elle s'étend au mépris des frontières et des États. C'est la logique de la mondialisation. La finance ne s'accommode plus du cadre national trop étroit et insuffisant. Elle pulvérise les frontières et contraint les États à se soumettre. « Le monde, a écrit le prix Nobel Maurice Allais, est devenu un vaste casino où les tables de jeu sont réparties sur toutes les longitudes et toutes les latitudes. » D'autre part, la sphère financière porte en elle la logique du marché pur et dur. Un marché sans contrainte, sans gendarme, sans limite, avec son foisonnement d'innovations mais aussi ses risques de krach et d'affaires douteuses.

A ces deux titres, la globalisation financière est le vecteur principal et surpuissant de la propagation du modèle ultra-libéral. Il n'est pas étonnant qu'il entame les cultures économiques les mieux structurées, notamment celle des pays rhénans. En sus de son côté médiatique, de ses succès, le modèle néo-américain reaganien a ainsi son cheval de Troie au sein du modèle rhénan.

9
Pourquoi est-ce le moins performant qui l'emporte ?

A ce stade de l'analyse, il faut faire le point et réfléchir un peu plus au principal paradoxe. Des deux variantes du capitalisme, l'américain et le rhénan, le second est globalement plus performant que l'autre. Aussi bien sur le plan social qu'en matière strictement économique. Or c'est le premier, nous l'avons vu, qui gagne du terrain depuis le début des années quatre-vingt, psychologiquement et politiquement. Y compris sur les terres d'élection de son concurrent : en Allemagne, en Suède et même au Japon... Et, bien entendu, dans de nombreux pays de l'hémisphère Sud, à commencer par l'Amérique latine, où le succès des conceptions américaines, aussi bien en matière de politique économique (déréglementation, privatisations) que dans la gestion des entreprises, constitue d'ailleurs – il faut le souligner pour être juste – le principal facteur du progrès économique des deux pays qui montent : le Chili et le Mexique.

Mais revenons au cœur de notre sujet : la lutte d'influence des deux capitalismes dans les pays développés. Là, on caricature sans déformer en résumant : le moins bon chasse le meilleur un peu partout, comme, selon la vieille loi de Gresham, la mauvaise monnaie chasse la bonne. Le moins performant triomphe peu à peu de son rival qui est pourtant plus efficace. Étrange contraste pour une époque qui place si haut le culte de l'économie : le modèle néo-américain confirme parallèlement son avancée psychologique et son recul économique ; c'est un peu comme si, sur le marché de l'automobile, toutes les faveurs du public se portaient sur une marque dont les carrosseries impressionnantes cacheraient des moteurs poussifs. A l'inverse, ce que le modèle rhénan gagne en efficacité, il le perd en séduction.

Imaginons un sondage parmi les pays sous-développés sur la question suivante : « Si vous aviez le choix, où préféreriez-vous aller vivre : en Amérique du Nord ou en Europe de l'Ouest ? » Nul doute que la condition matérielle de l'immigré (légal) est en général moins inconfortable en Europe de l'Ouest : les salaires sont équivalents à ceux des États-Unis, sans compter la sécurité sociale et, dans les pays rhénans notamment, un véritable droit à un logement décent qui est sans équivalent aux États-Unis. Néanmoins, une immense majorité se prononcerait assurément en faveur des États-Unis. Surtout les jeunes. En Amérique latine et en Asie, cela s'explique d'autant mieux que personne ou presque ne connaît les conditions de vie en Europe ; et le plus certain est qu'il n'y a aucun pays au monde où l'Amérique soit aussi populaire qu'en Chine communiste. Même en Afrique et dans les pays d'Europe de l'Est, il est vraisemblable que la majorité choisirait l'Amérique du Nord ; le Canada, par exemple, étant de beaucoup préféré à la Scandinavie. Pourquoi ?

Soulever la question, c'est d'abord poser celle de la rationalité des comportements économiques, qu'ils soient individuels ou collectifs. On aurait bien tort de croire, en effet, que l'économie n'obéit qu'à la logique rigoureuse de l'intérêt. Tort d'imaginer que les agents économiques n'agissent jamais *qu'après avoir soigneusement pesé le pour et le contre d'une décision,* de sorte que la somme de leurs intérêts individuels puisse se trouver *in fine* harmonisée par la fameuse « main invisible » du marché. L'*homo œconomicus* idéal, au comportement mathématique, aux décisions calculées froidement, cet individu rigoureusement logique que citent les théoriciens à l'appui de leurs démonstrations, n'existe pas. Autrement dit, les passions, l'irrationnel, les modes changeantes et les engouements mimétiques gouvernent l'économie bien davantage qu'on ne le croit. Quant aux gouvernements, qui sont démocratiquement désignés, ils ne sauraient s'affranchir des préférences – même déraisonnables – de leurs électeurs. En matière économique comme ailleurs, il ne suffit pas qu'une idée soit bonne en soi, ni même qu'elle ait fait ses preuves. Il faut aussi qu'elle soit politiquement vendable.

Or, c'est un fait qu'aux yeux de l'opinion mondiale le capitalisme rhénan, vertueux, égalitaire, prudent et discret, manque d'attraits. C'est même un euphémisme. Disons plutôt que, comme le fut longtemps l'idée européenne avant le projet très mobilisateur du « grand marché de 1992 », c'est une véritable nullité médiatique. Tout pour réussir mais rien pour plaire ! Son concurrent américain, en revanche, brûle littéralement les planches et s'offre aux faveurs du public, empanaché, romanesque et précédé de mille légendes.

SOURCE : *Valeurs actuelles*, 27 août-2 septembre 1990, n° 2804, p. 32.

Tout pour plaire

Le capitalisme américain présente à peu près toutes les attractions d'un western. On y promet une vie aventureuse, agitée, stressante, mais passionnante pour les plus forts. L'économie-casino crée le suspense, donne à chacun le frisson du danger, permet d'applaudir les vainqueurs et de huer les vaincus. Comme aux jeux du cirque, on y joue les hommes à la roulette. Ce capitalisme-là est d'ailleurs peuplé par une faune exotique en proie à de spectaculaires combats : requins, faucons, tigres et dragons. Quoi de plus attractif ? Quoi de plus propice aux mirobolantes mises en scène ? Dans le système rhénan, en revanche, la plupart des « animaux » de la vie économique sont des animaux domestiques au comportement sans surprise. Misère ! Et, côté rhénan, la vie promise peut fort bien se révéler active, mais elle sera probablement monotone, ennuyeuse peut-être. Le capitalisme rhénan évoque une gestion de « père de famille », au sens où l'entendait notre Code civil. Le capitalisme américain, lui, suggère plutôt les strass du Crazy Horse Saloon. Sous les sunlights, à coup sûr, l'un des deux ne fait plus le poids. C'est comme si vous vouliez conquérir le marché du jeans en cherchant à vendre aux jeunes des culottes tyroliennes !

Le capitalisme américain, d'ailleurs, est au sens propre du terme hollywoodien. Il participe du show-biz et du roman d'aventures. Toute la terminologie utilisée et enrichie durant les « années Reagan » en porte la marque. Est-ce un hasard si Michael Milken, l'inventeur des *junk bonds* aujourd'hui condamné à dix ans de prison ferme et trois avec sursis, était surnommé *The King* (le roi) par les banquiers américains ? *The King*, c'était aussi le surnom d'Elvis Presley, première idole du show-biz mondial. Les prises de contrôle s'insèrent, comme le souligne P. M. Hirsch (*American Journal of Sociology*, janvier 1986), dans des figures symboliques qui, pour la plupart, reproduisent celles de la culture de masse : le modèle du western (bons/méchants ; embuscades), celui de la piraterie, le thème de la relation amoureuse, le patron des contes de fées (la Belle au bois dormant) et du jeu sportif.

Quant à l'argot des OPA, qui participe le plus souvent d'une rhétorique guerrière, il serait suffisamment riche et suggestif pour remplir les pages d'un dictionnaire spécialisé. *Bear hug* (étreinte de l'ours), *corporate warlords* (seigneurs de la guerre), *dealmaker* (faiseur de « coups »), *golden handcuffs* (menottes en or), *shark watcher* (guetteur de requins), etc. Ce langage-là, c'est bien celui du cinéma d'aventures ou des dessins animés fabriqués à Hollywood. La figure du jeu, légitimant l'essor des prises de contrôle, se transforme en réalité. Un grand jeu ! Un spécialiste de Wall Street, cité par le sociologue américain John Madrick, ironisait voici quelques années sur ce point. « Le mouvement des prises de contrôle, disait-il, ressemble de plus en plus à un jeu de société avec des protagonistes aussi éloignés des réalités économiques et industrielles que le sont les enfants jouant au Monopoly » (*Taking America,* New York, Bantam Books, 1987).

Ludique ? Le capitalisme américain n'évoque pas seulement les charmes sauvages de la jungle et la lutte pour la vie. C'est aussi celui du rêve rose bonbon, de l'argent facile, des fortunes subites, des *success stories* autrement attrayantes que la sage et patiente prospérité du modèle rhénan. L'expression « faire fortune » n'appartient guère à la tradition rhénane. Elle est consubstantielle au capitalisme américain dont Las Vegas, à la limite, est la caricature. Ce n'est ni à Zurich ni à Francfort que s'est développée la nouvelle industrie médiatique du rêve *« make rich quick »,* la passion de séduire en gagnant, le frisson des grands westerns financiers ! C'est à Chicago ou à New York. Il n'empêche qu'aujourd'hui, même à Francfort et à Zurich, on se demande si le moment n'est pas venu d'aller faire un tour au casino de l'économie spectacle. Voici que les bons pères de famille, saisis par la passion du jeu, lorgnent du côté du Crazy Horse Saloon. Ce sont les petits actionnaires allemands et suisses qui voudraient bien, eux aussi, pouvoir, sinon jouer au grands jeux du Pouvoir, du moins gagner de temps en temps le gros lot sur le champ de courses. Mais c'est surtout parmi les managers de la nouvelle génération qui n'ont pas connu la guerre qu'on voit pointer, en Suisse comme en Allemagne et au Japon, la passion de se faire une fortune et un nom. Au Japon, on peut même se demander si l'extraordinaire effervescence de la Bourse ne constitue pas une sorte de substitut à la privation d'aventure guerrière, un remède à l'ennui de la vie sans mystère. En effet, au Kabuto-Cho, il se passe tous les jours des choses extraordinaires, c'est le frisson quotidien du défoulement boursier. Mais cette agitation se boucle sur elle-même, elle n'est que l'écume des réalités économiques, remplissant une fonction à la fois théâtrale, ludique et sportive.

Un triomphe médiatique

Malgré ses échecs, ses dettes, ses faiblesses industrielles et ses inégalités, le capitalisme américain demeure quant à lui une véritable star médiatique. Il est « le » capitalisme, diabolisé par ses adversaires (ils ne sont plus très nombreux), mythifié par ses défenseurs, et dont l'épopée est inlassablement racontée par les scénaristes. Quels que soient ses fiascos, il se maintient au Top 50 des médias. C'est normal. Reflet fidèle de leur public, les médias aiment le suspense et les héros flamboyants, les acrobaties financières et les batailles de géants, les chevaliers blancs ou noirs, le manichéisme et les signes extérieurs de richesse. Or, ce triomphe journalistique du capitalisme américain n'est pas un épiphénomène que les économistes pourraient juger sans importance. Bien au contraire. Il explique, en grande partie, la puissance de sa diffusion.

Les médias, on le sait, jouent d'ailleurs un rôle grandissant dans la vie économique. Ne serait-ce que pour une raison bien simple qui est liée au fonctionnement de la Bourse. A moins d'être une institution ayant pignon sur rue et si possible ayant obtenu une notation de haut de gamme par une agence de *rating* internationale, l'entreprise qui doit compter sur le marché pour se financer entre, du même coup, dans une logique qui est aussi celle de la publicité, de l'image, du spectacle. *Il ne lui suffit plus d'être, il lui faut paraître.* Les années quatre-vingt auront été marquées par une explosion de la « communication » en général et par une médiatisation accélérée de l'économie en particulier.

Les acteurs économiques y deviennent, on l'a vu, des personnages de feuilleton et les spectateurs attendent d'eux qu'ils soient à la hauteur du scénario. Un bon chef d'entreprise, dans

SOURCE : Plantu, *Un vague souvenir*, Le Monde Éditions, 1990, p. 21.

ce contexte, ne saurait se contenter d'être un solide gestionnaire. Il faut qu'il soit aussi – et ostensiblement – un *winner,* un vainqueur qui accroît sans cesse sa puissance, terrasse ses adversaires, effectue des « raids » victorieux et sait poser pour les photographes, un pied sur son trophée. L'image qu'il offre de lui-même sera identifiée à celle de l'entreprise, son « look », médiatiquement exploité, sera aussi important que son compte d'exploitation ou ses parts de marché. A l'inverse, comment les médias pourraient-ils s'enthousiasmer spontanément pour l'un des membres, austère et peu loquace, du comité de direction d'une entreprise allemande ? Ou encore s'enflammer devant les charmes très discrets d'un banquier de Zurich ou de Francfort?

Les médias ont leurs lois. Ce sont celles du show permanent et de l'audimat. Elles exigent, des personnages mis en scène, qu'ils sacrifient, à leur tour, aux règles du spectacle. Ainsi la médiatisation caricaturale du modèle néo-américain fonctionne-t-elle dans les deux sens. Elle est, assurément, l'une des clés de son succès psychologique. Mais, dans le même temps, elle en accroît les travers. Les chefs d'entreprise, les *raiders* ou les jeunes loups médiatisés doivent désormais, comme les stars d'Hollywood, se conformer à leur image publique. Jusqu'au ridicule, parfois. Combien de décisions plus ou moins aventureuses, combien de choix conquérants auront-ils été arrêtés dans le but, narcissique mais jamais avoué, de complaire aux médias? L'économie-casino joue sur le spectacle qu'elle donne d'elle-même; mais elle en est du même coup prisonnière.

Cette médiatisation de l'économie, comme on le sait, a traversé l'Atlantique en même temps que le modèle néo-américain. Bon gré mal gré, les patrons européens ont découvert que leur « look » n'était pas sans importance, qu'une mauvaise prestation à la télé ou une « petite phrase » prononcée devant un micro pouvait leur coûter cher; ils ont dû s'habituer à être classés par les médias comme le sont les chanteurs ou les sportifs; ils ont dû consentir à être des personnages à part entière de la « société du spectacle ». Quant aux entreprises elles-mêmes, elles ont dû s'adjoindre, avec des fortunes diverses, des « conseillers en communication » chargés de les aider à gérer leur image en sacrifiant parfois au langage des médecins de Molière. En 1980, l'expression « Dir Com » était quasi inconnue en France. Aujourd'hui, les entreprises ne peuvent plus s'en passer et les jeunes Rastignac rêvent de le devenir.

Pour des milliards d'espérance

D'ailleurs, soyons concret. Pour un capitaliste – et plus encore pour un aspirant capitaliste – de la nouvelle génération, de quoi s'agit-il? Quel est le but de la vie? Faire fortune, évidemment!

C'est évident aujourd'hui, mais ce ne l'était pas hier : en France, des industriels parmi les plus grands (Jacques Calvet, Olivier Lecerf, Didier Pineau-Valencienne, Antoine Riboud par exemple) ont tout simplement « oublié » de faire fortune, ne s'occupant que du succès de leur entreprise. En Allemagne, cela est la règle. Aux États-Unis, c'est impensable : le succès d'une entreprise et les gains qu'en tire son patron sont deux choses strictement liées entre elles.

Il s'agit donc de faire fortune, et vite. Pour cela, il existe une règle : *cheaper to buy than to build* (il est moins cher d'acheter que de bâtir), dont nous avons aperçu les innombrables applications. Règle qui conduit à distinguer les deux seuls moyens « avouables ».

Le premier consiste à inventer un produit, un service ou un concept (Gilbert Trigano et son Club Med ; Darty et son contrat de confiance) et à le vendre. Mais, pour atteindre un large public, l'inventeur a toujours intérêt et souvent le goût de se médiatiser ; autrement dit « se vendre » lui-même.

Le second moyen, plus sophistiqué, plus *smart*, consiste, on l'a vu, à « lever » de l'argent sur les marchés financiers. Les institutions établies peuvent le faire sans bruit. Mais non l'individu travaillant à son compte personnel, qui doit d'abord se faire connaître pour attirer ensuite l'épargne publique sur son nom. Quelle jouissance de se montrer capable de vendre à des milliers de « petits porteurs » pour des milliards d'espérance !

Conduits par la logique financière, nous abordons ici le terrain des valeurs. C'est que, souligne Jean Cazeneuve (*L'Homme téléspectateur*, Denoël-Gonthier, « Médiations », 1974), le vedettariat ne confère pas seulement le prestige, mais aussi la fortune... Dans l'univers du spectaculaire, c'est le prestige qui est cause de richesse et qui légitime la conduite et non pas l'inverse, comme c'est le cas dans le *cursus honorum* classique.

Sans doute cette médiatisation généralisée, cette importance démesurée prise par la « communication » sont-elles le propre d'une économie qui, en se modernisant, devient par nature et par méthode une économie de l'information. Mais il faut savoir que, sur ce terrain-là, le capitalisme américain est mille fois mieux armé que son rival. Tout conspire, en effet, à l'échelle mondiale, pour assurer le triomphe de son image. L'hégémonie culturelle de l'Amérique, de ce point de vue, est de plus en plus évidente. A Djakarta, Lima, Rio de Janeiro ou Lagos, ce sont des feuilletons américains, des séries télévisées *made in Hollywood,* des spots publicitaires ou des bandes dessinées d'outre-Atlantique qui passionnent les foules. Il en va de même dans les universités depuis l'effondrement du marxisme. On stupéfierait sans doute un intellectuel égyptien, brésilien ou nigérian en lui révélant qu'il existe une autre variante de l'économie de marché ; en lui démontrant, preuves en main, que le capitalisme rhénan obéit, lui, à de tout autres règles que celles qu'il voit à l'œuvre dans une version sous-titrée de *Dallas*. Et que ses résultats sont dans l'ensemble meilleurs.

Médiatisation de l'économie et crise des médias

Parce qu'il se révèle ainsi incapable de communiquer, de s'exporter, le modèle rhénan laisse son concurrent occuper toute la place de ce qu'on pourrait appeler un « paradoxe au carré ». Il tient en quelques phrases. L'économie-casino, on l'a vu, tire une partie de sa force de la séduction journalistique. En retour, elle est elle-même sous influence médiatique, ce qui ne va pas sans inconvénient. Mais, si l'on veut approfondir l'analyse, il faut remarquer que la contagion spéculative, le souci obsessionnel de la rentabilité immédiate, la dictature de l'argent *s'étendent désormais aux médias eux-mêmes.*

Les journalistes ne sont pas les derniers à dénoncer, depuis plusieurs années, le malaise qui règne dans leur profession. Il est largement dû à l'appesantissement du règne de l'argent, aux impératifs de rentabilité à court terme de plus en plus contraignants, version médiatique, en somme, de l'économie-casino. Quand l'information n'est plus qu'une marchandise soumise aux strictes lois du marché, quand un média est plus soucieux de vendre des lecteurs à ses annonceurs que des informations à ses lecteurs, la déontologie est rapidement en perdition. Dans ce domaine, il faut noter que le pays qui se situe à l'avant-garde du « modèle néo-américain » n'est pas les États-Unis, mais peut-être bien la France.

Dans les pays anglo-saxons, en effet, une ancienne tradition quasi corporatiste d'indépendance des journalistes à l'égard des entreprises de presse qui les emploient, soutenue par un lectorat éduqué, surtout dans les matières économiques et financières, a empêché, dans une large mesure, la médiatisation intempestive de l'économie qui caractérise la France, surtout depuis la privatisation de la principale chaîne de télévision.

De là le leitmotiv qui revient sous la plume des spécialistes français des médias, lesquels s'inquiètent d'une véritable crise déontologique dans la profession.

En février 1990, François-Henri de Virieu dénonçait cette perversion dans un livre au titre significatif : *La Médiacratie* (Flammarion). En août 1990, la revue *Le Débat* publiait un gros dossier intitulé « Malaise dans les médias ». Directeur du *Nouvel Observateur,* Jean Daniel y invitait la presse à « tourner le dos à la philosophie de l'information conçue comme une marchandise comme les autres ». Au mois de décembre 1990, la revue *Esprit* publiait à son tour un numéro spécial posant la question : « Où va le journalisme ? »

Un long article signé du journaliste économique Jean-François Rouge – et titré « Le journalisme au risque de l'argent » – y fait le point sur la « corruption active et passive » dans la presse française, corruption dont il souligne l'aggravation récente. « Depuis la Libération, écrit-il, les menaces contre la liberté d'informer semblaient, pour l'essentiel, se circonscrire au champ politique. C'est sur ce flanc-là qu'il convenait de se garder prioritairement. L'argent gardait bien son pouvoir de corruption, mais sur une échelle compatible avec l'indépendance globale de la presse, notamment celle de la grande presse nationale. Or, c'est bien cet équilibre délicat qui semble menacé par certains comportements. »

Enfin, en février 1991, Alain Cotta, l'un des principaux économistes français, dont l'enseignement n'a jamais cessé d'être favorable à l'économie de marché, publiait sous le titre *Le Capitalisme dans tous ses états* (Fayard) un livre qui fait froid

dans le dos, consacrant trois chapitres sur cinq à illustrer ainsi l'évolution récente du capitalisme :
– le capitalisme médiatisé ;
– le capitalisme saisi par la finance ;
– le capitalisme corrompu.

« La montée de la corruption est indissociable de la poussée des activités financières et médiatiques. Lorsque l'information permet, à l'occasion d'opérations financières en tous genres – en particulier celles de fusions, d'acquisitions et d'OPA –, de bâtir en quelques minutes une fortune impossible à constituer fût-ce au prix du travail intense de toute une vie, la tentation de l'acheter et de la vendre devient irrésistible. La commission attire la corruption comme la nuée appelle l'orage. »

A l'époque où les fonctionnaires, bien payés dans tous les pays développés, mettaient leur point d'honneur à traiter le bakchich comme la maladie honteuse des pays sous-développés, personne n'aurait osé contester cette éthique. Mais aujourd'hui, alors que l'orthodoxie économique est dominée par la déréglementation (dont la corruption, rappelle A. Cotta, est une manifestation), c'est en toute logique que l'on en vient, après avoir condamné l'État à être réduit à son minimum, à exalter la corruption comme une forme parmi d'autres de l'esprit d'entreprise... et avec quel succès ! En voici deux exemples. José Cordoba, secrétaire général du gouvernement mexicain, a déclaré à la réunion de Davos en janvier 1991 que, depuis trois ans, la valeur de la quantité de cocaïne saisie par la police mexicaine représente, au cours de New York, deux fois la dette extérieure du Mexique, soit environ 150 milliards de dollars. Nous étions dans la macro-économie de la corruption, nous y voici davantage encore. Il y a quelques années, la Réserve fédérale, qui, comme toute banque centrale, imprime des billets de banque, s'est étonnée de constater l'extraordinaire augmentation de la demande de coupures en dollars qui lui était adressée par les banques. Enquête faite, elle a découvert que 90 % des billets verts imprimés aux États-Unis ne sont pas utilisés pour la circulation monétaire intérieure. Ils servent à l'étranger, essentiellement pour les besoins des économies parallèles et surtout des trafics de drogue qui évitent de transiter par les comptes bancaires.

Plus il sera facile à certains de faire fortune sans travailler, plus leurs succès seront présentés comme des hauts faits et plus seront nombreux les candidats à la corruption ou à ce commerce de substitution qu'est le trafic de la drogue. Réciproquement, à partir du moment où les médias doivent s'assujettir à la loi du profit immédiat (les pays du système rhénan seront sans doute les derniers à garder des télévisions publiques sans publicité, à l'exemple de la BBC), ils sont conduits à n'interpréter la vie économique et financière qu'à travers la grille de divas perpétuellement insatisfaites et dont l'affectivité paranoïaque met leurs caprices au-dessus des lois. Transgression des lois, transgression du temps. A. Cotta ajoute : « La distraction télévisée, pour être parfaite, doit refuser le temps qui passe et focaliser l'être sur l'instant, qui est aussi oubli des contraintes du monde et, d'abord, de la mort. Le temps de la série télévisée, simulation du temps linéaire, conjure la durée en donnant l'impression que rien ne s'arrête jamais. » C'est l'éternel présent et le profit pour le présent.

Le profit pour le présent

Le contexte intellectuel des années quatre-vingt s'est révélé éminemment favorable à cet aspect du modèle néo-américain. Ces années-là, en effet, furent d'abord celles d'une crise généralisée des systèmes de pensée, d'une apothéose de l'individualisme ludique, du triomphe de ce que Gilles Lipovetsky a appelé l'« ère du vide ». Cette « vision du monde » où « seules demeurent la quête de l'ego et de son intérêt propre, l'extase de la libération personnelle, l'obsession du corps et du sexe », et où « il y a hyper-investissement du privé et, en conséquence, démobilisation de l'espace public » (*L'Ère du vide*, Gallimard, 1986).

Or, dans ce climat désenchanté et caricaturalement individualiste, le modèle néo-américain offre l'avantage de fournir une idée forte et simple, une vulgate aussi rassurante que pouvait l'être, jadis, le catéchisme marxiste. Un maximum de profit, tout de suite ; une maximisation de l'intérêt individuel ; une préférence systématiquement accordée au court terme ; une défiance à l'égard de tout projet collectif... Sans compter la logique imparable, le cynisme discret et les manipulations médiatiques qui, paradoxalement, peuvent, à la limite, faire ressembler cette version importée du modèle néo-américain au modèle communiste dont il a triomphé.

Médiatiquement, en tout cas, il est en phase avec l'air du temps. Le culte du profit à tout prix offre l'avantage de la simplicité brutale et de la clarté, avantage d'autant plus puissant qu'il brille comme le seul nouveau repère stable dans cette sorte de brouillard d'incertitude et de désarroi où la perte des valeurs morales traditionnelles plonge notre époque.

La légitimation de la réussite personnelle, la mythification du « vainqueur » flattent l'individualisme ambiant. La priorité au court terme, le côté « après moi le déluge », le recours sans complexe au crédit et à l'endettement correspondent assez bien à l'hédonisme du moment : ce n'est évidemment pas dans les périodes de désenchantement moral ou philosophique, quand chacun est plus tourné vers le présent que vers l'avenir, que peut être aisément démontrée la nécessité de l'épargne ou l'importance du long terme. Quant à la loi de la jungle, n'est-ce pas celle qui reste, au bout du compte, lorsque toutes les autres « lois » et toute forme de réglementation collective se trouvent frappées de suspicion ? Comme un retour au « socle des réalités » après la faillite des idéologies.

Le succès du culte du profit dans les années quatre-vingt se mesure à la multiplication de ses sanctuaires. Jamais on n'a construit autant de *business schools* dont les livres sacrés commentent une même vulgate symbolisée par *Le Prix de l'excellence* (InterÉditions, 1983). L'excellence pour quoi faire ? Du profit, pardi ! Et du profit pour quoi faire ? Surtout ne posez pas cette question, car vous seriez immédiatement exclu du sanctuaire pour avoir mis en doute l'article premier du nouveau credo : *la finalité du profit est le profit.* Là-dessus, on ne transige pas. L'impératif catégorique est d'évacuer la question « philosophique » de la finalité pour se cantonner à l'étude

« technique » des moyens. Et elle débouche à son tour sur la nouvelle synthèse du capitalisme américain : le présent pour le profit, le profit pour le présent.

Un sophisme est donc, bien souvent, à l'œuvre dans l'enseignement du système économique érigé en principe directeur de la société : ce qui réussit est efficace, ce qui est efficace est vrai, donc ce qui réussit est vrai.

Notons d'ailleurs qu'un reflux de ces idées « branchées » et vaguement cyniques, à qui les années quatre-vingt avaient fait fête, est désormais perceptible. L'ivresse un peu sommaire du management sans état d'âme et de l'efficacité trop sûre d'elle-même paraît se dissiper. Une nouvelle mode, celle de l'éthique, prend déjà le relais chez les managers dans le vent, marquant les limites de l'utilitarisme d'hier. C'est aussi d'Amérique que nous vient ce vent nouveau. Je tiens à le souligner pour deux raisons. La première est que toute idée *made in America* est une idée prévendue, surtout en France ; or, si ce livre a un but, c'est bien de montrer que, désormais, le capitalisme ne peut plus contribuer au progrès de la société qu'à condition de se soumettre à une éthique et à une règle de droit international. La seconde raison est que le peuple américain, lui, prend l'éthique au sérieux, ce qui n'est guère le cas, en général, dans les pays latins.

Bon motif pour saluer au passage, parmi les auteurs français qui font exception, le sociologue Philippe d'Iribarne (*La Logique de l'honneur. Gestion des entreprises et traditions nationales,* Éd. du Seuil, 1989).

Les appas de Vénus et la vertu de Junon

Ce reflux des modes d'hier s'amplifiera probablement dans les années qui viennent. Mais il n'empêche. L'air du temps, la sensibilité du moment, sont encore très largement favorables au modèle néo-américain. On ne saurait en dire autant du modèle rhénan. Il a contre lui, sur presque tous les plans, d'aller à contre-courant. Le consensus social sur lequel il s'appuie n'est guère compatible avec la désyndicalisation et la crise plus générale des institutions collectives. Le soin qu'il entend prendre du long terme est incompatible, au moins en apparence, avec la consommation boulimique de l'immédiateté. La conception organique et communautaire de l'entreprise sur laquelle il se fonde n'est pas en phase avec l'individualisme frénétique qui prévaut. La méfiance dont il témoigne à l'égard de la spéculation boursière, les plans de carrière lents et réguliers qu'il offre à ses cadres ont des relents de moralisme désuet. Quant à la protection sociale et à la sécurité qu'il se flatte d'assurer aux salariés, elles ne coïncident guère avec le rêve en vogue d'une existence héroïque et aventureuse.

Le capitalisme rhénan, si l'on s'en tient aux apparences, est donc plutôt « ringard ». Il manque de « look ». Il n'est ni onirique, ni ludique, ni excitant. Lâchons le mot : le modèle rhénan n'est pas « sexy ». Alors que le modèle néo-américain attire par des appas semblables à ceux de Vénus, le rhénan ne rappelle que la légitimité ordinairement vertueuse de Junon. Qui connaît Junon ? Quel grand peintre, quel sculpteur a-t-elle inspirés ? Où sont les professeurs d'économie qui enseignent les leçons à tirer de l'extraordinaire succès économique et social de l'Allemagne ? Où sont les jeunes politiciens qui le présentent comme un modèle à leurs électeurs ?

On aurait tort de croire, cependant, que l'insuccès politique et psychologique du capitalisme rhénan s'explique purement et simplement par sa mauvaise médiatisation ou son incompatibilité avec les valeurs – disons plutôt les « non-valeurs » – à la mode. Plus profondément, ce sont bel et bien les courants de pensée et les valeurs dont il procède qui sont largement ignorés ou contestés.

Ignoré, le rôle de la doctrine sociale des Églises dans l'élaboration de l'« économie sociale de marché », qui a réuni principalement l'influence des catholiques dans la CDU (Parti démocrate-chrétien) et celle des protestants dans le SPD (Parti social-démocrate). Cette ignorance est d'autant plus étonnante que, de Jean XXIII à Jean-Paul II, l'autorité morale du catholicisme s'est renforcée à mesure que la doctrine sociale de l'Église s'approfondissait en découvrant et en valorisant la fonction créatrice de l'entreprise. Il vaut d'ailleurs de noter que, parmi tous les éléments qui rapprochent les pays rhénans du Japon, il y a une analogie profonde, quant à la fonction communautaire de l'entreprise, entre la philosophie confucéenne et la pensée sociétale des Églises. Mais cela aussi demeure ignoré. N'empêche que la « table rase » de l'après-communisme appelle le christianisme social à retrouver un dynamisme et une influence qui, depuis une génération, sont dans une large mesure restés confinés aux pays rhénans.

Contesté, le vaste courant social-démocrate qui, en Europe du moins, n'est pas étranger au modèle rhénan et à l'économie sociale de marché. On pourrait même avancer, comme le fait Pierre Rosanvallon, que ce que j'ai appelé dans ce livre le modèle rhénan, au fond, n'est pas très éloigné d'une remise en perspective, modernisée et mise à jour, de l'idéal social-démocrate. Or, la social-démocratie, dont les pays scandinaves – Suède, surtout – incarnaient la meilleure illustration, est, sur le plan des idées, en recul accéléré. Il est vrai qu'elle a perdu beaucoup de sa vitalité depuis une vingtaine d'années en se laissant dériver vers une sorte de travaillisme bureaucratique et paresseux. Un directeur d'usine suédois à qui un visiteur demandait : « Combien de personnes travaillent ici ? » eut cette réponse : « A peine la moitié. » De là, des taux d'impôts, d'inflation et d'investissement incompatibles avec les exigences de la concurrence européenne.

Les Suédois l'ont compris. Ils ont, à leur manière, entrepris depuis la fin des années quatre-vingt de rétablir leurs grands équilibres économiques, un peu comme l'avaient fait avant eux bien d'autres socialistes européens : Benito Craxi en Italie, Felipe Gonzalez en Espagne, Mario Soares au Portugal et surtout François Mitterrand en France.

La social-démocratie scandinave s'en remettra-t-elle ? C'est d'autant moins certain qu'elle a gravement pâti du grand reflux, ou même de l'effondrement, du socialisme étatique.

Un grand vide à l'Est

Je ne m'étendrai pas ici sur ce que François Furet a appelé « l'énigme de la désagrégation du communisme » (notes de la Fondation Saint-Simon d'octobre 1990), cet extraordinaire – et imprévisible – séisme idéologique dont nous n'avons pas fini de recenser toutes les conséquences. C'est d'ailleurs cette désagrégation, je le soulignais au début de ce livre, qui laisse dangereusement le capitalisme face à lui-même. C'est donc elle qui, finalement, justifie la réflexion que je m'efforce de mener dans ces pages. La fin du communisme et de l'affrontement Est-Ouest ne marque pas seulement le triomphe d'un système (libéral) sur un autre (étatique). Ce naufrage entraîne avec lui, comme dans un gigantesque tourbillon, tout un corpus d'idées, de réflexes, de sensibilités, d'analyses qui ne méritaient pas toujours de disparaître corps et biens. A long terme, bien sûr, l'Histoire triera. Mais on doit bien reconnaître que ce tri n'est pas encore fait.

Au contraire. Ce grand vide subitement ouvert à l'Est, c'est un peu comme si une cargaison désarrimée précipitait abusivement la « gîte » du bateau-monde d'un seul côté. En vérité, ce n'est pas seulement le communisme dans sa version stalinienne ou bureaucratique qui se trouve irrémédiablement compromis par cet échec historique. C'est, de proche en proche et injustement, tout ce qui se rattachait de près ou de loin à l'idéal socialiste, réformateur ou tout simplement social.

Il faut bien mesurer la puissance irrésistible de cette disqualification qui, pour l'instant, ne s'embarrasse pas de détails. Dans les pays de l'Europe de l'Est désormais, et même en Union soviétique, certains mots du vocabulaire courant sont à ce point usés, compromis par leur embrigadement sous la bannière du communisme, que personne n'accepte plus de les utiliser. Il en va ainsi pour les mots « parti », « collectif », « travailleurs », etc. Pour cette raison, la plupart des nouveaux partis politiques recréés en Europe de l'Est ont préféré s'appeler

« forum » (Tchécoslovaquie), « alliance » (Hongrie), « union » (Pologne). Et l'on chercherait vainement dans la nouvelle presse démocratique hongroise ou tchèque la moindre mention des mots d'hier – travailleurs, plan, objectifs stratégiques –, qui ont été engloutis avec le système lui-même.

Dans les pays de l'Ouest, bien sûr, nous n'en sommes pas là pour ce qui concerne le vocabulaire. Mais au sujet des idées, il n'est pas sûr que les conséquences du naufrage communiste soient fondamentalement différentes. Des notions comme la réduction des inégalités, des réalités comme le syndicalisme, des aspirations comme la discipline collective, des institutions comme le Plan ou même la fiscalité directe, des références comme la social-démocratie se trouvent insidieusement marquées du signe moins. Non pas vraiment discréditées au sens fort du terme, mais rendues plus ou moins suspectes. Le « grand vide » a donc créé, jusque chez nous, un grand vide à gauche et au centre gauche dans ce qu'on pourrait appeler la dialectique des idées.

De ce point de vue, la vie politique européenne est frappée d'hémiplégie. Un hémisphère est frappé de langueurs fatales (le gauche). Le phénomène n'est pas sans rappeler, mais à l'envers, ce qui s'était passé au lendemain de la Libération. A cause de la compromission d'une partie de la droite française avec Vichy et la collaboration, toute une sensibilité politique, culturelle et même littéraire se trouva pour longtemps disqualifiée. Et la gauche bénéficia, pendant près de trente ans, d'un monopole de fait sur la culture et l'Université.

Aujourd'hui, c'est la sensibilité de gauche – et même du centre – qui se trouve orpheline, pénalisée, privée de ses références et de ses certitudes. Rejetée, en somme, vers les ténèbres de l'échec historique. La France n'est pas la seule à être touchée par ce phénomène. Le centre de gravité politique en Europe se trouve aujourd'hui déporté vers le conservatisme, avoué ou non.

Le modèle néo-américain, qui passe pour une version pure et dure du capitalisme, tire naturellement profit de ce formidable appel d'air. Le modèle rhénan, au contraire, imprégné d'idées sociales, proche cousin de la social-démocratie, se heurte de plein fouet aux nouvelles sensibilités ultra-libérales.

On ajoute que le premier se présente comme rigoureux, transparent, intransigeant, vraiment professionnel ; l'autre au contraire est compliqué, un peu mou, opaque sinon obscur et mélangeant pour finir, dans une sorte d'amateurisme bien intentionné, les exigences sociales à côté des contraintes financières, des héritages du passé à côté des impatiences devant l'avenir. On comprend qu'il ne « passe » pas. Et pourtant, le temps n'est pas loin où la cassure entre les nouveaux riches et les nouveaux pauvres qui caractérise aujourd'hui la société américaine va se refléter à grande échelle et avec une violence incomparable dans les pays de l'Est. Alors, comme on commence à le voir en Pologne, il faudra bien commencer à s'intéresser à ce « capitalisme à visage humain » qui est en gros ce que j'essaie de désigner ici approximativement comme le modèle rhénan.

La réussite psychologique, médiatique et politique du capitalisme américain n'est donc pas aussi paradoxale qu'on pourrait le penser de prime abord. Mais elle entraîne des effets pervers qui ne sont pas toujours bien perçus. Lorsqu'il s'exporte, en effet, lorsqu'il « traverse l'Atlantique » pour infiltrer le modèle rhénan, séduire la Grande-Bretagne ou faire rêver la France, le capitalisme américain *n'apporte pas dans ses bagages ses propres antidotes*. Ceux-là mêmes qui fonctionnent peu ou prou outre-Atlantique et corrigent les excès de la « loi de la jungle » : légalisme méticuleux, sens moral d'inspiration religieuse, sens civique et esprit d'association, etc.

En Europe ou dans n'importe quel pays de l'hémisphère Sud, l'arrière-plan culturel est différent de celui de l'Amérique. Les divers freins, contrepoids, correctifs qu'on peut observer aux États-Unis n'existent pas, ou ne fonctionnent pas de la même façon. La version « exportée » du capitalisme américain, celle que vénèrent un peu distraitement les ultra-libéraux européens, s'y révèle donc plus dure, moins équilibrée, plus « jungle » que la version originale. Appliquée sans précaution, c'est l'équivalent d'un remède de cheval qu'on prétendrait utiliser sans disposer des antidotes qui en corrigent les excès. Les pays d'Europe de l'Est risquent de faire l'expérience de ce type de transposition trop brutale.

Vive les multinationales !

Il y a toutefois une exception de taille à la tendance nouvelle qui veut que ce soit le modèle le moins performant qui l'emporte. Elle concerne l'essentiel des grandes compagnies multinationales. C'est paradoxal, mais c'est ainsi. Quoi de plus américain qu'American Express, Coca-Cola, Citicorp, Colgate, Ford, IBM ou McDonald's ? *A priori,* elles sont l'expression même du modèle américain. Mais, si l'on y regarde de plus près, c'est tout différent : les grandes multinationales américaines sont atypiques par rapport au modèle néo-américain sur deux points essentiels.

D'une part, ces entreprises se sont développées essentiellement par croissance interne, sur un projet industriel porté par l'innovation technologique ou commerciale. Elles n'ont donc cessé de raisonner dans le long terme. Ce sont elles qui ont inventé la planification d'entreprise et leurs succès qui ont inscrit la planification d'entreprise au programme des *business schools.*

D'autre part, pour pouvoir se développer sur tous les continents, ces entreprises ont été obligées de recruter dans de nombreux pays, de former leur personnel à une culture d'entreprise et à un concept marketing cohérents. Cela ne se fait pas du jour au lendemain. C'est pourquoi les multinationales sont contraintes de placer pour l'essentiel leurs politiques de relations humaines hors marché du travail, de prodiguer à leur personnel une formation permanente et de lui assurer une véritable carrière.

A ce double titre, *les grandes multinationales américaines relèvent plutôt du modèle rhénan que du modèle néo-américain.*

Regardons maintenant le cas des multinationales d'origine européenne, les ABB, Bayer, Nestlé, L'Oréal, Schlumberger ou Shell, par exemple. Elles se caractérisent, plus encore sans doute que les multinationales américaines, par les mêmes traits.

A cet égard, le cas de Shell mérite une mention particulière pour trois raisons : d'abord, cette entreprise aurait dû « normalement » être une sorte d'handicapée de naissance, puisqu'elle a été constituée à 40 %-60 % entre des intérêts anglais et hollandais ; or, un quasi-équilibre financier de ce type est habituellement considéré comme un facteur d'impuissance. Pourtant, la Shell s'est hissée au premier rang des profits mondiaux, et cela, dans une large mesure, grâce à l'excellence de sa prévision économique : j'ai pu constater que, plusieurs années à l'avance, les économistes de la Shell étaient probablement les seuls au monde à avoir su prévoir le choc pétrolier et convaincre les dirigeants de construire leur stratégie à partir de cette prévision. Enfin, bien que d'origine européenne, la Shell a toujours pratiqué un code éthique particulièrement exigeant et accepté par son personnel.

L'ensemble des autres compagnies citées présentent au moins deux traits communs qui ouvrent pour l'avenir les perspectives d'une synthèse d'optimalisation entre les deux modèles de capitalisme.

En premier lieu, toutes ces compagnies, si anciennes, si puissantes soient-elles, échappent à la loi universelle de la biologie des organisations qui veut que, plus on est gros, plus on est vieux et plus on risque de se laisser engourdir par le parasitisme bureaucratique des états-majors pléthoriques et la démotivation des employés de « grosses boîtes riches ».

Pourquoi les grandes multinationales font-elles exception à cette loi ? Parce que, cotées en Bourse, elles sont, malgré leur puissance, dépendantes du marché financier, cet impitoyable entraîneur des champions, cet incomparable gardien de la forme olympique. Mieux, plus elles sont puissantes, plus elles se développent et plus sont grands leurs besoins d'investir et donc de recourir à des augmentations de capital en Bourse, lesquelles supposent que leurs actionnaires soient des actionnaires heureux.

En second lieu, si les grandes multinationales sont *dépendantes* du marché financier, elles ne sont pas *soumises* à ses caprices : leur capital est toujours largement réparti ; aucun actionnaire n'en possède une part telle qu'elle lui donne un pouvoir particulier. Et surtout, la taille financière de ces grandes multinationales est telle qu'elle les protège contre tout raid extérieur, toute OPA inamicale. Cela dure en principe au moins aussi longtemps que leur rentabilité se maintient et que leurs distributions de dividendes augmentent.

Ainsi fouettées quotidiennement par les exigences normales du marché, mais impavides face à ses agitations arbitraires, elles peuvent – et elles doivent – consacrer toutes leurs forces à développer, chacune, sur le long terme, sa stratégie industrielle et intercontinentale propre, œuvre commune des élites qu'elles valorisent et fédéralisent un peu partout à travers le monde. C'est même dans la mesure où elles savent devenir véritablement multiculturelles qu'elles accomplissent un véritable développement multinational. Alors que le modèle rhénan a tendance à sous-estimer les valeurs tonifiantes du marché financier, les multinationales européennes lui rendent l'hommage de leurs propres succès.

A ces différents titres, et qu'elles soient d'origine américaine ou européenne, les grandes multinationales présentent l'image d'une sorte de synthèse optimale dépassant à la fois les risques de protectionnisme contenus dans le capitalisme rhénan et les dangers d'addiction financière du capitalisme néo-américain.

10
La seconde leçon de l'Allemagne

On se souvient de la première « leçon » de l'Allemagne : cette alliance paradoxale exemplaire entre *performance* et *solidarité* caractérise l'économie sociale de marché (chapitres 5 et 6). Cependant, il faut l'avouer, cette leçon n'a guère été comprise, ni même enseignée. Au contraire, vers la fin des années quatre-vingt, l'Allemagne était de plus en plus critiquée pour sa politique conjoncturelle, ce qui oblitérait les vertus de son modèle : l'arbre cacha la forêt.

Ces critiques ont été balayées, en 1990, par la réunification menée tambour battant par le chancelier Helmut Kohl. Jamais peut-être, dans l'histoire, un si haut défi de performances économiques n'avait été lancé à la solidarité politique et sociale. En osant relever ce défi, l'Allemagne du modèle rhénan s'engage dans une expérience extraordinairement exemplaire à l'échelle européenne et même mondiale.

Le bouc émissaire de l'eurosclérose

Pendant les années quatre-vingt, à l'époque flamboyante du reagano-thatchérisme, le modèle allemand ne faisait vraiment pas recette. On avait tendance à voir en lui une vieille mécanique sans grand avenir dont les frilosités et le traditionalisme pénalisaient les partenaires européens de la RFA. Plus concrètement, deux types de reproches lui étaient adressés.

1. On le rendait responsable des langueurs dont souffrait l'économie européenne, la fameuse *eurosclérose*. Depuis le premier choc pétrolier en 1974, l'Europe ne parvenait plus à retrouver le rythme de croissance qui avait été le sien après 1945 tout au long des « Trente Glorieuses ». En fait, les taux de croissance des économies européennes restaient *grosso modo* divisés par deux. Américains et Japonais, au contraire, n'avaient pas connu de rupture comparable. Leurs économies continuaient de croître, à un rythme certes légèrement inférieur mais néanmoins comparable. Si l'on fait exception des années qui suivirent immédiatement les deux chocs pétroliers, le rythme de l'emploi restait d'ailleurs satisfaisant et s'améliorait même brillamment aux États-Unis.

Dans cette Europe qui paraissait condamnée à la stagnation, l'eurosclérose physique prenait un tour psychosomatique que l'on désignait couramment à l'époque du mot d'*europessimisme*.

Destin inévitable des nations vieillissantes, poids excessif et contraintes paralysantes de la protection sociale, manque de dynamisme des travailleurs et des élites, toutes ces explications générales étaient formulées à partir d'une accusation plus spécifique de l'Allemagne. On lui reprochait volontiers de ne plus jouer son rôle de locomotive économique au sein de la Communauté. Les Allemands, disait-on, se moquent du sort de leurs voisins et se contentent d'un taux de croissance de l'ordre de 2 % par an, bien suffisant à assurer leur prospérité. Deux raisons à cela :

– D'abord, l'Allemagne se trouvait confrontée à un déclin démographique qui rendait moins nécessaire une croissance soutenue. La proportion des personnes âgées de plus de 65 ans y était, comme en Suède, la plus élevée du monde occidental. Les projections démographiques montraient d'ailleurs que cette proportion dépasserait les 25 % vers 2030. Une telle situation signifie moins d'emplois à créer, moins d'infrastructures à construire (crèches, écoles, universités, logements...), moins de besoins nouveaux à satisfaire. A quoi bon, dans ces conditions, s'acharner à maintenir une croissance élevée ?

Par comparaison, la France se trouvait, elle, confrontée à la nécessité d'accueillir les générations du baby-boom. Elle devait donc courir après les points de croissance supplémentaires qui permettraient de créer des emplois, de financer les équipements indispensables, de fournir en somme à tous ces *baby-boomers*, qui furent les artisans de Mai 68, l'accès à la société de consommation !

Enfin, la monnaie forte !

Dans cette perspective, le ralentissement économique, conséquence de la langueur démographique, paraissait aggravé, en quelque sorte, par une volonté farouche de respecter une stricte orthodoxie financière. Les Allemands, on le sait, ont hérité de l'Histoire une sainte horreur de l'inflation, source de tous leurs malheurs d'avant-guerre et partiellement responsable de l'avènement du nazisme. La charte fondatrice de la Bundesbank, issue de la réforme monétaire de 1948, fait d'ailleurs obligation aux autorités financières d'assurer la stabilité du mark. Et puis, le cuisant échec de la fin des années soixante-dix était encore présent dans tous les esprits d'outre-Rhin. A cette époque, les Allemands avaient cédé aux demandes de leurs partenaires occidentaux qui les pressaient de jouer leur rôle de locomotive. Résultat : ils s'étaient retrouvés « dans le rouge ».

Enfin, l'Allemagne entendait garder une monnaie forte pour profiter du « cercle vertueux » que j'ai décrit au chapitre 6. Une telle politique exige de donner à court terme la priorité aux grands équilibres financiers sur la croissance économique pour pouvoir consolider celle-ci à moyen terme. Il s'agit, avant tout, pour juguler l'inflation et maintenir la stabilité du deutsche mark, de limiter le déficit budgétaire et de relever au besoin les taux d'intérêt. Une discipline draconienne, mais dont les Allemands continuaient à tirer profit.

On les accusait alors de pratiquer une politique de monnaie forte à cause de leur *faiblesse démographique*. Les vieux résidus du keynésianisme qui subsistaient sur le Continent et se dissimulaient au Royaume-Uni derrière les fausses vertus monétaristes du thatchérisme parvenaient encore à faire croire que le dynamisme économique requiert un certain laxisme monétaire. Cette critique était particulièrement vive chez les partenaires européens qui, eux, se trouvaient aux prises avec un chômage important et une démographie plus exigeante en terme d'emploi. En effet, par le biais du système monétaire européen (SME), la rigueur allemande se propageait dans la CEE. Dans un système de changes fixes, nous l'avons vu, où la liberté de circulation des capitaux est totale, les politiques monétaires ne sauraient être indépendantes. Aucun pays ne peut, dans ce contexte, s'écarter durablement de la tendance générale en matière de taux d'intérêt. S'il baisse unilatéralement ses taux, les capitaux émigrent vers des placements plus rémunérateurs et, par conséquent, sa monnaie va baisser par rapport aux autres. Les impulsions et les choix monétaires du pays le plus puissant, possédant la monnaie phare, se transmettaient donc aux autres pays membres du SME. Via les taux d'intérêt, l'orthodoxie allemande s'imposait ainsi à ses voisins.

A cette époque, certains des partenaires de l'Allemagne stigmatisaient son intransigeance en lui reprochant d'accumuler des excédents commerciaux et d'utiliser sa puissance monétaire pour leur « dicter sa loi ».

Mais ces critiques se sont atténuées à mesure que les mêmes pays, traditionnellement inflationnistes, ont mesuré les progrès que les disciplines du SME permettaient à leurs économies d'accomplir. Ces progrès ont été particulièrement frappants dans les pays latins gouvernés par des socialistes : France, Italie, Espagne, Portugal. Parmi les socialistes, la presse anglo-saxonne a souvent désigné le ministre français de l'Économie et des Finances, Pierre Bérégovoy, comme l'homme symbole du franc fort. Enfin !

2. Le second reproche adressé à l'Allemagne concernait le modèle allemand lui-même. L'immobilisme des structures industrielles et financières, par exemple, était sévèrement critiqué, notamment par tous ceux que fascinait le modèle néo-américain, avec sa fièvre d'OPA, ses coups de Bourse, ses rêves tous azimuts et ses restructurations à la hache.

A leurs yeux, le modèle allemand ne résistait plus à la comparaison. Son marché financier demeurait étroit et languissant ; ses groupes industriels se trouvaient prisonniers d'un capital trop peureusement verrouillé. Quant à l'économie sociale de marché, responsable de cet immobilisme, elle était jugée anachronique. Certains allaient jusqu'à prédire un recul inéluctable de l'économie allemande et un affaiblissement des entreprises d'outre-Rhin. Je garde un souvenir cuisant de ce courant de pensée. Il se trouve que je préside à Paris le CEPII (Centre d'études prospectives et d'informations internationales) qui, grâce à des équipes et à une série de directeurs remarquables, est souvent considéré – notamment aux États-Unis – comme l'un des meilleurs instituts de sa catégorie. Or, en octobre 1981, la revue scientifique du CEPII a publié un article dont le titre prête aujourd'hui à sourire : « La désindustrialisation au cœur du modèle allemand ».

Au total, les Allemands étaient présentés comme des rentiers assis sur leurs excédents et uniquement soucieux de profiter égoïstement de leurs richesses. La consommation par tête était, en 1985, *la plus forte d'Europe* avec 8 000 dollars par an. Le taux d'épargne, à la différence de ce qui se passait partout ailleurs, avait tendance à croître. La balance commerciale, quant à elle, allait de record en record et enregistrait en 1988 un excédent de 130 milliards de marks.

C'est cette Allemagne béate de succès et de confort qui reçut la réunification comme un électrochoc.

L'électrochoc de la réunification

Nul n'imaginait que la RFA réagirait si vite et si énergiquement au double défi, politique et économique, de la chute du mur de Berlin. Pour mesurer l'ampleur de ce défi, il faut se souvenir des inquiétudes et des interrogations que suscita, au début, la question de la réunification.

Sur le plan intérieur d'abord, et passé le premier moment de pure émotion patriotique, beaucoup d'Allemands de l'Ouest redoutèrent que leurs cousins de l'Est ne leur coûtent très cher et ne menacent, au bout du compte, leur mode de vie. Qu'allait devenir le système de sécurité sociale, aussi généreux qu'efficace ? Une réaction de méfiance se dessinait déjà, face aux quelque 700 000 réfugiés arrivés de l'Est en quelques semaines.

On redoutait également les conséquences politiques de cette réunification. De nombreuses incertitudes, en effet, pesaient sur la configuration politique de la future Allemagne. La réunification voulue par Helmut Kohl ne risquait-elle pas de se retourner contre son propre parti ? Les chrétiens-démocrates étaient si loin d'être assurés de se maintenir au pouvoir dans une Allemagne réunifiée que tous les sondages donnaient les sociaux-démocrates principaux bénéficiaires de l'opération. Il y eut même un moment, pendant l'été 1990, où la réunification était plus populaire... en France qu'en RFA !

Sur le plan international, les incertitudes et les inquiétudes n'étaient pas moins nombreuses. Les Allemands étaient parfaitement conscients du trouble très profond que risquait de susciter chez leurs partenaires européens la perspective d'une Communauté dominée par le nouveau géant d'outre-Rhin et ses quatre-vingts millions d'habitants.

Il est vrai que tout l'équilibre européen de l'après-guerre reposait sur le partage de Yalta et la division de l'Allemagne, puissance vaincue. L'existence des deux États allemands garantissait le statu quo né de l'opposition des blocs, notamment sur le plan militaire. Dans le domaine nucléaire, les arsenaux stratégiques démesurés des deux grands, la fameuse « parité », réelle ou supposée, assuraient l'équilibre de la terreur. Et, sur le théâtre européen, les missiles à moyenne portée (Pershing d'un côté, SS 20 de l'autre) enracinaient la doctrine de la dissuasion sur le sol même de la vieille Europe. Les Européens, en somme, pouvaient se détruire eux-mêmes, à partir de chez eux. En matière d'armements conventionnels, les troupes de l'OTAN et celles du pacte de Varsovie étaient entraînées et équipées pour une guerre au centre-Europe. Les deux camps alignaient hommes, blindés, avions et pièces d'artillerie en nombre suffisamment important de part et d'autre pour laisser planer la menace d'un choc titanesque, menace elle aussi dissuasive.

Les Allemands, dans tous les cas, se sentaient concernés au premier chef par un conflit potentiel. D'abord parce que celui-ci se déroulerait fatalement sur leur territoire, ensuite parce que les deux armées allemandes, celles de RFA et de RDA, étaient en première ligne. D'où la vigueur grandissante du mouvement pacifiste en RFA et de ce « national-pacifisme » allemand qui constituait en quelque sorte le pendant militaire de l'« égoïsme » économique que j'évoquais plus haut.

C'est cet équilibre relativement rassurant qui risquait d'être chamboulé par la réunification. Et l'on se demandait avec une certaine inquiétude ce qu'il adviendrait des blocs, de la stratégie militaire, des armées et des arsenaux. La réunification, en somme, était perçue comme un trouble, voire une menace. Quant à l'attitude future de la nouvelle Allemagne réunifiée, elle ne laissait pas d'inquiéter, elle non plus. De quel côté allait-elle se tourner ? N'était-elle pas tout à la fois ancrée à l'Ouest par son régime capitaliste et irrésistiblement attirée vers l'Est, *via* l'*Ostpolitik* décidée par Willy Brandt au début des années soixante-dix ?

Mais les craintes des partenaires de l'Allemagne n'étaient pas moins vives en matière économique. Le souvenir de la *Gross Deutschland* semait quelque effroi à Bruxelles et chaque pays européen réagissait déjà à sa façon. Les Anglais en resserrant leurs liens avec les cousins d'Amérique et en rêvant d'une nouvelle entente cordiale. Les Français en évoquant le souvenir de la vieille politique franco-russe pour constituer une alliance de revers.

Il est vrai que de nombreux obstacles économiques semblaient se dresser sur la route de la réunification. Son coût prévisible, d'abord, estimé par H. Siebert entre 600 et 1 200 milliards de marks, paraissait énorme, même pour un pays comme la RFA. Mais il y avait surtout les conséquences macro-économiques qu'on pouvait légitimement redouter. Le financement de la réunification exigerait un appel massif aux marchés financiers, ce qui, dans un contexte marqué par la diminution de l'épargne et l'augmentation des besoins en capitaux, allait provoquer de nouvelles tensions sur les taux d'intérêt. Cette gigantesque ponction opérée sur les marchés par les Allemands risquerait de détourner les capitaux étrangers de s'investir dans d'autres pays moins prestigieux et d'autres placements moins sûrs.

D'autre part, la surchauffe de l'économie allemande provoquée par un surcroît de demande en provenance des citoyens de l'ex-RDA risquait de relancer l'inflation. Or l'économie mondiale est habitée par des tensions inflationnistes persistantes. Les déficits vertigineux de l'Amérique, le volume des liquidités en circulation et le haut niveau des taux d'utilisation des capacités de production en sont responsables. Je suis persuadé, depuis le milieu des années quatre-vingt, que l'économie des pays développés ne risque plus de retomber durablement dans un état de forte inflation (10 % et plus) : la propagation de ses effets, à l'époque de l'informatisation globale des marchés en temps réel, serait si terrible pour la compétitivité des entreprises que des contre-mesures restrictives seraient immédiatement appliquées. Mais beaucoup, qui ne partagent pas ce pronostic, voyaient dans la réunification comme une étincelle risquant de mettre le feu au « baril des prix ».

Sur le plan social, enfin, on pouvait s'interroger sur la manière dont seraient résorbées les immenses disparités existant entre RDA et RFA. Les salaires bruts par tête étaient en effet trois fois plus faibles en RDA. Cet écart n'était-il pas, en soi, explosif ? D'autant plus, d'ailleurs, que l'éventail des prix était totalement différent dans les deux parties de l'Allemagne. Certains prix courants (pain, pommes de terre, loyers et transports) étaient cinq fois moins élevés dans l'ex-RDA. D'autres, en revanche, comme ceux des biens durables (téléviseurs, réfrigérateurs, micro-ordinateurs), étaient de deux à dix fois supérieurs. Les Allemands de l'Est auraient donc beaucoup de mal à satisfaire, comme avant, leurs besoins essentiels et ne pourraient pas, dans le même temps, accéder aux délices de la société de consommation. Tout cela était – et demeure – lourd de menaces.

D'autres difficultés, moins arithmétiques, s'annonçaient que nul ne songeait à minimiser : celles qui procèdent des différences culturelles entre les deux Allemagnes. Des études et sondages divers réalisés fin 1990 montraient que quarante années de vie séparée avaient forgé des mentalités, des sensibilités, des modes de vie différents. Sur le plan religieux, par exemple, on constatait que 7 % des adultes de RFA seulement se déclaraient athées contre 66 % dans l'ancienne RDA. D'une manière plus générale, certains termes ou concepts utilisés à l'Ouest n'étaient tout simplement pas compris à l'Est. Les agences de publicité allaient en faire l'expérience à leurs dépens.

Tous ces problèmes additionnés mesurent l'incroyable difficulté du défi devant lequel se trouvait placée l'Allemagne. Peu de pays, en vérité, auraient osé le relever aussi énergiquement. Beaucoup auraient été tentés par une approche plus graduelle et progressive des problèmes. Beaucoup se seraient sentis paralysés par le souci de ne pas faire de vagues, de ne pas susciter d'inquiétudes ou de désarrois trop dangereux. Le risque d'enlisement, alors, aurait été d'autant plus grand que toute la réunification reposait sur son acceptation par l'URSS. Il fallait donc se dépêcher de la rendre irréversible avant qu'une évolution dangereuse – toujours possible – ne se produise à Moscou, amenant une reglaciation. Les difficultés rencontrées par les partisans de Mikhaïl Gorbatchev fin 1990 ont montré que ces craintes n'étaient pas infondées. Les Allemands ont eu raison d'aller vite...

La belle audace d'Helmut Kohl

Ce fut le choix délibéré du chancelier Kohl, prenant tout le monde à contre-pied. Une politique marquée par l'audace et la rapidité qui a permis au gouvernement allemand de faire sauter tous les verrous.

Le premier obstacle, celui qui tenait au contexte international, a été levé immédiatement. L'Allemagne unie a, en effet, tout de suite fait savoir qu'elle resterait membre à part entière de l'OTAN sans que les Soviétiques, pris de court, soient en mesure d'opposer à ce choix une résistance, même symbolique. Helmut Kohl a obtenu du même coup – moyennant finance, il est vrai – que les divisions de l'Armée rouge stationnées dans l'ex-RDA programment leur départ du pays, sans pertes ni fracas, selon un calendrier précis. Il en coûtera 12 milliards de marks à l'Allemagne, ce qui n'est pas trop cher payé pour ce type de « libération » militaire. Le mark, en somme, a vaincu les tanks et les canons.

Quant aux réticences européennes, elles ont été apaisées en un temps record. Les partenaires de la RFA ont été littéralement bousculés par la rapidité fulgurante d'un mouvement qu'ils étaient incapables de maîtriser et dont le véritable organisateur était à Bonn. La diplomatie allemande, il est vrai, s'est employée à dissiper les craintes – notamment françaises – en marquant solennellement son attachement à la Communauté. La hantise du retour de la « grande Allemagne » qui avait tant fait couler d'encre et de salive s'en est trouvée rapidement conjurée.

Sur le plan intérieur, les adversaires politiques d'Helmut Kohl, qui fondaient des espoirs électoraux sur la réunification, en ont été pour leurs frais. Ils ont subi une cruelle défaite politique lors des premières élections organisées dans l'ex-RDA tandis qu'ils perdaient du terrain à l'Ouest. La coalition chrétienne-libérale a emporté très largement les deux scrutins, donnant aux partis au pouvoir une confortable majorité.

A l'audace d'Helmut Kohl, s'ajoutait un effort de solidarité sans précédent de la part des autorités de RFA. La charge pesant sur les finances publiques (budget fédéral, des Länder et des organismes de sécurité sociale) est en effet très lourde. Les estimations raisonnables tablent sur 120 milliards de marks par an pendant cinq ans, soit un total de 600 milliards. Une partie de cette somme sera couverte par un « fonds pour l'unité allemande » doté de 115 milliards de marks. Cette somme équivaut à peu près aux investissements externes annuels de la RFA. Si l'on veut une autre comparaison, disons qu'elle représente un peu moins de la moitié de l'épargne totale des ménages. C'est donc un effort considérable qui sera demandé aux contribuables et aux cotisants, sauf à imaginer un recours général à l'emprunt dont les conséquences auraient pu être dangereuses (augmentation de la charge de la dette qui risquait d'atteindre 100 milliards de marks par an, hausse des taux d'intérêt, drainage des capitaux internationaux, etc.).

Cette hypothèse est maintenant dépassée. Certes, pendant la campagne électorale, le chancelier Kohl n'avait pu éviter de laisser entendre que la réunification pourrait être faite sans aucune augmentation d'impôts. On voit ici à quel point le postulat de base du néocapitalisme américain, à savoir cette psychose antifiscale partie de Californie à l'époque des hippies, exerce sa contagion sur le monde : même en RFA, pays phare du modèle opposé ; même au moment du grand élan patriotique de la réunification, contre toute vraisemblance, le chancelier Kohl a été obligé de sacrifier à cette psychose antifiscale. Mais, dès le début de 1991, il n'a pu manquer de demander au Parlement de substantielles augmentations d'impôts.

On estime qu'en 1991, les transferts de fonds publics de l'Ouest vers l'Est s'élèveront à environ 150 milliards de marks, soit plus de 500 milliards de francs, presque l'équivalent de ce que les Français consacrent, au total, à leurs dépenses de santé ! Ou encore, plus de trois fois le produit de l'impôt sur le revenu dans notre pays. C'est dire que cet effort budgétaire est énorme, et même sans précédent.

Mais il est exceptionnel à un autre titre : alors qu'à peu près partout dans le monde, les inégalités, on l'a vu, augmentent à nouveau comme au XIXe siècle, à l'époque du capitalisme « sauvage », il y a un seul lieu au monde où la priorité des priorités, si coûteuse soit-elle, demeure la réduction des inégalités entre les habitants.

La réunification n'est pas seulement payée par des fonds publics. Le secteur privé est partie prenante à l'opération, grâce aux nombreux accords de coopération conclus entre des grandes firmes ou des PME ouest-allemandes et des entreprises ex-RDA. Coopération d'autant plus nécessaire que l'ouverture des entreprises est-allemandes à la concurrence et à la « vérité du marché » a précipité nombre d'entre elles vers la faillite. Le Treuhandanstalt, qui a repris toutes les entreprises est-allemandes afin de les privatiser, leur a ainsi consenti et garanti des prêts pour un montant total de 55 milliards de marks en 1990. A noter qu'une bonne moitié de ces prêts n'a aucune chance d'être recouvrée. Dans l'ensemble, l'effort de « mise à niveau » du nouveau secteur privé de l'ex-RDA exigera des investissements énormes qui devront être pris en charge par les entreprises de l'Ouest.

SOURCE : Plantu, *C'est la lutte finale*, La Découverte/Le Monde, 1990, p. 135.

Mezzogiorno ou cinquième dragon ?

Cet effort financier sans précédent consenti par l'Allemagne pour racheter en quelque sorte ce « tiers séparé » d'elle-même qui était littéralement en faillite témoigne à coup sûr d'une belle audace et d'une grande générosité. Mais l'Allemagne n'ignore pas qu'elle sera payée de retour et que l'absorption de l'ex-RDA lui vaudra un surcroît de croissance. Elle est même devenue le principal pôle de croissance et de stabilité du monde. Bénéfice parfaitement bienvenu en cette période de ralentissement économique général. Certes, il est difficile d'évaluer dès à présent les conséquences à moyen et long termes de la réunification sur l'économie allemande. Mais au moins peut-on se risquer à esquisser quelques scénarios vraisemblables. Le Centre d'études prospectives et d'informations internationales envisage deux variantes pour les cinq ans à venir.

1. Un premier scénario qu'il appelle *« cinquième dragon »*, par référence aux quatre « dragons » asiatiques. C'est le scénario le plus optimiste, qui suppose une croissance spectaculaire dans l'ancienne RDA. Il est fondé sur trois hypothèses. D'abord, une augmentation modérée des salaires dans l'ex-RDA qui, en 1995, amènerait ceux-ci à 75 % de ce qu'ils sont en RFA (contre 30 % en 1990 et déjà 50 % en 1991). Ensuite, un volume d'investissement dans l'ex-RDA représentant 110 milliards de marks par an jusqu'en 1995. Enfin, un taux de pénétration des produits étrangers égal à 40 % et une diminution progressive de l'émigration des citoyens de l'ex-RDA, émigration qui passerait de 360 000 personnes en 1990 à 50 000 en 1995.

Si ces hypothèses étaient vérifiées, les résultats de la réunification sur l'économie de l'Allemagne tout entière seraient spectaculaires. Sa croissance moyenne atteindrait 3,7 % par an sur six années (de 1990 à 1995). Le taux d'inflation demeurerait inchangé. Le taux de chômage resterait inférieur à 8 % de la population active en 1995. Quant à la balance des paiements courants, elle enregistrerait toujours un fort excédent, représentant environ 2,7 % du PIB.

En outre – et c'est l'un des points les plus intéressants –, les disparités entre les deux parties de l'Allemagne seraient progressivement gommées, le chômage n'atteignant que 11,8 % dans l'ex-RDA et le solde des paiements courants n'y étant négatif que de -1,2 % du PIB.

A noter enfin que, dans ce scénario, le dynamisme allemand

entraîne des conséquences favorables pour l'ensemble des économies de l'OCDE, aussi bien en termes de croissance qu'en matière d'inflation, de déficit budgétaire et de balance des paiements. D'ores et déjà, au premier trimestre 1991, les ventes d'automobiles françaises ont baissé de 20 % en France et augmenté de 40 % en Allemagne. C'est le scénario de l'intelligence, du long terme et de la patience.

2. Le second scénario a été baptisé *Mezzogiorno,* par référence au Sud de l'Italie qui, en dépit des efforts du gouvernement italien, continue d'enregistrer un retard considérable par rapport au Nord. Les hypothèses retenues pour ce scénario sont les suivantes : la croissance des salaires dans l'ex-RDA est nettement plus rapide puisque ceux-ci atteignent 90 % de ceux de la RFA dès 1995. Là est la différence essentielle : c'est le scénario de l'impatience et du « il n'y a qu'à » qui se refuse à entendre raison. Deux conséquences immédiates : les investissements y sont en revanche inférieurs et s'établissent aux alentours de 90 milliards de marks par an sur les six ans ; l'émigration demeure importante (200 000 personnes par an sur la période).

Les résultats de ce scénario sont évidemment beaucoup moins favorables. La croissance du PIB allemand n'est que de 3,5. Le chômage s'établit à 9,8 % de la population active. L'inflation s'accélère légèrement et la balance des paiements courants voit son excédent chuter à 1,2 % du PIB. Mais la différence la plus significative par rapport au scénario « cinquième dragon », c'est que les disparités se creusent profondément entre les deux parties de l'Allemagne. Dans l'ex-RDA, le chômage touche 20,8 % de la population active en 1995 et le solde négatif des paiements courants atteint -16,1 % du PIB.

Comme le soulignent les experts du CEPII, on assisterait alors en quelque sorte à une désindustrialisation et voire à une désertification économique de l'ex-RDA.

Quels enseignements tirer de ces deux scénarios ? D'abord que l'ex-RFA a tout à gagner à une solidarité plus affirmée au profit de l'ex-RDA, même si, dans l'immédiat, cette solidarité est coûteuse. Le scénario « cinquième dragon », qui mobilise davantage de fonds publics et réclame plus de sacrifices, se révèle, à terme, bien plus bénéfique pour tous que le scénario Mezzogiorno, qui table, lui, sur une solidarité moins agissante. Seconde leçon encore plus importante : il faut noter que, selon le scénario « cinquième dragon », les salaires dans l'ex-RDA augmentent sensiblement moins vite que dans le scénario Mezzogiorno. La rigueur salariale est la condition indispensable pour réduire le chômage et accélérer la croissance.

Les Français ont compris cela entre 1981 et 1984. Partis avec l'idée que, pour lutter contre le chômage, il fallait travailler moins et gagner plus, ils ont peu à peu, douloureusement, compris que l'augmentation des salaires nominaux, au lieu d'augmenter le pouvoir d'achat, avait tendance à le réduire tout en aggravant le chômage. C'est cet extraordinaire progrès de la conscience économique dans l'opinion qui a entraîné la reconnaissance de l'entreprise, le redressement de l'économie française et même, pour la première fois dans notre histoire, un véritable consensus sur l'efficacité du capitalisme. C'est à un défi d'une nature semblable, mais d'une ampleur infiniment plus grande, que l'Allemagne de l'Est et les pays d'Europe centrale sont aujourd'hui confrontés. Dès la campagne électorale, Helmut Kohl ne manquait jamais de rappeler, à l'Est, que « le chemin vers le bien-être sera long et difficile », mais ses avertissements se perdaient dans les applaudissements et les *Deutschland Einig Vaterland!* Et aujourd'hui, quand les manifestations anti-chômage se multiplient et que les métallurgistes de l'ex-RDA obtiennent pour 1994 la parité de leur salaire avec ceux de leurs camarades de l'Ouest, la question est bien de savoir si l'ex-RDA n'est pas en train de déraper, à cause d'une augmentation trop rapide des salaires, vers le scénario Mezzogiorno.

Le « désastreux » contresens de M. Poehl

C'est dans ce contexte que le président de la Bundesbank, M. Otto Poehl, a déclaré le 26 mars 1991 à Bruxelles que l'Union monétaire interallemande (UMA) « constitue un exemple de ce que nous ne devons pas faire en Europe », reprochant au gouvernement allemand d'avoir « introduit le deutsche mark à l'Est du jour au lendemain, pratiquement sans aucune préparation, sans possibilité de corriger le tir, et, qui plus est, avec un taux de conversion inadéquat. Les effets sont désastreux ».

Ce qui est « désastreux », c'est surtout cet adjectif sans précédent dans la bouche d'un responsable de banque centrale, et *a fortiori* de la « BUBA ». Certes, on comprend qu'il ait tout fait pour dissuader le gouvernement de Bonn de se mettre dans la nécessité d'emprunter pour financer la réunification, c'était son rôle. Mais de là à se venger d'un aussi heureux échec et à condamner du même coup l'union monétaire européenne, il y a loin. Que la déclaration historique de M. Poehl ait immédiatement fait baisser le deutsche mark est secondaire. Plus grave, le fait d'avoir si tôt oublié que, si le chancelier Kohl n'avait pas agi immédiatement, sans hésitation, créant l'irréversible, nul ne peut affirmer que le rideau de fer ne serait pas retombé au milieu de Berlin. A l'origine de ce mouvement de colère, il y a une blessure d'amour-propre. Au moment de la réunification, les rapports de productivité entre l'ex-RDA et l'ex-RFA étaient de l'ordre de 1 à 2, voire 1 à 3 (le même ordre de grandeur qu'avec le Portugal). Se plaçant d'un point de vue technique, la BUBA proposait un taux de change en conséquence. Le chancelier Kohl a tranché en sens contraire, choisissant l'« option 1 pour 1 ».

Effectivement, à lire la presse, les effets de cette décision peuvent apparaître « désastreux » : montée du chômage, fermetures d'usines, démoralisation d'une population qui était encore transportée d'enthousiasme il y a quelques mois. Mais que se serait-il passé si Kohl avait suivi l'avis de Poehl ? Les revenus des Allemands de l'Est certes auraient moins augmenté ; l'avantage aurait été une moindre augmentation du chômage ; mais l'inconvénient, une immigration massive, impossible à contenir, une véritable désertification de l'ex-RDA. Comme l'a dit le chancelier : « Si le mark n'était pas allé à Leipzig, c'est la population de Leipzig qui serait venue au mark » : certains jours de 1990, 150 000 Allemands de l'Est ont traversé l'ancienne frontière vers l'Ouest ; au printemps de 1991, quelques centaines seulement. En employant le mot « désastreux », M. Poehl feint d'ignorer ce redoutable dilemme : le chômage sur place ou la désertification par émigration de la population active des cinq *Länder* de l'Est. Chômage temporaire, désertification d'une durée indéterminée. Le choix de Kohl était évidemment celui du moindre mal.

Mais le contresens du président de la BUBA est désastreux pour une deuxième raison. Depuis des décennies, les autorités de Francfort posent en principe qu'il ne peut pas y avoir d'union monétaire sans une convergence préalable des politiques et des situations économiques. Or, quoi de moins convergent, de plus disparate que les économies des deux Allemagnes ? Il fallait donc que l'UMA aboutît à des résultats « désastreux », faute de quoi la Bundesbank, après avoir vu l'article numéro un de son credo mis en défaut en Allemagne même, aurait risqué de perdre aussi la face dans les institutions européennes auxquelles elle entend appliquer le même credo. C'est pourquoi M. Poehl a dit de l'UMA qu'« elle constitue un exemple de ce que nous ne devons pas faire en Europe ». Or, la vérité est *systémique* et l'exemple des pays latins notamment a montré depuis plus de dix ans que l'union monétaire renforce la convergence des économies. Claironner le contraire, cela signifie que l'on entend laisser le Portugal et la Grèce – mais aussi sans doute l'Espagne – voire l'Italie, à l'extérieur de la future Union économique et monétaire (UEM) européenne.

S'il en est ainsi, alors, que devient l'espoir pour les pays d'Europe centrale, la Hongrie, la Tchécoslovaquie, la Pologne ? leur espoir qui est de plus en plus lié aux progrès de l'union monétaire et de l'union politique européenne ? Si l'union européenne ne va pas vers les pays d'Europe centrale, c'est la population de ces pays qui viendra chez nous.

Au moment où j'écris ces lignes, les dernières nouvelles sont particulièrement préoccupantes. Le chancelier Kohl a subi une sévère défaite aux élections partielles dans son propre fief électoral ; M. Poehl a démissionné ; plus préoccupant, l'IG Metall a obtenu que, dans les cinq Länder de l'Est, les salaires dans la métallurgie passent de 60 % de ceux de l'Ouest en 1991 à 100 % en 1994. Cela traduit un dangereux et même un « désastreux » dérapage vers le scénario Mezzogiorno.

Cependant, je persiste et signe. Pour une raison fondamentale qui est précisément la seconde leçon de l'Allemagne : celle qui nous montre ce que pourrait faire l'Europe si elle s'unissait vraiment, autrement dit si elle s'organisait en une fédération.

Ce que pourrait faire l'Europe

On connaît la vieille formule d'un gouvernement à sa majorité parlementaire : « Faites-moi de bonnes finances, je vous ferai une bonne politique. » Dans ce domaine, Helmut Kohl passera à l'histoire : parce que, depuis plus de quarante ans, l'Allemagne avait été le sanctuaire de l'orthodoxie financière, il a pu avoir l'audace sans précédent de procéder à la réunification monétaire instantanée des deux Allemagnes. Contre l'avis des experts officiels, en dépit de l'internationalisation de l'économie qui limite les marges de manœuvre des États, malgré les incertitudes électorales et le concours de tous les égoïsmes (nationaux, provinciaux et corporatistes), cet homme que l'on croyait sans imagination ni détermination a probablement fait montre de génie en imposant, pour une fois, de Bonn, sa volonté politique fédérale aux représentants des Länder qui dirigent la banque centrale de Francfort.

Vérité souvent oubliée : les impératifs économiques doivent parfois s'effacer devant les commandements de la politique. A condition toutefois de ne pas faire de ce principe un alibi. Je veux dire par là que cette prééminence du politique ne peut se fonder que sur une réussite économique et financière préalable :

plus l'économie est forte, plus le politique peut s'en émanciper. Si l'Allemagne n'avait pas accumulé des excédents, si sa monnaie n'était pas ce qu'elle est, si ses entreprises n'étaient pas aussi performantes ni son potentiel économique aussi considérable, elle n'aurait jamais pu s'offrir cette prodigieuse OPA sur l'Est. Une OPA dont elle a toutes les chances de tirer bénéfice. C'est bien parce qu'elle maîtrisait et dominait la fameuse « contrainte économique » qu'elle a pu s'en affranchir.

Il faut aussi retenir de cette expérience allemande l'idée selon laquelle l'audace et la solidarité peuvent se combiner efficacement. L'audace, le dynamisme économique ne signifient pas forcément exclusion, inégalités et injustice sociale. Quant à la solidarité, elle n'implique pas fatalement immobilisme, lourdeur et bureaucratie.

Mais on doit surtout garder clairement à l'esprit les deux facteurs essentiels, propres au modèle rhénan, qui ont rendu possible cette réunification sans drame. Je les ai déjà évoqués dans les chapitres précédents, mais, dans ce contexte particulier, ils prennent tout leur relief.

Premier facteur : une vision *à long terme* des intérêts du pays. Les Allemands ont compris que les sacrifices consentis aujourd'hui en matière économique et sociale se révéleront profitables dans l'avenir. Bien sûr, dans un premier temps, les déficits se creuseront, les excédents diminueront, la protection sociale s'en ressentira et le contribuable sera sollicité. Mais quels que soient leurs accès de mauvaise humeur à l'Ouest et surtout à l'Est, les Allemands finiront par obtenir tous ensemble la récompense de leurs efforts.

Second facteur : la priorité accordée à l'*intérêt commun* sur les intérêts particuliers. Les Allemands ont étayé leur politique du long terme en tenant en lisière les intérêts particuliers. Ceux-ci commandaient en effet une action prudente, équilibrée et économe des deniers publics et privés. Si le chancelier Kohl avait écouté le contribuable ou le chômeur de l'Ouest, il ne se serait jamais lancé dans l'aventure.

C'est d'ailleurs le moment d'imaginer ce qui aurait pu se produire si le marché financier avait dicté sa loi et imposé sa logique aux entreprises et au gouvernement. Jamais le risque de la réunification n'aurait été pris. Jamais un tel pari sur le long terme n'aurait été accepté, avec son cortège d'incertitudes. Car toutes les incertitudes – notamment financières – n'ont pas été éliminées. Nul ne sait vraiment si les tensions financières suscitées par l'énorme appel de fonds nécessaire à la réunification pourront se résorber sans trop de douleurs : hausse des taux d'intérêt, inflation, mouvements au sein du SME, etc. Des risques potentiels demeurent.

Mais ce qui est sûr, c'est que de telles tensions se résorbent plus aisément dans un système où la puissance des institutions financières est assurée. Dans le cas allemand, un marché financier dominant – comme il l'est dans le modèle néo-américain – eût été beaucoup trop volatil, nerveux, imprévisible pour supporter le choc de la réunification. Un système bancaire stable et puissant dont l'orientation est dirigée vers les entreprises est beaucoup mieux armé pour s'adapter sans trop de dommages aux nouvelles exigences financières. Il est plus facile de faire prévaloir l'intérêt collectif dans le cadre de structures aux assises solides, fondées sur les résultats accumulés pendant des dizaines d'années, que devant des milliers d'opérateurs financiers obsédés par la rentabilité instantanée en fonction de critères volatils, et dont le principal est l'opinion... que certains opérateurs se font de celle des autres.

La « leçon allemande » doit enfin nous inspirer quelques réflexions utilement provocantes concernant l'Europe de l'Est en général. Ce que l'Allemagne fait avec le tiers d'elle-même qui se trouvait pénalisé par l'Histoire, l'Europe tout entière ne pourrait-elle pas l'accomplir avec son propre « tiers » que constitue l'Europe centrale meurtrie, ruinée par un demi-siècle de communisme ?

Avant d'esquisser une réponse à cette question, il faut prendre la mesure des graves erreurs qui sont commises actuellement, et qui risquent de faire tomber l'Allemagne de l'Est encore plus bas que les perspectives du scénario Mezzogiorno. Les deux principales de ces erreurs sont d'une part la hausse des salaires, qui précède et dépasse de beaucoup celle de la productivité, et d'autre part la générosité des aides sociales qui fait qu'aujourd'hui beaucoup gagnent plus sans travailler qu'hier en travaillant. Néanmoins, l'opinion est mécontente parce que son niveau de vie, et surtout ses perspectives d'avenir demeurent beaucoup moins satisfaisantes que ceux de l'Ouest.

Pendant combien de temps les sacrifices financiers de l'Ouest continueront-ils ainsi à enfoncer l'Est dans la torpeur et l'acrimonie ? Cela dépendra largement de la rapidité des investissements productifs.

Pour l'essentiel, ces investissements seront allemands. Allemands de l'Ouest, bien sûr, mais allemands. Au contraire, dans les autres pays d'Europe centrale et orientale, où il n'existe qu'une infime capacité à développer des investissements nationaux compétitifs, seuls les investissements *étrangers* peuvent accélérer le démarrage de l'économie de marché. Certes, leur rythme est trop lent ; mais s'il s'accélérait, si c'était des étrangers qui entreprenaient dans ces pays, les risques de réactions nationalistes et populistes seraient encore aggravés au détriment du développement économique.

N'empêche qu'entre la surabondance des aides en Allemagne et leur insuffisance dans les pays voisins, il y a une immense place pour la recherche d'un optimum.

Mais une telle recherche est impensable. La question ne peut même pas être posée concrètement. Pourquoi ? Voyons cela de plus près.

La population de l'ex-RDA est de 17 millions contre 58 pour l'ex-RFA : guère plus du tiers. La population totale de l'ex-RDA et des trois pays d'Europe centrale voisins (Hongrie, Tchécoslovaquie, Pologne) est de 100 millions d'habitants contre 340 pour les Douze de la CEE. Pour ces trois pays, qui ont espéré que la libération du communisme en 1989 allait immédiatement leur ouvrir les portes de la terre promise – celle de la prospérité –, c'est en réalité une traversée du désert qui commence. Dans ce désert, où vocifèrent déjà les faux prophètes populistes et nationalistes, en dépit des efforts de la BERD (Banque européenne pour la reconstruction et le développement) ils ne recevront pas une manne comparable à celle des Allemands de l'Est. C'est que, malgré tous ses progrès depuis 1985, la CEE, contrairement à la RFA, n'est point une fédération politique, même pas encore un marché unique achevé, mais plutôt une zone de libre-échange, ne comportant guère de politiques communes en dehors de l'agriculture et du SME.

Si les douze pays qui la composent mettaient en commun, avec leurs monnaies, non pas 1 % ou 2 % de leurs ressources, mais 10 % ou 15 % – comme le font toutes les fédérations du monde libre –, ils feraient immédiatement un bond en avant dans le sens du modèle rhénan, la solidarité et l'enrichissement se renforçant l'une l'autre. Mais ce n'est pas tout. Ils se donneraient du même coup les moyens de fertiliser les nouveaux déserts économiques de l'Europe centrale. Sans aller, évidemment, jusqu'à y transposer exactement la seconde leçon de l'Allemagne, mais en redécouvrant ce que les Américains ont inventé avec le plan Marshall : il est possible que l'effort de solidarité consenti par un pays en faveur d'autres pays soit indirectement favorable à celui qui ose être généreux.

Le pays qui a inventé cela s'appelle les États-Unis. Il y a des États-Unis d'Amérique, mais il n'y a pas d'États-Unis d'Europe. Tant pis pour nous. La non-Europe nous coûtera de plus en plus cher. Tant pis surtout pour les Hongrois, les Tchèques, les Polonais et tous leurs voisins. Faute d'avoir construit les États-Unis d'Europe, nous avons commencé à créer, en Europe centrale et orientale, ce que Vaclav Havel appelait récemment « une zone de désespoir, d'instabilité et de chaos qui ne menacerait pas moins l'Europe occidentale que jadis les divisions blindées du pacte de Varsovie ».

11

La France au carrefour de l'Europe

Au moment de la guerre du Golfe, l'opinion européenne a tout à coup découvert avec étonnement que, face à un drame dont elle vivait passionnément les moindres informations à la télévision, et qui, à l'évidence, concernait au premier chef l'Europe, eh bien ! l'Europe n'existait pas. Les 250 millions d'Américains avaient sans hésitation envoyé 550 000 soldats dans le Golfe alors que les 340 millions d'Européens de la CEE n'avaient trouvé que 45 000 hommes sous des bannières disparates à placer sous les ordres du commandement américain.

Ce fut comme un petit scandale de découvrir qu'il n'y avait pas d'armée européenne : depuis si longtemps que l'on parle d'Europe, les populations, chez nous comme un peu partout à l'étranger, avaient vaguement compris dans leur subconscient que l'Europe était faite. Et, au lieu de l'unité, elles découvraient une Angleterre marchant du même pas que l'Amérique, une France qui suivait militairement tout en essayant de se distinguer diplomatiquement, une Allemagne qui n'avait constitutionnellement pas le droit d'envoyer un seul soldat, et des pays latins profondément divisés avec, par exemple, bon nombre de manifestations anti-américaines en Espagne.

Cette division, cette impuissance et cette ignorance ne font que souligner l'urgence qu'il y a, pour la Communauté européenne, à choisir son propre modèle de capitalisme. Sinon, ce sont les forces du marché qui le feront à la place des populations. C'est commencé, et mal commencé.

Nous avons souligné combien, à l'intérieur de ce qui fait son unité, le capitalisme actuel est divisé en deux grands courants profondément opposés. La plupart des pays européens sont plus proches du modèle rhénan que du modèle néo-américain. Mais le modèle rhénan, on l'a vu, ne cesse de reculer au plan international.

Cela apparaît de manière particulièrement claire quand on observe l'évolution de la construction européenne. Après avoir été quasi bloquée pendant une dizaine d'années, du premier choc pétrolier au sommet de Fontainebleau en 1984, celle-ci est repartie brillamment vers le marché unique de 1992. Mais que sera ce marché ? Il est frappant de constater que, si les Français ont vivement soutenu ce projet, son contenu n'en est pas moins largement inspiré par les conceptions thatchériennes, cependant que les Allemands suivaient les uns et approuvaient les autres en ayant essentiellement pour volonté propre de ne pas nuire, malgré les progrès vers l'union économique et monétaire, à la stabilité de la monnaie allemande.

Aujourd'hui, nous sommes au pied du mur. Les deux conférences intergouvernementales chargées de préparer l'union économique et monétaire d'une part, l'union politique d'autre part, ne pourront pas ne pas prendre parti entre les deux grandes conceptions qui s'opposent, et qui ont été exposées dans deux discours remarquables (voir Annexe I) prononcés l'un et l'autre à Bruges, respectivement par Mme Thatcher en 1988 et par Jacques Delors en 1989 : l'Europe doit-elle n'être qu'un marché, un grand marché, ou bien une *économie sociale* de marché, ce qui impliquerait un véritable pouvoir fédéral ? Tel est le dilemme fondamental duquel dépend essentiellement le destin des 340 millions d'habitants de la Communauté, et, indirectement, celui des pays d'Europe centrale et du Sud de la Méditerranée.

Mais, parmi les Douze, il n'est aucun pays pour lequel ce choix soit aussi important que la France.

La France en rupture de tradition colbertiste

Dans le grand combat des deux capitalismes, il est bien difficile de situer la France. C'est ce que constate, dans une analyse particulièrement aiguë, l'un des observateurs étrangers les plus avisés du monde des affaires en France, le professeur Prodi, ancien président de l'IRI, qui vient de publier dans la revue *Il Molino* (n° 1, 1991) un article, intitulé « Entre les deux modèles », particulièrement suggestif à cet égard, puisqu'il s'agit des deux modèles de capitalisme définis suivant des critères très voisins de ceux qui ont été adoptés dans ce livre.

« Pour ce qui est de la France, ce pays n'a jamais opté de manière intégrale ni pour l'un, ni pour l'autre modèle. La Bourse et les marchés financiers ont traditionnellement eu un rôle modeste. La dimension de la Bourse de Paris par rapport à celle de Londres en est une preuve simple et non équivoque. D'autre part, il n'y a pas eu de phénomène de création de groupes bancaires ou de structures de propriété semblables aux allemandes, tandis que les entreprises publiques ont toujours joué un rôle déterminant, qu'il s'agisse d'entreprises industrielles ou d'entreprises ayant une activité bancaire ou d'assurance. Les évolutions des années quatre-vingt, même si elles n'ont pas de signification univoque, doivent toutefois être observées avec un intérêt particulier. Sous l'impulsion du Premier ministre Chirac, le ministre des Finances Balladur a en fait préparé en 1986 un plan de large privatisation des entreprises publiques. Ce plan prévoyait le passage au secteur privé de vingt-sept groupes employant cinq cent mille personnes. Ce plan n'a été appliqué que de façon partielle, par suite du changement de gouvernement qui a suivi.

Néanmoins, huit grands groupes ont été transférés du public au privé, dont la majeure partie était d'importance énorme (comme par exemple Saint-Gobain, Paribas, CGE, Havas, Société générale et Suez).

Les motivations initiales de cette nouvelle politique française peuvent faire penser à un objectif de rapprochement vers le modèle anglo-saxon, en cela que le but d'amplifier la dimension de la Bourse, à travers la création de plusieurs millions de nouveaux actionnaires, était prioritaire. De ce fait, ce but a peu à peu été relégué au second plan, parce que beaucoup de nouveaux petits actionnaires ont rapidement revendu leurs propres actions pour réaliser un gain immédiat. La façon dont ces privatisations ont été réalisées, en revanche, a constitué une prémisse "objective" dans le sens d'un rapprochement vers des structures de propriété de modèle germanique. Dans toutes les entreprises privatisées, le pouvoir de commandement est détenu par le "noyau dur", quoiqu'il ne compte que 25 % des actions. Par le biais de savants entrelacs d'actionnaires qui se sont progressivement rationalisés, quelques grands groupes financiers et industriels sont en train de se former en France. Sous le profil de propriété et de stabilité des liens, ces groupes tendent plus à se rapprocher du modèle germanique que de l'anglo-saxon, même si le système est infiniment moins compact et imperméable qu'en Allemagne.

Il reste en outre, en France, un grand nombre d'entreprises de propriété publique qui ne correspondent ni à la nature du système anglo-saxon, ni à celle du système germanique, même si, ces dernières années, la stratégie des entreprises publiques françaises – surtout en ce qui concerne l'acquisition d'entreprises étrangères – s'inspire plus d'une logique germanique que d'une logique anglo-saxonne.

En fait, ces acquisitions ont provoqué de fortes réactions aussi bien en Grande-Bretagne qu'au sein de la Communauté économique européenne, car elles ont été interprétées non pas comme le fruit d'une stratégie d'entreprise, mais comme l'instrument d'une stratégie-pays. »

Pourquoi donc la France qui, pendant un demi-siècle, a tant fait pour proposer au monde son modèle propre, sa « troisième voie » originale entre le capitalisme et le communisme, présente-t-elle aujourd'hui un profil aussi flou, aussi inclassable? Pour deux raisons principales : la première est que nous avons enfin rompu avec notre vieille tradition sociale-colbertiste pour entrer pleinement dans l'économie européenne et internationale ; la seconde, que nous avons emprunté pour cette transition au moins autant au modèle anglo-saxon qu'au modèle germano-nippon.

La tradition française, c'est le *social-colbertisme :* l'État qui commande à l'économie au nom d'une ambition politique et d'une volonté de progrès social. Or, le social-colbertisme est en déroute. A preuve le déclin accéléré de la position psychologique du fonctionnaire dans la société française, hier honoré et envié, aujourd'hui souvent peu considéré ; et l'ascension simultanée du modèle de la star/capitaliste. Sur le premier point, on notera qu'au Japon, à égalité de diplôme et d'âge, les salaires publics et privés sont en principe égaux. De plus, les enseignants sont mieux payés que les autres fonctionnaires, car leur métier, dans ce pays confucéen où apprendre est une vertu, a de la noblesse. Pour les Japonais, le professeur doit être maître de vie et ils estiment que la considération sociale accordée aux enseignants est un gage de bonne éducation des enfants.

Néanmoins, la France se caractérise encore par une omniprésence de l'État central. Chez nous, l'État est partout. Sur le plan politique, en dépit de la décentralisation, le jacobinisme centralisateur reste la règle. Rien à voir avec les organisations de type fédéral qui prévalent en Allemagne, en Amérique ou en Suisse et qui agissent au niveau local, alors que, chez nous, la compétence de l'État demeure première. En Allemagne, une bonne partie de l'aide aux entreprises industrielles est distribuée par les Länder. Le conseil de direction de la Bundesbank est d'ailleurs majoritairement composé de représentants des Länder, peu sensibles aux grands mouvements de la finance internationale et encore moins aux opinions de Bonn !

Dans le domaine économique, on commet une erreur en imaginant que l'État français demeure, en 1991, un prototype de dirigisme en raison de l'importance du secteur nationalisé. La vérité est qu'il faut distinguer radicalement entre les monopoles publics tels que l'EDF, GDF, la SNCF ou la Caisse des dépôts, d'une part, et, d'autre part, les entreprises nationales, industrielles ou financières soumises à la concurrence internationale et qui, depuis au moins une quinzaine d'années, sont fondamentalement gérées selon le principe d'égalité de la concurrence.

C'est plutôt en matière technique que la sphère publique a conservé sa prépondérance sur la plupart des organismes de recherche : le CEA et la COGEMA pour l'atome, le CNRS pour la recherche tous azimuts, l'INSERM pour la recherche médicale, etc. La situation est toute différente dans les modèles américain et rhénan : la recherche y relève essentiellement des entreprises ou des universités, même si elle bénéficie d'aides publiques.

Au total, de tous les pays capitalistes, la France est en premier lieu celui qui, séculairement, a été marqué par un État plus puissant que les autres au sein de la société, un État colbertiste qui n'a cessé de mettre en tutelle l'économie : protectionniste et dirigiste d'un côté, mais de l'autre investisseur, créateur, saint-simonien.

En second lieu, l'opposition entre les deux modèles de capitalisme est évidemment liée à deux modèles de syndicalisme : le premier, anglo-saxon, a toujours refusé le partenariat, la participation, *a fortiori* la cogestion, soit qu'il se contente d'un comportement purement *« business »* comme aux États-Unis, soit que, agissant comme en Angleterre en tant que force politique d'appui au parti travailliste, il combatte le capitalisme de l'extérieur sur un mode mi-dirigiste, mi-anarchiste.

Au contraire, les syndicats des pays rhénans, auxquels ceux

du Japon ont beaucoup emprunté, ont opté pour l'intégration dans l'entreprise, la collaboration compétitive : dans ce pays, chaque syndicaliste est en quelque sorte le membre d'une équipe de football, motivé avant tout par la volonté de faire gagner son club.

Le syndicalisme français, lui, a été trop marqué par l'influence marxiste et l'idéologie de la lutte des classes pour pouvoir être assimilé à l'une ou l'autre de ces deux catégories.

Tradition étatiste, tradition syndicaliste, telles sont les deux premières raisons qui laissent inclassable le capitalisme français.

Ainsi pris en tenaille entre un État colbertiste et un salariat largement marxiste, le capitalisme français a longtemps balancé entre l'autoritarisme et la démagogie. Sa démagogie s'inscrit dans les séries statistiques de l'inflation salariale et les dévaluations du franc. L'autoritarisme se traduit en particulier par la monarchie absolue dans l'entreprise : le principe du P-DG tout-puissant n'est pas une idée allemande, mais bien française. Alors que les pays rhénans prouvent tous les jours la supériorité gestionnaire des directions collectives, les Français en sont restés à la vieille analogie militaire que traduit la formule de Napoléon suivant laquelle il vaut mieux, pour commander une armée, un seul général de qualité médiocre que deux généraux de qualité exceptionnelle.

Tout cela contribue à expliquer pourquoi, en France, on s'est aussi longtemps et tellement méfié du marché et de la libre entreprise, sans parler du profit qui, hier encore, était traité comme un péché capital. On a peine à croire aujourd'hui que dans *Le Défi américain,* en 1967, c'est-à-dire après cinq ans de gouvernement Pompidou, Jean-Jacques Servan-Schreiber ait pu écrire : « Tout ce qui est privé – l'entreprise privée, la propriété privée, l'initiative privée – ayant été confondu une fois pour toutes avec le Mal, tout ce qui est public est identifié avec le Bien. »

Il faut rendre hommage au gouvernement socialiste d'avoir – volontairement ou pas – guéri la France de ces inhibitions et réhabilité les valeurs fondamentales de l'économie de marché.

Il n'empêche que, pendant plus de trente ans, la France s'est distinguée assez radicalement des deux modèles capitalistes qui accordent, eux, une place essentielle à ces valeurs fondatrices. Pour l'Amérique, cela va de soi. Pour l'Allemagne, il suffit de rappeler que l'économie sociale de marché est d'abord une *économie de marché* où l'État ne fait que suppléer aux carences les plus criantes du marché sans pour autant intervenir directement ni fausser la concurrence.

Une autre spécificité française tient au système financier et au mode de contrôle des entreprises. Dans ce domaine, en effet, le capitalisme français n'est ni américain ni rhénan. La Bourse, on le sait, n'occupe pas du tout la place prépondérante qui est la sienne aux États-Unis. « La politique de la France ne se fait pas à la corbeille », disait le général de Gaulle. Et, de fait, le financement de l'économie passait surtout par les banques, par le Trésor et ses satellites. Le « taux d'intermédiation » qui mesure le pourcentage des flux financiers transitant par les banques était encore de 90 % dans les années soixante, soixante-dix et jusqu'en 1985. Malgré cela, à la différence du capitalisme allemand, le capitalisme français n'est pas pour autant un capitalisme bancaire dans lequel prévaudraient les liens entre banques et industrie. Aucune institution financière française ne peut se targuer d'exercer une influence analogue à celle de la Bundesbank. Et, même s'il ne se compare pas à ce qu'on trouve en Italie (les deux tiers de la capitalisation boursière de Milan concernent des groupes familiaux), il existe encore en France un puissant capitalisme familial incarné par des groupes de premier plan comme Michelin, Peugeot, Pinault, DMC, Dassault, CGIP, etc.

Atypique, difficilement classable, le capitalisme français a longtemps donné l'impression de chercher sa voie ou même d'aller à contre-courant en Europe. Au début des années quatre-vingt, après l'accession de la gauche au pouvoir, il a été un moment interventionniste. Puis, en 1983, renversant brusquement la vapeur, il s'est engagé sur la voie anglo-saxonne avec l'enthousiasme des nouveaux convertis, enthousiasme qui ne faiblira pas, au contraire, pendant la période de la cohabitation (1986-1988).

La double conversion de la France

Mais de quelle conversion s'agit-il au juste ? C'est difficile à dire car elle est fort ambiguë, empruntant à l'Allemagne pour la gestion monétaire et à l'Angleterre pour tout le reste.

En 1991, le taux de la hausse des prix en France devrait être du même ordre de grandeur qu'en Allemagne. Il y a dix ans, l'écart était de dix points ! Cela résume les résultats d'un effort continu et exemplaire engagé par Jacques Delors, maintenu par Édouard Balladur et auquel Pierre Bérégovoy laissera sûrement son nom. Derrière cette politique du franc fort, auquel chacun se plaît aujourd'hui à rendre hommage, il y a eu d'innombrables décisions, à commencer par l'abolition du contrôle des prix, pour les services comme pour les produits, pour terminer par la libération des mouvements de capitaux au 1er juillet 1990. Je me souviens d'avoir annoncé, presque deux ans plus tôt, à un important banquier de la place que la décision venait d'être prise d'abolir à cette date le contrôle des changes. Il n'en a rien cru, considérant comme impossible que le franc français puisse résister au mouvement des exportations de capitaux qui se seraient immédiatement déclenchées !

C'est à l'influence britannique – et, avouons-le, à la rivalité avec la City de Londres – qu'il faut attribuer l'extraordinaire mouvement de déréglementation financière engagé en 1984 avec le décloisonnement des marchés interbancaire, boursier et hypothécaire, la suppression du monopole des agents de change, le renforcement de la COB (Commission des opérations de Bourse), qui a acquis, toute proportion gardée, une autorité qui rappelle celle du Conseil constitutionnel ; et enfin, le MATIF (Marché à terme des instruments financiers) de Paris, qui a dépassé son homologue de Londres, attirant une importante clientèle étrangère, notamment allemande.

Du coup, le volume des transactions boursières a été multiplié par vingt-cinq en sept ans (124 milliards de francs en 1980 contre 3 090 milliards en 1987), avec un taux de rotation des obligations les plus actives qui a été multiplié par cinquante dans le même temps ! Concrètement, dans la société que je dirige, le taux de rotation des obligations est passé de 12 % à 123 % entre 1980 et 1987. Il y a dix ans, la gestion obligataire se bornait à encaisser les coupons en attendant l'échéance. Aujourd'hui, toute une ingénierie financière est déployée qui aboutit à ce que, dans la banque du groupe AGF, par exemple, la durée moyenne de possession d'une obligation n'est plus que de quelques minutes : presque le temps d'un acheté-vendu.

Nouveaux riches et nouveaux pauvres

Nouveaux riches : un marché financier qui s'efforce de travailler à l'anglaise. Nouveaux pauvres : à l'autre bout de la société, une dérive des inégalités à l'américaine.

A l'issue des « trente glorieuses », comme on l'a dit, les inégalités avaient sensiblement reculé en France. Deux chiffres en portent témoignage. Le premier mesure l'écart qui sépare les 10 % de Français les plus favorisés des plus défavorisés par le revenu. Cet écart avait atteint son niveau le plus bas (3,12) en 1970. Le second chiffre évalue la concentration du patrimoine : les 10 % des Français les plus riches détenaient 65 % du patrimoine en 1960 et 54 % en 1985. Là aussi, la réduction des inégalités était significative.

Or, depuis 1984, on assiste à un retournement de cette tendance. L'écart des revenus est remonté à 3,2 en 1988. Quant aux propriétaires, et grâce à la flambée de l'immobilier et de la Bourse, ils ont vu les revenus de leur capital s'accroître beaucoup plus vite que les revenus du travail.

Ici, la France suit de loin les États-Unis où le département du Commerce de Washington a calculé que, de 1980 à 1989, les rémunérations des dirigeants d'entreprise ont augmenté de 260 % contre 50 % seulement pour les salaires des employés.

Ces chiffres traduisent de profondes évolutions sociales. Par

SOURCE : Plantu, *Des fourmis dans les jambes,* La Découverte/Le Monde, 1989, p. 99.

exemple, une tendance « à l'américaine » vers l'individualisation des salaires et une plus grande « flexibilité » qui pousse les entreprises à faire en sorte que, conformément aux principes du néolibéralisme appliqué à la main-d'œuvre comme aux autres facteurs de production, chacun soit rémunéré, année par année, trimestre par trimestre, en fonction de son efficacité réelle (de sa productivité marginale, disent les économistes).

Il n'y a pas là seulement un changement de mode, mais la traduction d'une logique des inégalités croissantes qui est la conséquence renouvelée de l'application des lois dites « naturelles ». La richesse, décomplexée, ne se dissimule plus, elle s'étale avec une impudeur que nous jugions jadis choquante chez les Américains. Elle côtoie pourtant, de plus en plus, une « nouvelle pauvreté » dont on a montré que la France n'avait pas le privilège. Chômeurs en fin de droit, jeunes en quête d'un premier emploi, immigrés clandestins ou pas, habitants de ces banlieues qui sont devenues au fil des années le lieu géométrique de l'exclusion. Et, comme en Amérique, on voit parfois des initiatives charitables d'ordre privé (les « restaurants du cœur » par exemple) prendre le relais de l'État défaillant.

L'exemple des « restos du cœur » a valeur de symbole. La chose et le mot sont apparus dans les années quatre-vingt, en même temps que les expressions « société duale », « nouveaux pauvres », et peu avant que ne soit créé un nouveau ministère, et même un ministère d'État, dont la tâche immense et redoutable est d'améliorer les conditions de vie dans les banlieues.

Les banlieues, on l'a dit, sont de plus en plus l'une des plaies de l'Amérique, la conséquence de la paupérisation de l'État. Or, voici qu'en France aussi, derrière le social-colbertisme en déroute, une question nouvelle se pose : le plus illustre des nouveaux pauvres, ne serait-ce pas l'État ?

SOURCE : Piem, *Un trait, c'est tout,* B. Arthaud, 1972.

Cela ne se voit pas seulement aux peintures qui s'écaillent et aux ascenseurs qui rouillent, mais bien davantage à la désaffection des Français envers le service public. Hier, la fonction publique était une noblesse, largement ouverte par voie de concours aux enfants du peuple. Aujourd'hui, elle se sent humiliée, mal considérée, démoralisée tout autant que mal payée. Une nouvelle noblesse est née, celle du vendeur, du gagneur (on dit même volontiers : du « tueur », depuis que ce mot a pris un sens positif). Cette figure emblématique traduit évidemment l'entrée en force des valeurs américaines dans l'Hexagone.

Du coup, même la distribution du courrier ne marche plus très bien chez nous. C'est bien pire aux États-Unis où la poste privée est l'une des nouvelles industries qui progresse le plus. Le propriétaire de la première compagnie de ce secteur serait allé récemment visiter la Suisse pour s'y acheter une résidence secondaire. Il en est revenu dégoûté : vraiment, a-t-il dit, la Suisse n'est pas un pays pour moi, car c'est le pays du monde où la poste publique marche le mieux.

Modèle néo-américain d'un côté, modèle rhénan de l'autre, c'est aussi une affaire de distribution du courrier.

La France a besoin du modèle rhénan

Revenons à l'essentiel. Le rôle de l'entreprise est aujourd'hui devenu si important et parfois controversé – particulièrement en France – qu'il est temps de saisir l'opinion publique et les autorités compétentes d'un projet de « déclaration des droits et des devoirs de l'entreprise » tel que celui qui a été élaboré par M. Jacques de Fouchier, président d'honneur de Paribas, avec l'aide d'Alexandre de Juniac à l'intention du Parlement européen (voir Annexe II).

Le modèle rhénan répond assez bien à cette recherche d'équilibre entre les droits et les devoirs de l'entreprise. Il incarne d'une part le capitalisme avec la sécurité sociale et d'autre part le capitalisme avec l'entreprise considérée non pas seulement comme une société de capitaux, mais comme une société de personnes. Sur ces deux points, l'exigence pour la France est particulièrement vive.

Si, depuis des années, nous entendons tant parler des problèmes de la sécurité sociale, des hôpitaux et des retraites, c'est sans doute, parce que, contrairement aux autres pays développés, la France n'a guère commencé à les traiter ; et pourtant elle l'a fait, on vient de le voir, dans un domaine non moins redoutable pour des gouvernements démocratiques, le redressement de la monnaie. C'est aussi parce que l'extension progressive des idées du modèle néo-américain reposant essentiellement sur la baisse des impôts entraîne partout un certain recul de la protection sociale à laquelle la France n'a pas voulu consentir. Nous verrons, pour finir, ce qui se passerait concrètement si, tout à coup, on décidait que les Français n'allaient pas payer plus d'impôts que les Américains...

Tout autant que pour maintenir sa protection sociale, la France a besoin du modèle rhénan pour renforcer la capacité et la stabilité financière de ses entreprises. Sous l'influence de l'exemple anglo-saxon, la restructuration industrielle s'est accélérée dans la période récente, les fusions et acquisitions devenant plus fré-

SOURCE : Konk, *Des sous ! Du temps !*, Éd. Denoël, 1989, p. 33.

quentes et plus importantes. Elles représentaient 61 milliards de francs en 1986, 165 en 1987, 306 en 1988.

Une très faible fraction d'entre elles ont eu lieu par voie d'OPA (offre publique d'achat). Cette technique d'acquisition, si fréquente chez les Anglo-Saxons, est encore quasi inexistante chez les Germano-Nippons. Mais c'est peut-être bien en France que le sigle OPA est le plus péjoratif. Il est automatiquement associé à l'idée de « capitalisme sauvage », alors que la réglementation des OPA a précisément pour objet de protéger, en toute clarté, les intérêts des actionnaires minoritaires contre les attaques nocturnes des *raiders*. Cela résulte sans doute pour une part de la médiatisation dont certaines batailles ont fait l'objet, et en particulier les deux OPA lancées successivement en 1989 et 1990 par les deux grandes compagnies financières : Suez sur la Compagnie industrielle et Paribas sur la Compagnie de navigation mixte.

Les OPA lancées, soit en France par des compagnies françaises ou étrangères, soit à l'étranger par des compagnies françaises n'ont pratiquement jamais été suivies d'un « dépeçage des actifs ». Leur objectif était dans l'ensemble authentiquement industriel et correspondait à des restructurations particulièrement nécessaires dans la perspective du marché unique.

A cet égard, l'entreprise industrielle qui s'est le plus brillamment illustrée par ses succès est probablement le groupe Schneider. En 1982, c'était un conglomérat hétéroclite d'activités dépendant pour une large part des commandes de l'État et de subventions publiques, et qui affichait un déficit de 350 MF pour une capitalisation boursière de 250 MF !

En moins de dix ans, il s'est courageusement séparé de ses activités déficitaires et il a mis en œuvre une stratégie systématique de concentration de ses activités sur la maîtrise de l'énergie électrique, devenant le numéro un mondial de la distribution électrique et le numéro un mondial des automatismes électriques devant des firmes telles que Westinghouse, General Electric, Siemens et Mitsubishi. En 1990, sa capitalisation boursière avait été multipliée par soixante !

Cette extraordinaire reconversion n'a été possible que grâce à plus de cinquante acquisitions, qui se sont toutes réalisées de façon amicale, sauf dans le cas de la Télémécanique. En 1988,

Schneider a lancé une OPA particulièrement controversée sur la Télémécanique, compagnie performante qui était citée en exemple pour la participation des travailleurs à sa gestion et à son capital. J'avoue qu'à l'époque, j'ai regretté que les choses aient dû se passer de manière aussi expéditive, alors que, si nous avions été en Allemagne ou en Suisse, elles auraient été préparées en douceur par l'intermédiaire des banques. Mais, finalement, cette restructuration industrielle s'imposait dans l'intérêt même de Télémécanique, beaucoup plus forte aujourd'hui sur le marché mondial qu'elle ne l'était à l'époque.

Au printemps de 1991, une autre OPA retentissante a dû être lancée sur la société américaine Square D, bénéficiant de statuts particulièrement protectionnistes admis par l'État de Delaware, ce qui lui permettait d'utiliser tout un arsenal de pilules empoisonnées pour défendre son indépendance. De plus, dans le cadre de l'examen antitrust, Schneider a dû expédier aux États-Unis plus d'une tonne de documents qui ont été traduits en anglais. Mais, tout au long de l'OPA, la majorité des actionnaires s'est prononcée en faveur de l'acquéreur. Schneider a relevé son offre initiale et, comme en Amérique tout a un prix, le président de Square D a conclu avec panache qu'il avait fait une bonne affaire.

Des zaïbatsu à l'européenne

Si la France veut avancer vers un système qui serait à la fois plus performant et plus solidaire, comme le modèle rhénan, il faut commencer par prendre en compte ce paradoxe nouveau qui contredit la plupart de nos idées reçues : la puissance des institutions financières (banques et compagnies d'assurances) est devenue une nécessité pour conjuguer l'efficacité économique avec la justice sociale. Aussi Roger Fauroux peut-il déclarer : « Je suis pour le modèle allemand parce que la finance y est vraiment au service de l'industrie. »

La France souffre d'une pénurie trop souvent méconnue :

celle d'actionnaires fiables et stables. Pour fidéliser l'actionnaire, il faut qu'il y trouve son avantage. Ce n'est guère le cas aujourd'hui car les avantages fiscaux dont il bénéficie à travers les SICAV, jugées sur leurs performances à court terme, ont plutôt pour effet de déplacer l'épargne, notamment au gré des OPA. Pour que le petit actionnaire, aux côtés des managers, reprenne goût à la bonne gestion sur le long terme, il faudrait remettre en vigueur l'ancien compte d'épargne à long terme (CELT). Ce compte d'épargne à long terme serait réservé aux actions des sociétés de la CEE et le détenteur pourrait acheter et vendre des actions sur ce compte sans payer d'impôts sur les plus-values tant qu'il ne diminue pas le volume global de l'épargne placée sur ce compte. De même, les détenteurs d'un CELT devraient être, dans la limite d'un plafond à fixer, exonérés de l'impôt de solidarité sur la fortune (ISF). Un tel avantage serait à rapprocher du fait qu'un chef d'entreprise qui possède plus de 25 % d'une société n'a pas à déclarer le capital correspondant pour l'ISF.

En ce qui concerne les sociétés, à l'image de ce qui existe en Allemagne, il serait sain de taxer davantage les bénéfices non distribués; et de taxer davantage les dividendes payés en papier que les dividendes payés en cash, lesquels contribuent à cantonner l'épargne, et nuisent à une redistribution conforme aux lois du marché.

Tout cela permettrait à nos grandes institutions financières de lever davantage de fonds sur les marchés pour les investir, à leurs propres risques, comme le font les banques et les compagnies d'assurances japonaises ou allemandes, sous forme de capital ou de prêts à long terme.

C'est pourquoi le président du Crédit lyonnais, Jean-Yves Haberer, s'est fait l'apôtre de la banque universelle à l'allemande. Il est piquant de constater à ce sujet que, dans le grand débat qui a lieu aujourd'hui aux États-Unis sur le projet de réforme bancaire présenté en février 1991 par la Trésorerie, la grande question est de savoir si cette réforme ne doit pas s'inspirer des modèles allemand et japonais. Le plus pittoresque dans cette affaire est d'ailleurs l'argument des adversaires d'une telle évolution : étant donné qu'aux États-Unis les dépôts des banques sont assurés par le gouvernement fédéral, un système de banque universelle augmenterait encore les risques encourus par cette assurance fédérale aujourd'hui au bord de la faillite.

Que la France ait besoin de se rapprocher du modèle rhénan pour renforcer son tissu capitalistique particulièrement vulnérable, c'est la conclusion implicite mais évidente de l'étude que l'Institut de l'entreprise a publiée en janvier 1991, « Stratégie du capital et de l'actionnariat ». Même si, depuis 1990, la mode des OPA a fait place à celle des mariages de raison et à la concentration interne des groupes organisés en cascade, la faiblesse des fonds propres des entreprises françaises, et plus encore la volatilité de l'épargne institutionnelle dominée aujourd'hui par les SICAV et fonds communs de placement, a pour effet d'introduire dans l'actionnariat des entreprises françaises la même instabilité qu'en Amérique. Les quelque quarante personnalités particulièrement qualifiées qui ont participé à cette étude de l'Institut de l'entreprise constatent : « La publication mensuelle du classement des performances a sur les gestionnaires des OPCVM le même effet que la publication des résultats trimestriels sur les managers des compagnies américaines : elles contraignent à la myopie, qui se traduit ici par une rotation rapide des portefeuilles. Or, les OPCVM se substituent peu à peu aux petits actionnaires individuels qui, naguère, conservaient toute une vie des titres dans les *blue chips* français avant de les léguer à leurs enfants. »

Partant de là, il est remarquable qu'après avoir demandé les incitations fiscales d'usage pour la stabilité de l'actionnariat, l'Institut de l'entreprise propose un véritable décalque du modèle rhénan avec la promotion du statut de société à conseil de surveillance et directoire pour bien équilibrer les pouvoirs des actionnaires par ceux du management ; la limitation statutaire des droits de vote pour un même actionnaire et l'usage des droits de vote double, en soulignant que ces deux propositions sont contraires au projet de cinquième directive de Bruxelles (lequel relève fondamentalement d'une inspiration anglo-saxonne).

Alors, dira-t-on, vous voyez bien qu'il faut se méfier de l'Europe et des idées de la Commission ! Voilà précisément le contresens à ne pas commettre. S'il est vrai que bon nombre des positions techniques de la commission de Bruxelles en matière industrielle et financière sont beaucoup plus inspirées par le modèle anglo-saxon que par le modèle rhénan, c'est tout simplement parce qu'on lui a demandé de préparer non pas une économie sociale de marché, encadrée par une autorité publique européenne – c'est-à-dire en fait une organisation fédérale –, mais simplement un marché unique. Un marché des biens et des services qui, s'il ne s'accompagne pas du renforcement en réseau des institutions financières européennes, s'étendra nécessairement au « marché du contrôle des entreprises ».

Or, sur ce marché, l'entreprise est naturellement traitée comme une marchandise... Voilà pourquoi, alors que toute sa tradition politique, ses aspirations sociales et les exigences de ses structures financières devraient pousser la France vers le modèle rhénan, c'est au contraire, pour l'essentiel, vers le modèle anglo-saxon qu'elle dérive. Pourquoi va-t-elle ainsi à l'encontre de ce qu'elle veut et doit faire ? Tout simplement parce que ce sont là d'immenses questions qui, désormais, dépassent de loin le plafond d'efficacité d'un seul État. Dès lors que l'économie des pays développés se mondialise à grande vitesse, les États de ces pays se trouvent relégués hors jeu, *out,* quelle que soit l'orientation politique de leur gouvernement.

Il est à peu près vain de demander à l'État une politique plus sociale. Il n'y peut plus rien ou presque. Si l'on veut maîtriser le capitalisme sans nuire à son efficacité, ce n'est plus à l'État français qu'il faut s'adresser, c'est à l'Europe. Et il faut que l'Europe produise à la fois des structures financières puissantes – des *zaïbatsu* à l'européenne, – et des institutions politiques dont la CECA est le modèle trop oublié.

LA CECA, prototype européen du modèle rhénan

La vie et l'exemple de Jean Monnet nous en disent long à la fois sur l'évolution récente du modèle néo-américain et sur l'influence dominante que cette évolution a exercée sur le projet européen.

Le petit marchand de cognac devenu un grand banquier était un homme qui partageait le système de valeurs des Roosevelt, des Truman et des Kennedy. Résolument favorable à l'économie de marché, il a fait plus que quiconque pour sortir la France du protectionnisme et la faire entrer dans le libre-échange international. Sur un plan personnel, suffisamment capitaliste pour avoir refusé, lorsqu'il est devenu commissaire général au Plan en France, toute rémunération de la part de l'État afin de pouvoir garder sa pleine indépendance, Jean Monnet avait une conception très précisément rhénane de l'économie de marché. Il ne la concevait que comme une économie sociale de marché.

L'œuvre qu'il a accomplie en France dans le cadre du Plan en est une preuve, mais surtout la conception qui l'a guidé lorsqu'il a fondé en 1952 l'Europe à partir de la CECA, avec une « Haute Autorité » (en voilà une dénomination qui mérite d'être méditée !).

Il s'agissait d'abord de créer un marché commun, d'établir une complète liberté des échanges pour les deux grands produits qui avaient servi à forger les armes de la guerre en Europe, le charbon et l'acier.

Mais il fallait simultanément pourvoir à la reconversion des mines de fer et de charbon européennes qui étaient de moins en moins compétitives face à la concurrence des pays tiers. De là un grave problème social.

Pour le résoudre, Jean Monnet a fait admettre par les gouvernements et les parlements des six pays fondateurs de la CECA la nécessité d'une institution dont le nom présente aujourd'hui quelque chose de folklorique : la Haute Autorité de la CECA. Cette Haute Autorité disposait de larges pouvoirs réglementaires et d'une puissante capacité fiscale et financière destinée d'une part à favoriser les investissements de productivité et d'autre part à financer une très active politique sociale.

Un impôt européen, une Haute Autorité européenne pour s'occuper du sort des mines et des aciéries, quoi de plus contraire à la philosophie reagano-thatchérienne ?

La question est d'autant plus intéressante à poser que les industries sidérurgiques américaines et britanniques sont depuis longtemps en déconfiture cependant que – qui l'eût cru ? – la compagnie française SACILOR bat des records mondiaux de productivité et de rentabilité.

Les pouvoirs et la notion même de Haute Autorité ont fait peur aux gouvernements qui ont craint de se faire dépouiller par les institutions européennes d'une partie de leurs prérogatives. C'est la raison pour laquelle le traité de Marché commun signé en 1957 délègue beaucoup moins de compétences aux institutions communautaires. La Commission de Bruxelles que l'on accuse si souvent d'en faire trop n'est pourtant qu'une réplique très atténuée de la Haute Autorité. En particulier, la Communauté européenne n'a pratiquement pas de responsabilité propre ni de moyens d'action en matière de « politique industrielle ». Cette expression même est bannie. Le vice-président M. Bangeman, ancien ministre de l'Économie de la RFA, vient de faire un petit événement en l'employant dans une communication générale d'un esprit nouveau, à propos de la crise qui frappe l'industrie électronique européenne.

Cette crise est redoutable car, en l'an 2000, l'électronique sera la première de toutes les industries, représentant jusqu'a 10 % du PIB au Japon. *Cette crise est prévue, annoncée, certaine depuis un quart de siècle :* c'est en 1965 que M. Colonna, le vice-président de la Commission, en avait alerté le Conseil des ministres. En vain : le Marché commun ne devait pas s'occuper de cela. C'est donc le Japon qui a repris les idées de M. Colonna et le MITI, notamment, lança alors le célèbre programme robotique qui a donné au Japon la première place mondiale en ce domaine. Les États-Unis font de même avec d'autres moyens, puisque les dépenses de recherche incluses dans les commandes militaires du Pentagone représentent l'équivalent de la totalité des dépenses de recherche-développement japonaises.

En regard de cela, nous continuons, nous, à achever le marché unique. Mais sans aucune capacité institutionnelle significative pour relever la concurrence mondiale dans les grandes technologies de l'avenir. Au carrefour de l'Europe et de la non-Europe, c'est cette dernière qui a été choisie par la majorité des États membres, malgré les avertissements répétés de la Commission. De là la situation dramatique où se trouvent les trois derniers constructeurs européens de composants électroniques : Philips, SGS Thomson et Siemens ; à preuve le fait que, dans l'électronique grand public, ICL, britannique, est nipponisée ; Olivetti, italienne, est américanisée ; Bull, française, n'a pas d'autre solution que l'entrée dans son capital du Japonais NEC.

A défaut pour la CEE d'avoir suivi l'exemple de la CECA, chacune de ces entreprises a continué, sur la route de la non-Europe, à jouer son rôle de champion national, jusqu'au moment où il lui faut devenir américaine ou japonaise.

La course au paradis fiscal

En réalité, le consensus des États membres pour empêcher la Communauté de jouer un rôle proprement européen en matière technologique et industrielle n'est que l'aspect le plus visible de l'évolution de la CEE vers le modèle thatchérien.

Pour mettre en perspective cette évolution, il est bon de se reporter aux conclusions du rapport établi en 1987, à la demande de la Commission, par le groupe d'experts que présidait le directeur général de la Banque d'Italie, Tomaso Padoa Schiopa. Le titre de ce rapport est parfaitement clair. Il tient en trois mots : efficacité, stabilité, équité.

L'*efficacité* économique – ce livre n'a cessé de le rappeler –

résulte des mécanismes du marché. C'est grâce au Marché commun, puis au projet de marché unique, que les pays d'Europe occidentale devraient, d'ici l'an 2000, dépasser – à taux de change normal – le niveau de vie des Américains.

La *stabilité* monétaire, largement favorisée par le SME, contribuera d'autant mieux à cet essor qu'elle s'accomplira en une véritable Union économique et monétaire à laquelle la participation des douze pays ne serait pas obligatoire dans un premier temps. La Bundesbank devrait cesser d'abuser de l'argument selon lequel la convergence préalable des politiques économiques et monétaires est une condition *sine qua non* de l'union : pour faire l'Union monétaire entre les deux Allemagnes, on n'a heureusement pas attendu qu'il y ait convergence entre les deux systèmes !

Reste *l'équité*, la justice sociale. Elle n'a que des rapports limités avec la stabilité monétaire : certes, l'inflation appauvrit les pauvres et enrichit les riches, mais il ne suffit pas de supprimer l'inflation pour empêcher les inégalités de s'accroître. C'est au contraire le principe même des mécanismes du marché que de tirer leur efficacité de ces inégalités.

Pour les combattre, il est indispensable, à côté des libres initiatives d'entraide, que la puissance publique joue son rôle dans la redistribution des ressources, ce qui est de plus en plus difficile pour deux raisons. D'une part, nous avons vu que, progressivement, les États sont mis hors jeu non pas par le marché européen lui-même, mais par la mondialisation de l'économie qui, à court terme, fait dépendre la compétitivité économique d'un pays de la réduction de ses dépenses publiques et, à la limite, de la paupérisation de l'État. D'autre part, à la place des États ainsi dépassés, provincialisés, il n'y a rien ou presque au niveau européen. C'est encore la non-Europe. Et c'est ce vide institutionnel qui, du carrefour où elle se trouve, entraîne la CEE vers le modèle thatchérien.

L'exemple le plus significatif, celui qui concerne tous les citoyens, est à cet égard l'exemple de l'évolution de la fiscalité en Europe.

Quelle est la tradition européenne ? Depuis le début du

xxe siècle, elle consiste essentiellement à détaxer les pauvres et à surtaxer les riches. C'est le principe de la progressivité de l'impôt, qui s'est peu à peu étendu des pays scandinaves vers les pays latins.

Quelle est la conception de Mme Thatcher ? Juste le contraire. Elle en a donné la preuve la plus spectaculaire par sa réforme de la *poll tax*, c'est-à-dire de la taxe d'habitation. En Angleterre comme dans les autres pays d'Europe, cet impôt n'était pas soumis au principe de progressivité mais de proportionnalité : chacun payait en fonction de la valeur locative de son logement. Donc les riches, les mieux lotis, payaient davantage que les pauvres, les mal logés. Cela est injuste ! proclama Mme Thatcher, car les pauvres ne coûtent pas moins cher aux finances publiques que les riches, au contraire. Ils doivent donc payer autant. La *poll tax* doit devenir une taxe par « capitation », c'est-à-dire par tête, égale pour tous, pour le chauffeur du duc et pour le duc. La révolte populaire a été telle que John Major s'est empressé de faire en sorte qu'on oublie une provocation aussi excessive envers la majorité de la population.

Cette histoire britannique est maintenant bien connue. Mais ce qui l'est moins, c'est qu'elle est en train de se produire à une échelle beaucoup plus large, celle de la CEE tout entière, et sur un sujet d'une autre importance que la taxe d'habitation, puisqu'il s'agit de l'imposition des plus-values et des revenus du capital.

Si vous êtes résident français et si vous possédez des obligations françaises, l'émetteur déclare au fisc les coupons qu'il vous verse, sur lesquels vous devez payer un impôt de 17 % au-delà d'un seuil d'exonération. Si, au contraire, vous possédez des obligations étrangères, l'émetteur ne déclarera pas vos coupons au fisc. Certes, malgré la suppression du contrôle des changes, vous devez déclarer également ces revenus, mais, si vous ne le faites pas, le risque que vous prenez est infime. C'est pourquoi, en février 1989, la Commission a proposé d'instaurer une retenue à la source minimum de 15 % sur les intérêts versés aux résidents de la Communauté. « La RFA, qui avait accepté, dans un esprit européen, d'instaurer une retenue à la source en janvier 1989, a supprimé celle-ci en juin devant les sorties massives de capitaux, souvent en direction du Luxembourg. Cet échec sonna le glas du projet de la Commission, de sorte que le dossier paraît bloqué et que l'imposition zéro s'installe petit à petit » (*Vers une fiscalité européenne*, publication du CEPII, Economica, 1991).

Au profit de qui « l'imposition zéro s'installe-t-elle » ainsi ? Au profit des propriétaires de valeurs mobilières, c'est-à-dire, dans l'ensemble, des catégories les plus favorisées de la population. Or, toutes choses égales d'ailleurs, si les riches payent moins, il faut bien que les pauvres payent davantage (comme dans la *poll tax* de Mme Thatcher). La majorité des gouvernements européens estiment que cela est injuste. Mais peu importe l'opinion de cette majorité car, dans la CEE, en matière fiscale, pour sauvegarder la souveraineté des États, il a été décidé de maintenir la règle de l'unanimité. Autrement dit, aucune décision ne peut être prise par les Douze sans l'accord du Luxembourg. C'est à cause du Luxembourg que les onze autres États sont partis pour faire la course au paradis fiscal. Margaret Thatcher n'est plus au pouvoir, mais elle peut être fière de l'influence qu'elle continue à exercer sur la fiscalité dans la CEE, sous la forme d'une sorte de *poll tax* thatchérienne généralisée à ce qui compte le plus dans le capitalisme, c'est-à-dire le capital lui-même.

Voilà l'un des nombreux exemples qui montrent que le marché unique, s'il ne débouche pas rapidement sur une véritable Union politique, établira en Europe une sorte de néo-modèle infra-américain avec beaucoup moins d'État et beaucoup plus de marché.

Voilà qui enchante Margaret Thatcher et désole Jacques Delors. Au carrefour de l'Europe 1992, on peut difficilement imaginer des conceptions aussi discordantes que les leurs. Pour une part essentielle, l'avenir de la France est inscrit dans le dilemme qu'elles posent.

Ronald Reagan et Margaret Thatcher ont construit dans une large mesure leur popularité sur leur promesse de faire baisser les impôts. Ils n'y sont parvenus que partiellement au niveau national. La CEE fait beaucoup mieux sur le plan européen puisqu'elle établit un système *competition of rules* dans lequel c'est *a priori* l'État le moins cher, le moins exigeant qui est avantagé.

Conclusion

Trop souvent, les livres s'achèvent sur de pieuses recommandations. C'est tellement tentant ! On énumère quelques « recettes », on propose des réformes assez vagues pour être irrécusables, on en appelle au devoir civique et on se tourne avantageusement vers l'avenir. J'ai trop souvent dénoncé les « n'y a qu'à » (dans *Le Pari français*, par exemple) pour y céder à mon tour. En vérité, je crois trop à la vertu pédagogique des faits ; je fais trop confiance à la raison pour sacrifier à cette fausse – et imprudente – éloquence. Toutes les informations rassemblées dans ce livre me semblent parler d'elles-mêmes. Que le capitalisme n'ait plus d'adversaire à sa taille est une évidence. Qu'il soit donc redevenu dangereux est désormais irréfutable. Que ses deux variantes se distinguent et s'opposent en profondeur me paraît à peu près démontré. Et que, des deux variantes, ce soit la plus contestable, la moins efficace et la plus violente qui gagne du terrain me semble un vrai danger. Il s'agissait, avant tout, de le montrer du doigt.

Mais je ne veux pas, pour autant, tricher avec les faits. On aurait tort, par exemple, de noircir finalement le tableau par souci polémique. Tort de passer sous silence toutes les « bonnes nouvelles » que les dix dernières années nous ont apportées. Car enfin... L'effondrement du communisme, ce fut *aussi* le progrès mondial de la démocratie. Le triomphe de l'économie de marché, de l'interdépendance économique, des échanges, ce fut *aussi* une prospérité nouvelle pour des millions d'hommes et de femmes. Jamais l'économie mondiale n'avait été aussi généreuse, aussi bienfaisante, pour un aussi grand nombre d'hommes. Le recul des bureaucraties, des langues de bois et du dirigisme, ce fut *aussi* un essor formidable de l'initiative individuelle et de la créativité. Même dans l'Amérique de Ronald Reagan ! Même dans l'Angleterre de Margaret Thatcher ! La « révolution conservatrice » n'a pas apporté que du mauvais, loin s'en faut. Et l'individualisme libéré, la mobilité de chacun, le dynamisme des chefs d'entreprise, le souci de la compétitivité, rien de tout cela ne saurait être rangé au passif de notre temps ! Si l'Occident fascine autant des centaines de millions d'hommes et de femmes à l'Est et au Sud, si l'Amérique « revenue » incarne une espérance pour tant de peuples entiers, on ne saurait y voir une simple hallucination collective. Ou, puisque l'expression est à la mode, un pur « phénomène médiatique ». Les Hongrois, les Polonais ou les Albanais qui lorgnent vers Chicago, ou Lech Walesa lorsque, sortant de Buckingham Palace, il va consulter Margaret Thatcher, ne sont pas des imbéciles. Pour en avoir profité insensiblement, en douceur, sans à-coups, nous finirions par ne même plus voir *ce que nous avons gagné en dix ans*. Ces remarques ne sont pas anecdotiques.

Je dis néanmoins qu'elles ne sont pas suffisantes. Car le capitalisme, quels que soient ses succès récents, ses conquêtes indiscutables, ses acquis, se trouve bel et bien menacé, maintenant, par une *dérive* que ce livre essaie de mettre en évidence. Elle est d'autant plus puissante et dangereuse qu'elle n'est pas conjoncturelle, provisoire, mais correspond à un grand mouvement de l'économie mondiale. Elle témoigne même d'une nouvelle cassure dans l'histoire du monde industrialisé. Ce changement-là, je ne suis pas certain qu'on en ait pris la vraie mesure.

Les trois âges du capitalisme

Pour me faire mieux comprendre, je voudrais simplifier, quitte à forcer le trait, ici ou là. Au fond, dans ses rapports avec l'État, le capitalisme sera passé, très précisément en deux siècles, de 1791 à 1991, par trois phases distinctes. Et c'est aujourd'hui dans la troisième qu'insidieusement nous venons d'entrer.

1791

La première phase, c'était celle du *capitalisme contre l'État*. En France, la date clé, à cet égard, c'est 1791 avec la fameuse loi Le Chapelier qui est peut-être la plus importante de toute la Révolution française en matière économique : elle supprime les corporations, interdit les syndicats et fonde – contre l'ancienne tutelle de l'État monarchique – la liberté du commerce et de l'industrie. Pendant un siècle, l'évolution ultérieure sera continue et spectaculaire : l'État se soumet à des règles de droit, une véritable Fonction publique apparaît, les fonctionnaires ne sont plus corrompus, et surtout l'État recule devant les « forces du marché », se recentrant sur sa fonction primaire, la fonction de l'État-gendarme, chargé de protéger l'ordre public contre les « classes dangereuses », c'est-à-dire le nouveau prolétariat industriel. Dans le même temps, on assiste en effet à l'exploitation nouvelle de « l'homme par l'homme », au déracinement progressif du vieux monde paysan, à l'oppression économique de la classe ouvrière, aux duretés inouïes de la révolution industrielle.

Toutes choses dont Karl Marx se fit le génial dénonciateur dans *Le Manifeste du Parti communiste* (1848). Au cours de la même année 1891, ce sont les Églises protestante et surtout catholique qui dénoncent à leur tour la question sociale en proposant des remèdes opposés à ceux du marxisme : non pas la lutte des classes, mais la coopération du capital et du travail. La grande encyclique *Rerum novarum* de Léon XIII retentit encore d'accents prophétiques qui, appelant la justice de l'État pour les ouvriers, ont puissamment marqué l'évolution du capitalisme au XXe siècle.

1891

Commence alors, en effet, la deuxième phase du capitalisme qui est celle du *capitalisme encadré par l'État*. Toutes les réformes s'efforcent d'aller vers le même objectif : il s'agit de corriger les excès du marché, de tempérer les violences du capitalisme. Partout, l'État apparaît comme le rempart contre l'arbitraire et l'injustice du libre marché, le protecteur des pauvres; c'est lui qui, à coup de lois, de décrets, sous la pression des luttes ouvrières et à travers les conventions collectives, s'emploie à humaniser les rigueurs du premier capitalisme. Progrès du droit du travail, augmentation continue de la fiscalité et des systèmes de redistribution, etc. Toutes les évolutions législatives vont dans le même sens. Certes, l'Amérique, qui a partiellement échappé aux drames de la « question ouvrière », ne suit pas au même rythme. Mais, à partir de la grande crise de 1930, elle rejoint l'Europe sur ce terrain : de Roosevelt à Carter en passant par Kennedy et Johnson, les États-Unis n'ont cessé de suivre, pendant un demi-siècle, l'évolution européenne vers un capitalisme mieux tempéré – sans toutefois aller aussi loin dans la construction, après la guerre, de l'État-providence.

Pendant toute cette période, marquée par une montée en puissance de l'État, n'oublions pas que, si le capitalisme évolue, c'est en quelque sorte « à reculons », sous la formidable pression morale et politique de son adversaire : l'idéologie communiste, qui s'est arrogé le privilège de l'espérance et de l'avenir. On doit faire un effort de mémoire, aujourd'hui, pour se souvenir à quel point cette pression était forte. Voici trente ans, François Perroux, l'un des économistes les plus profonds, écrivait : « Le capitalisme a été si durement attaqué à visage découvert et si insidieusement contesté qu'il fait, pour le plus grand nombre, figure d'ennemi du genre humain. Le condamner une fois de plus, c'est assumer un rôle sans péril et sans gloire. Défendre sa cause, c'est parler devant des juges qui "ont en poche une sentence de mort" » (*Le Capitalisme,* « Que sais-je ? », 1962).

1991

Mais, depuis une dizaine d'années, le mouvement s'est inversé... A trop vouloir embrasser ou régenter l'économie, l'État était en passe de l'étouffer. A trop vouloir tempérer le marché, il en venait à le paralyser. Alors, les gens en ont eu assez de dépendre toujours davantage de bureaucraties toujours plus kafkaïennes. Qu'on se souvienne de la grève des ambulanciers en Grande-Bretagne pendant l'hiver 1979 : elle a fait plus que tout pour disqualifier les travaillistes et porter Mme Thatcher au pouvoir.

L'ordre des priorités a donc changé. L'État n'est plus vraiment perçu comme un protecteur ou un organisateur mais comme un parasite, un frein, un poids mort. Nous sommes entrés dans la troisième phase qui est celle du *capitalisme à la place de l'État.* Nous avons mis une dizaine d'années pour en prendre réellement conscience. C'est en 1980, en effet, avec l'élection quasi simultanée de Margaret Thatcher en Angleterre et de Ronald Reagan en Amérique que tout a commencé. Combien furent à l'époque les observateurs qui ont compris qu'il ne s'agissait pas, cette fois, d'une simple alternance électorale ? De part et d'autre de l'Atlantique, une *nouvelle idéologie du capitalisme* arrivait bel et bien au pouvoir.

On connaît ses principes de base. Ils tiennent en peu de mots : le marché est bon, l'État est mauvais ; alors que la protection sociale était considérée comme un critère de progrès de la société, on la dénonce comme un encouragement à la paresse ; alors que l'impôt apparaissait comme un moyen essentiel pour concilier le développement économique et la justice sociale, la fiscalité est accusée – non sans raison – de décourager les plus dynamiques et les plus audacieux. Il faut donc réduire les impôts et les cotisations sociales, déréglementer, c'est-à-dire faire reculer l'État sur toute la ligne pour que le marché puisse libérer les énergies créatrices de la société. Il ne suffit donc plus, comme au XIXe siècle, d'opposer le capitalisme à l'État, il s'agit de le réduire à un champ de compétence minimum, de lui substituer autant que possible les forces du marché. Au XIXe siècle, le capitalisme ne risquait point de prendre la place de l'État, ni dans la santé, ni dans l'enseignement, ni dans les médias, pour la bonne raison que les écoles, les hôpitaux et les journaux relevaient d'initiatives privées. Mais, à notre époque, dans la plupart des pays développés, à commencer par la radio et la télévision, d'innombrables activités passent progressivement du secteur public au secteur privé, depuis l'adduction d'eau jusqu'au transport du courrier en passant par l'enlèvement des ordures ménagères.

Jusqu'en 1991, on a pu se demander si cette « révolution conservatrice » n'allait pas être une simple parenthèse, une phase provisoire, un « coup de barre » sans lendemain. En Europe, beaucoup l'ont cru, qui n'ont pas ménagé leur ironie à l'égard du « reaganisme » ou du « thatchérisme ». Aujourd'hui, on peut encore s'interroger sur l'avenir de ce dernier en Angleterre. A Londres, en effet, John Major, qui a succédé à Margaret Thatcher, a rapidement pris des mesures symboliques qui vont à l'encontre de la philosophie thatchérienne : la suppression de la *poll tax*, par exemple. Mais, de l'autre côté de l'Atlantique, le « reaganisme » apparaît au contraire consolidé dans l'opinion.

La guerre du Golfe, la victoire du général Schwarzkopf suivie du retour triomphal des *boys* et d'une stupéfiante remontée du dollar, tout cela paraît avoir durablement purgé l'Amérique de ses humiliations passées et de ses doutes. Elle est à nouveau fermement convaincue que *son capitalisme* est le meilleur système qui soit au monde. Et elle n'est pas la seule à le penser. *C'est parce que tout le monde ou presque croit au succès de la révolution conservatrice et tâche d'en appliquer les recettes qu'une rupture historique fondamentale est en jeu.*

C'est vrai dans les anciens pays communistes, où personne n'a encore entendu parler de l'économie sociale de marché ni du modèle rhénan. Avant même d'avoir pu créer un système bancaire digne de ce nom, les Polonais viennent d'ouvrir la Bourse de Varsovie dans l'ancien immeuble du Parti communiste et Lech Walesa parcourt l'Europe de l'Ouest en professant les idées des *Chicago boys.*

C'est vrai dans les pays en voie de développement. Avant Reagan, l'expérience paraissait montrer que leur décollage supposait une impulsion de l'État, comme au Japon ou en Corée du Sud. Au cours des dernières années, les plus brillants succès ont été ceux de pays qui, comme le Chili, le Mexique ou la Thaïlande, pratiquent la déréglementation et la privatisation. Force est d'ailleurs de constater que, si le modèle rhénan est le plus efficace en Europe, la transposition dans le tiers monde de sa variante social-démocrate a trop souvent servi de prétexte à la prolifération d'entreprises publiques ruineuses et d'interventions gouvernementales qui ne servaient qu'à alimenter la corruption. Tailler dans les dépenses et les déficits publics, réduire certains impôts, privatiser, déréglementer, c'est dur, mais, souvent, ça marche.

De même, on l'a vu, en Europe, le « grand marché de 1992 » est d'inspiration largement reaganienne : un maximum de concurrence, un minimum d'État. Avec cette conséquence sociale fondamentale à long terme : aussi longtemps que le marché unique ne sera pas encadré par une Union politique, chaque gouvernement des douze pays membres sera de plus en plus contraint, quelles que soient ses préférences politiques propres, à renforcer la compétitivité de son économie par la paupérisation de l'État et, à l'instar de Reagan, à détaxer les riches et surtaxer les pauvres. C'est commencé.

En outre, dans la plupart des universités et des écoles de gestion, on enseigne aux futurs cadres et dirigeants d'entreprise que c'est là le sens de l'histoire et la loi de l'avenir.

Alors que, pendant près d'un siècle, les forces de la démocratie et de l'État avaient peu à peu cantonné et tempéré le capitalisme, voici que les rôles s'inversent, en raison notamment d'une mondialisation de l'économie qui nargue l'impuissance des États divisés les uns contre les autres.

Oui, c'est évident au moins depuis 1991, nous sommes entrés dans la phase du *capitalisme à la place de l'État.*

Cette rupture historique, ce livre le montre, est souvent source de dynamisme et de prospérité, mais elle s'accompagne de cassures sociales parfois dramatiques et dangereuses. Sauf à considérer que l'essentiel des progrès sociaux introduits en un siècle étaient des aberrations anti-économiques, on ne peut accepter l'idée qu'ils soient peu à peu remis en cause ; que, sous prétexte de retrouver leur punch, toutes les économies industrialisées se durcissent irrémédiablement, se déchirent, régressent socialement. Et dans tous les domaines : la ville, la santé, l'école, la justice, la solidarité, etc. Or, le paradoxe, c'est que *tout se passe comme si l'on consentait* de facto *à cette régression.* Face au mirobolant modèle reaganien, le capitalisme rhénan dont j'ai souligné ici les mérites – et même la supériorité – a autant de charmes qu'une vieille fille de province, empêtrée dans ses traditions, enracinée dans ses nostalgies humanistes, encombrée par ses scrupules et sa prévoyance. En un mot, elle est aussi « ringarde » que la fourmi de la fable devant la cigale. Elle rase les murs. Elle n'ose pas entrer dans le music-hall...

Si une chose, une seule, devait m'enrager au terme de ce livre, c'est bien ce paradoxe-là. Je le trouve inouï, aberrant. Au point que je me suis souvent demandé ce qu'il faudrait faire ou dire pour que chacun prenne vraiment conscience de l'enjeu. Je ne crois pas qu'il soit très efficace d'en appeler aux grands principes. Je doute, en cette matière, de l'utilité des sermons. En revanche, je suis assez sensible à l'aphorisme de Lao-tseu qui assure que tous les problèmes du monde doivent pouvoir se ramener à une chose aussi simple que de « cuire un petit poisson ». Il faut faire confiance aux vertus de la pédagogie. Il faut croire à l'intelligence des citoyens d'une démocratie *lorsqu'ils sont clairement informés*. Mais comment faire « passer le message » ?

Peut-être suffirait-il, au fond, d'imaginer ce qui se passerait concrètement, dans notre vie de tous les jours, si la dérive du capitalisme devait se poursuivre jusqu'à son terme. Que deviendrions-nous si l'Europe et la France basculaient carrément dans le modèle reaganien ? L'hypothèse n'est pas absurde. L'américanisation progressive de l'Europe, en effet, ne se limite pas à l'économie. Le mouvement est bien plus profond. Une enquête du CREDOC (Centre de recherche et de documentation sur la consommation) rendue publique le 30 décembre 1990 s'efforçait d'analyser les principaux changements survenus dans le comportement, les habitudes de vie et de pensée des Français. Les résultats de cette enquête, publiée en pleine crise du Golfe, n'ont guère été médiatisés. C'est dommage. Le CREDOC, en effet, constate notamment quatre changements de fond. Quels changements ?

1. La *déculpabilisation de l'argent*, qui, dans notre vieille société de tradition catholique, représente un tournant capital qui la rapproche du monde anglo-saxon.

2. Le *triomphe de l'individualisme*, que le CREDOC appelle

le « chacun-pour-soi ». Avec, simultanément, le déclin spectaculaire des engagements collectifs : syndicats, associations, etc.

3. Le *« durcissement » social,* notamment dans le monde du travail, et l'aggravation des nouveaux stress liés à la compétition, à la peur du chômage, etc.

4. L'*uniformisation des comportements,* notamment entre Paris et la province, en particulier sous l'influence *désormais hégémonique* de la télévision.

Chacun de ces points, bien sûr, mériterait d'être développé. Je note que tous les quatre, c'est évident, vont dans le sens d'une « américanisation » de la société française. Si la société, dans ses profondeurs, s'américanise insensiblement, il n'est pas absurde d'imaginer que son économie suive le même chemin. Et cela, jusqu'au bout.

Pour 16 400 F de plus...

Que se passerait-il, alors ? Avec toutes les précautions qu'impose ce genre de simplification prospective et statistique, on peut essayer de s'en faire une idée. Prenons pour cela un paramètre simple mais déterminant : le système fiscal. On sait en

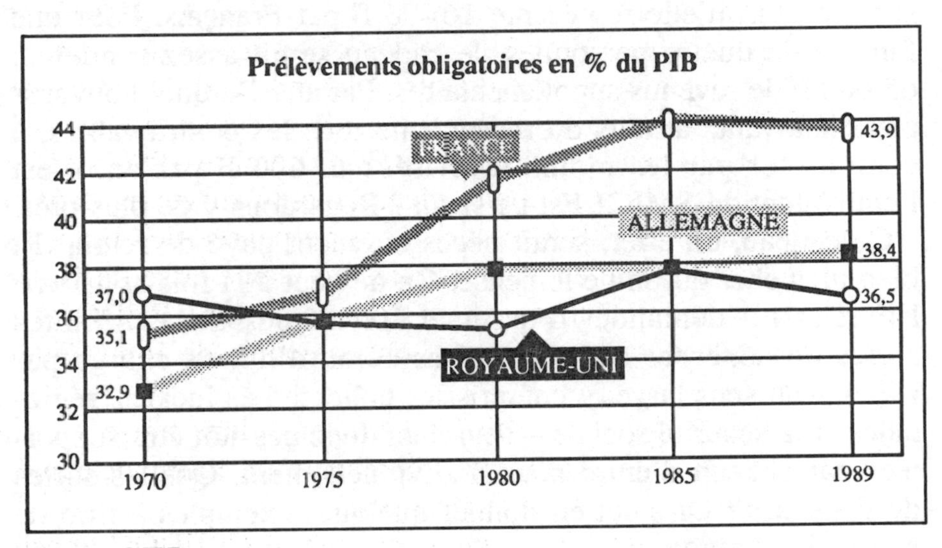

SOURCE : OCDE

effet que c'est lui qui détermine, avant tout, la richesse et donc la puissance de l'État, sa capacité de réguler les forces du marché et d'en protéger les faibles.

Faisons un petit calcul élémentaire. En France, le taux des prélèvements obligatoires (impôts, taxes, cotisations sociales, etc.) est de 44,6 % en 1990. A cet égard, le cas de la France est particulièrement intéressant parce que, de tous les pays de taille comparable, la France est, de loin, le champion des prélèvements obligatoires; cette situation, d'autant plus originale que la gestion du budget de l'État est particulièrement rigoureuse, s'explique par le fait que la France est aussi le seul des pays comparables qui n'est pas parvenu à contrôler le dérapage de ses dépenses de protection sociale.

Ainsi, lorsqu'un Français produit 100 F, il donne globalement 44,60 F à l'État ou aux organismes qui en dépendent. Aux États-Unis, ce même taux est aujourd'hui légèrement inférieur à 30 %. Eh bien, soit! Imaginons d'appliquer brusquement à la France le taux américain! Le produit intérieur brut de la France est d'environ 6 300 milliards de francs. Lui appliquer un taux de 30 % de prélèvement à la place d'un taux actuel de 44,6 permettrait de faire économiser à l'ensemble des Français quelque 920 milliards de francs. Cet argent que l'on soustrairait à l'État se retrouverait donc *dans notre poche.* Ce n'est pas une petite somme puisqu'elle représente 16400 F par Français. Pour une famille de quatre personnes, le cadeau serait assez rondelet: 65 600 F de revenus supplémentaires. Par an! De quoi convertir aux chatoyants attraits du reaganisme tous les contribuables, à commencer par les moins favorisés: 65600 F par an, c'est l'équivalent du SMIC! Est-ce si sûr? Regardons-y de plus près.

Ce cadeau, en effet, serait nécessairement payé de retour. Et bien plus cher qu'on ne le pense. On ne peut à la fois appauvrir l'État et lui demander d'assumer les mêmes tâches. Toutes sortes de dépenses qui sont prises aujourd'hui en charge par l'État – au sens large, y compris les collectivités locales, régionales et la sécurité sociale – devraient donc aussitôt être supportées par chacun d'entre nous, individuellement. Quelles sortes de dépenses? On peut en donner quelques exemples à titre de simple illustration.

La protection sociale, bien sûr. Finis les remboursements automatiques à 80 % des dépenses médicales et pharmaceutiques. Oublié l'accès de tous à l'hôpital, aux techniques de pointe, au scanner, à l'échographie, etc. Chaque Français devrait faire son affaire de dépenses de santé, comme de ses dépenses de logement, de nourriture ou de voyages. S'il est victime d'un accident de la route et transporté aux urgences, il devra s'habituer à l'idée qu'avant tout soin, on lui demandera, à lui ou à sa famille, quelles sont ses ressources personnelles et qui paiera la facture.

Plus redoutable encore, la plupart des retraites complémentaires seraient drastiquement réduites. Je dis bien les retraites complémentaires et non la retraite de base ou « assurance vieillesse »; en effet, en France comme dans les autres pays, la retraite de base est financée au titre de la solidarité nationale, par des prélèvements obligatoires; c'est vrai même aux États-Unis où cette retraite de base constitue même la seule forme de sécurité sociale généralisée. Donc, même si – par hypothèse – la France parvenait à réduire ses prélèvements obligatoires à 30 % du PIB, la retraite de base pourrait en principe, par analogie avec les États-Unis, continuer à être payée.

Au contraire, pour les retraites complémentaires, la France présente, par rapport à tous les pays comparables, une originalité de première importance : chez nous, ces retraites sont *aussi* financées pour l'essentiel par des prélèvements obligatoires, alors que dans les autres pays, au contraire, elles sont payées par les revenus d'une épargne de prévoyance mise en réserve à cet effet, année après année. Dans ces pays, une réduction des prélèvements obligatoires, si radicale soit-elle, serait donc sans effet sur les retraites complémentaires. Chez nous, au contraire, réduire les cotisations équivaudrait inévitablement à réduire ces pensions. Ici, notre système ne tient que par la contrainte parafiscale.

L'école. Plus question, assurément, d'imaginer une école gratuite de la maternelle à l'université. Chacun devra choisir selon ses moyens et assurera à ses enfants ce qu'il peut. Pas plus. A titre indicatif, sachons que la scolarité dans une bonne université américaine revient à environ 100 000 à 150 000 F. Sans compter, bien entendu, les frais de logement, de restaurants universitaires, etc. L'école de qualité et les études longues redeviendront *ipso facto* – et sauf l'exception des boursiers – le privilège des enfants issus de familles riches.

Les transports en commun. Tout laisse à penser qu'ils deviendraient rapidement ce qu'ils sont aux États-Unis, c'est-à-dire vétustes, peu commodes, mal entretenus. La suprématie de la voiture individuelle s'en trouverait définitivement consacrée, avec toutes les conséquences bien connues. Augmentation vertigineuse des coûts de stationnement, paralysie des villes, etc.

Les équipements collectifs. Impossible d'imaginer qu'ils puissent être maintenus dans l'état où ils sont. Ceux qui sont à la charge des collectivités locales, ceux qui relèvent de l'État, souffriraient à des degrés divers de la paupérisation des administrations. Jardins publics, espaces verts, routes et chemins, gares, aéroports, etc. La tendance ne sera pas à l'embellissement ni même à l'entretien. Que l'on pense au visage offert par la plupart des grandes villes américaines... Et ne croyons surtout pas que seuls l'agrément et le bonheur des yeux sont en cause. Toutes les études montrent que la qualité des équipements collectifs est un facteur important de compétitivité pour les entreprises.

Les inégalités. Les mécanismes de redistribution par l'impôt ne joueraient plus que de façon affaiblie. Conséquence : les inégalités sociales, déjà en augmentation, feraient un bond au point de changer de manière significative l'équilibre de la société. Des riches encore plus riches et des pauvres de plus en plus paumés, illettrés, exclus. Exclus notamment du RMI (revenu minimum d'insertion) dont plusieurs centaines de milliers bénéficient aujourd'hui et qui devraient alors s'en remettre à la seule charité privée. Les « nouveaux pauvres » seraient, du coup, bien plus nombreux et encore plus pauvres. Difficile d'évaluer les conséquences de cette régression sur le « désordre social » (violence, délinquance, drogue, etc.), mais une chose est certaine : elles seraient nombreuses.

Travail et chômage. Ici, le modèle néo-américain marque des points. Patrie du plein emploi pendant les « Trente Glorieuses », la France n'a cessé depuis vingt ans de produire à la fois des plans de lutte contre le chômage toujours plus prometteurs et des chômeurs toujours plus nombreux et plus difficiles à réinsérer. Ils représentent maintenant plus de 9 % de la population active. Les États-Unis au contraire considèrent les politiques de plein emploi comme un péché contre l'esprit. Mais depuis Reagan, ils sont parvenus à réduire le taux de chômage de près de moitié, le ramenant à 6 %. Et cela, non par la multiplication des aides, mais au contraire par leur réduction, ce qui a contraint les chômeurs à accepter une proportion croissante d'emplois sous-qualifiés et mal rémunérés, au premier rang desquels un nombre sans cesse grandissant de policiers privés et de gardiens en tous genres.

Que vaut-il mieux ? Davantage de chômeurs assistés ou de travailleurs mal payés ? Pour éclairer ce débat « capitalisme contre capitalisme », deux points à noter : seuls les pays rhénans sont parvenus à faire la preuve qu'une protection sociale plus généreuse peut aller de pair avec une économie plus performante ; la France, quant à elle, ne saurait à la fois bloquer le taux de ses prélèvements obligatoires et maintenir durablement sa protection sociale telle qu'elle est.

On pourrait allonger indéfiniment la liste de ces exemples. Est-ce vraiment nécessaire ? Je veux seulement montrer que l'évolution d'un capitalisme vers un autre s'accompagnerait forcément de changements beaucoup plus profonds qu'on ne le croit, dans le mode de vie de chacun. Au fond, si je devais ramasser en une seule phrase ce qui fait la principale différence entre ces deux variantes du capitalisme, je dirais ceci : le modèle néo-américain sacrifie délibérément l'avenir au présent.

Or, sous ces différentes formes, l'investissement dans l'avenir est à notre époque le véritable « détour productif », la source première de la richesse. Peut-être même la voie nouvelle de la sagesse.

Surtout pour les Européens. Pour chaque citoyen européen. Car la CEE sera le principal des champs de bataille des deux capitalismes. De deux choses l'une :

Ou bien, en 1992, les citoyens européens n'auront pas assez bien compris de quoi dépend, fondamentalement, leur destin ; ils ne presseront pas suffisamment leurs gouvernements de faire le saut vers l'Union politique pour que ceux-ci s'y résolvent. Alors, rien ne pourra plus se passer, si ce n'est que le marché unique commencera à s'effriter ; que, n'ayant pas eu la lucidité de nous unir pour choisir notre avenir, nous en aurons perdu la capacité ; que nous retomberons donc dans les angoisses de notre vieil europessimisme, glissant inévitablement vers ce modèle néo-américain dont les banlieues de Lyon, de Manchester et de Naples sont déjà la préfiguration ; que, de surcroît, dans notre propre impuissance, nous serons de plus en plus harcelés par les foules des deux tiers mondes de l'Est et du Sud, cherchant à s'infiltrer à travers nos frontières pour rejoindre le nouveau tiers monde de nos banlieues à l'américaine.

Ou bien, nous nous mettrons en marche vers les États-Unis d'Europe. Alors, nous pourrons choisir pour nous tous le meilleur modèle économico-social qui a déjà commencé à porter ses fruits dans une partie de la CEE et qui deviendra le *modèle européen.*

Les États-Unis d'Europe pour faire mieux que les États-Unis d'Amérique.

C'est l'affaire de chacun de nous. Pour chacun de nous, demain se décide aujourd'hui.

Annexes

ANNEXE I

Les deux discours de Bruges

Entre les deux conceptions du capitalisme, l'Europe balance. Le marché unique de 1992 demeurera-t-il pour l'essentiel une zone de libre-échange ? Dans cette hypothèse, le capitalisme européen sera, en l'an 2000, une copie conforme du capitalisme néo-américain.

Au lieu de se réduire à l'état de marché, la Communauté européenne va-t-elle, au contraire, continuer à développer son originalité en direction d'une véritable union politique européenne de caractère fédéral ? C'est à cette condition seulement que le modèle rhénan pourra constituer le prototype du nouveau capitalisme européen.

Ce dilemme va être au cœur des deux conférences intergouvernementales qui vont s'ouvrir fin 1991 sur l'union économique et monétaire d'une part, sur l'union politique d'autre part.

Sur ce débat fondamental, je ne connais rien de plus éclairant que les deux grands discours prononcés, l'un et l'autre, au collège d'Europe à Bruges successivement par Mme Thatcher le 20 septembre 1988 et par Jacques Delors le 17 octobre 1989.

A l'évidence, le propos de Mme Thatcher avait pour objet, par avance, de contester les idées de Jacques Delors et ce dernier a voulu lui répondre.

1. *Qu'est-ce que l'Europe ?*

Margaret Thatcher

a. Tout d'abord une réponse négative : « L'Europe n'est pas la création du traité de Rome[1]. »

b. Représentation géographique, culturelle et historique : « Le concept de chrétienté a été longtemps synonyme d'Europe », de même que les libertés démocratiques.

La vocation de l'Europe est de devenir « une famille de nations qui s'entendent de mieux en mieux les unes les autres ».

Jacques Delors

a. Le président de la Commission ne dit rien de l'histoire de l'Europe. Pour lui, c'est l'avenir qui compte.

1. Traduction de l'auteur.

2. ***Qu'est-ce que la Communauté ?***

Margaret Thatcher

a. Ici aussi, la première réaction est négative : « La Communauté n'est pas une fin en soi. »

b. Sur la souveraineté : « Une coopération volontaire entre des États souverains. »

c. Pour Mme Thatcher, pas question d'accorder des pouvoirs supplémentaires à la Communauté. « Il n'est pas nécessaire pour travailler ensemble plus étroitement que le pouvoir soit centralisé à Bruxelles ou que des décisions soient prises par une bureaucratie de fonctionnaires *[appointed]*. »

« Nous n'avons pas fait reculer avec succès les frontières de l'État en Angleterre seulement pour nous les faire de nouveau imposer au niveau européen par un super-État exerçant de Bruxelles une nouvelle domination. »

Jacques Delors

a. « La Communauté, un concept chargé de sens [...] Nous vivons une expérience unique [...] Nous bâtissons certes en nous référant à des principes hérités de l'expérience historique, mais dans des conditions si particulières que le modèle, lui aussi, sera unique, sans précédent historique. »

b. « L'exercice en commun de la souveraineté. » Le président de la Commission cite à l'appui de sa thèse – comme avec un certain sourire – Sir Geoffrey Howe, secrétaire au Foreign Office de Mme Thatcher : « Les nations souveraines de la Communauté européenne, partageant leur souveraineté en toute liberté, se construisent un rôle clé dans l'exercice du pouvoir du siècle à venir. »

c. Pour lui, il ne s'agit pas de centralisation, mais au contraire de subsidiarité. « J'ai souvent l'occasion de recourir au fédéralisme comme méthode en y incluant le principe de subsidiarité. J'y vois l'inspiration pour concilier ce qui apparaît à beaucoup comme inconciliable : l'émergence de l'Europe unie et la fidélité à notre nation, à notre patrie ; la nécessité d'un pouvoir européen, à la dimension des problèmes de notre temps, et l'impératif vital de conserver nos nations et nos régions comme lieux d'enracinement. »

3. ***L'évolution de la Communauté***

Margaret Thatcher

a. « Certains des fondateurs de la Communauté pensaient que les États-Unis d'Amérique pourraient être son modèle. Mais toute l'histoire de l'Amérique est complètement différente de celle de l'Europe. » Ici, une précision un peu subtile mais essentielle doit être apportée : en rejetant tout progrès de la Communauté vers une organisation de type fédéral, à l'américaine, Mme Thatcher, loin de s'opposer au modèle américain de capitalisme, écarte les conditions nécessaires à la construction d'un modèle proprement européen de capitalisme.

b. « Le traité de Rome a été conçu comme une charte pour la liberté économique mais ce n'est pas comme cela qu'il a toujours été lu et encore moins appliqué. [...] Cette approche [proposée par Mme Thatcher] n'exige aucun document nouveau : ils sont tous là, le traité de l'Atlantique Nord, le traité de Bruxelles révisé et le traité de Rome. »

Jacques Delors
a. « Il n'y a place dans l'Histoire que pour ceux qui voient large et loin. C'est la raison pour laquelle les "pères fondateurs" de l'Europe sont encore présents aujourd'hui par leur inspiration et par l'héritage qu'ils nous ont transmis. »
b. « A partir de là se développe une expérience originale qui récuse toute analogie avec d'autres modèles, comme par exemple la création des États-Unis d'Amérique [...] Est-ce sacrilège de souhaiter que chaque Européen ait le sentiment d'appartenir à une communauté qui serait en quelque sorte sa seconde patrie ? Si l'on refuse cela, alors la construction européenne échouera, les monstres froids reprendront le dessus parce que notre Communauté n'aura pas conquis ce supplément d'âme et cet enracinement populaire, sans lesquels toute aventure humaine est condamnée à l'échec. »

4. *Deux conceptions du capitalisme européen fondent ces deux discours*

Margaret Thatcher
a. « Le but d'une Europe ouverte à l'entreprise est la force motrice derrière la création du marché unique européen en 1992 [...] Cela signifie une action pour libérer les marchés, étendre les choix et obtenir une plus grande convergence des économies à travers la réduction des interventions gouvernementales. »
b. Il faut réduire les dépenses de la Communauté, à commencer par celles de la politique agricole commune. Ce que l'on a fait de mieux dans la période récente était « d'introduire une discipline budgétaire plus rigoureuse ».

Jacques Delors
a. « Il ne peut être seulement question de savoir quand et comment tous les pays européens pourront bénéficier de l'effet stimulant et des avantages du grand marché. Notre époque est par trop dominée par un nouveau mercantilisme et les jeunes Européens attendent plus de nous. »
b. On voit bien ici à quel point les conceptions anglo-saxonnes dominantes contraignent J. Delors à contenir étroitement les ambitions financières de la Communauté en n'envisageant de politiques communes nouvelles que dans l'environnement et peut-être dans « les infrastructures indispensables au bon fonctionnement du marché. Toutes ces interventions ne sauraient excéder 5 % du total des dépenses publiques effectuées dans la Communauté ». Ce chiffre est particulièrement modéré puisqu'il représente cinq à dix fois moins que le niveau habituel de la capacité financière d'une fédération politique.

5. *Aspects sociaux*

Margaret Thatcher

« Avant de quitter le sujet du marché unique, puis-je dire que nous n'avons absolument pas besoin d'aucune réglementation nouvelle qui augmente le coût de l'emploi et rend le marché du travail en Europe moins flexible et moins compétitif que celui des fournisseurs étrangers ? »

Jacques Delors

« Lorsque des millions de jeunes frappent en vain à la porte de la société des adultes, notamment pour avoir leur place dans la vie professionnelle [...] la question se pose : quelle société bâtissons-nous ? une société de l'exclusion ? [...] La charte des droits sociaux n'a pas d'autre but que de rappeler solennellement que la Communauté n'entend pas subordonner les droits fondamentaux du travail à la seule efficacité économique. »

ANNEXE II

Projet de déclaration des droits et des devoirs de l'entreprise

Préambule

Les événements récents en Europe et dans le monde ont montré la supériorité des sociétés qui privilégient l'initiative privée et le marché sur celles qui confient la gestion de l'économie à un système administré et centralisé. Seule la libre entreprise permet de garantir l'efficacité économique, gage de prospérité pour le plus grand nombre.

Les libertés économiques sont indissociables des libertés politiques. Seule la démocratie permet le plein épanouissement de l'économie de marché. Inversement, aucun régime n'est véritablement démocratique s'il ne garantit le respect du droit de propriété et de la liberté d'entreprendre.

L'économie de marché, pour être bénéfique à tous, doit être organisée dans le cadre d'un État de droit. Les pouvoirs publics ont ainsi pour mission de garantir les libertés fondamentales des acteurs économiques et de veiller au respect des règles de la concurrence, ainsi que de consacrer par la réglementation ou par la loi des progrès de société que l'expansion économique rend possibles.

Collectivités organisées, dotées d'une personnalité et d'une culture propres, les entreprises sont les entités de base dont la prospérité détermine celle de l'économie dans son ensemble. C'est par elles que la majorité des personnes physiques trouvent leurs motivations au travail et à l'initiative. C'est d'elles qu'elles reçoivent leurs moyens d'existence. Ce rôle capital confère aux entreprises des Droits qui doivent être reconnus et protégés par les pouvoirs publics. Rôle et Droits ont pour contrepartie des obligations : obligations fixées dans chaque pays par le législateur au fil des ans et du développement de la richesse et qu'il serait prématuré de prétendre uniformiser en Europe par un texte unique ; obligations morales aussi, identiques pour toutes dans leur principe sinon dans leur niveau de réalisation et qui s'analysent comme des Devoirs d'ambition en matière sociale et culturelle. C'est eux seuls qu'il a paru possible d'énoncer dans un texte unique.

La libre entreprise repose sur une communauté d'intérêts entre les détenteurs du capital, la direction et les salariés. La répartition des fruits de l'initiative, des risques assumés et du travail commun doit donc tendre à respecter l'équité en même temps qu'à développer la motivation à l'effort de chacun des partenaires. L'efficacité de tous et la qualité des rapports sociaux en dépendent.

C'est en fonction de ces considérations que doivent être interprétés les divers articles de la Déclaration suivante :

Article 1er
La liberté d'entreprendre est un principe fondamental garanti par les lois de la République. Les pouvoirs publics doivent la protéger.

Article 2
La législation économique et sociale s'inscrit dans le respect des principes de la libre concurrence, de l'économie de marché et de l'égalité entre les entreprises.

Toute entente en vue de se soustraire aux règles de la concurrence ou tout abus de position dominante sont interdits. Les monopoles ne peuvent avoir qu'un caractère exceptionnel et répondre à une nécessité publique dûment constatée par la loi.

Toute infraction à ces règles est constatée et sanctionnée par une autorité indépendante.

Article 3
Les entreprises déterminent librement leurs prix. Seule une loi peut permettre des exceptions limitées et temporaires à ce principe.

Article 4
La direction des entreprises a la maîtrise des conditions de recrutement et de licenciement du personnel, sous réserve du respect des accords contractuels conclus et des droits des salariés.

Les conditions générales de salaires résultent de la négociation contractuelle entre la direction de l'entreprise et les salariés à laquelle les représentants élus des salariés participent dans les conditions prévues par la loi.

Article 5
Les entreprises décident de la répartition de leurs bénéfices, de la rémunération de leurs actionnaires et de leurs choix d'investissement.

Article 6
Compte tenu de leur personnalité morale et de leur rôle, la propriété et le contrôle des entreprises ne sauraient être considérés de la même façon que ceux de marchandises généralement quelconques.

En conséquence le droit de propriété des détenteurs du capital d'une entreprise est inviolable et absolu. Toute limitation apportée par l'État à ce droit de propriété doit avoir un caractère exceptionnel, être motivée par un intérêt public majeur. Elle doit s'accompagner d'une indemnisation juste et préalable. Elle ne peut être décidée par le législateur qu'à une majorité qualifiée.

De la même manière et pour les mêmes raisons, les entreprises organisées en sociétés de capitaux et dont les actions sont négociables sur un ou plusieurs marchés financiers doivent être protégées par la réglementation de ces marchés et les autorités chargées d'en assurer l'application contre les manœuvres d'opérateurs cherchant à se saisir de leur contrôle sans que leurs motivations procèdent d'un projet jugé valable par les partenaires de l'entreprise : Direction, personnel, actionnaires.

Article 7

Tout changement dans la législation en vigueur qui crée un préjudice anormal et spécial pour une entreprise ouvre droit à une juste indemnité fixée par le juge compétent.

Article 8

La direction des entreprises rend compte régulièrement et complètement aux actionnaires et aux salariés de sa gestion et de la situation de l'entreprise. Les documents comptables et financiers doivent être sincères et fidèles.

Article 9

L'expression pluraliste des salariés au sein d'instances représentatives élues est garantie par la loi. Les représentants élus du personnel sont chargés de défendre les intérêts légitimes de leurs mandants. Ils sont consultés sur les mesures concernant les conditions de travail. La Direction doit les associer aussi largement que possible à l'étude des principaux problèmes de l'entreprise et à la recherche de leur solution.

Article 10

La direction de l'entreprise favorise toute mesure permettant dans le respect des équilibres vitaux de l'entreprise une meilleure participation des salariés à ses résultats comme à son capital.

Article 11

Les entreprises doivent contribuer à la formation de leurs salariés, notamment à ceux qui sont menacés de licenciement afin de faciliter leur reclassement.

Elles doivent, dans la mesure de leurs moyens, contribuer à des actions dans le domaine éducatif, culturel ou scientifique et à favoriser l'environnement et la qualité de la vie.

Article 12

D'une façon générale leur liberté d'action, les garanties dont elles jouissent et les moyens dont elles disposent dans leur ensemble imposent aux entreprises l'ambition de jouer un rôle moteur dans la promotion des progrès attendus par le corps social. Les pouvoirs publics doivent les y encourager par des mesures adéquates, notamment au plan fiscal.

Article 13

Le respect des droits et des devoirs des entreprises est garanti par un juge indépendant. Les justiciables bénéficient des garanties d'une procédure équitable.

ANNEXE III

Capitalisme décadent

En décembre 1990, j'ai publié dans L'Expansion *un article intitulé « Capitalisme contre capitalisme » et qui a suscité un certain nombre de commentaires et de réactions. L'une des plus intéressantes et des plus concises est celle de Jacques Plassard, parue après la rédaction de ce livre, dans* Chroniques de la SEDEIS, *n° 6 du 15 juin 1991, sous le titre « Capitalisme décadent ».*

Je suis heureux de reproduire ici ce texte avec l'aimable autorisation de son auteur.

*

A l'Est (éventuellement au Sud), l'histoire qui s'écrit aujourd'hui exprime une aspiration à la richesse qui exige la naissance et le développement d'un capitalisme. Pour l'éclairer, le souvenir de la fin du XVIIIe et du XIXe siècle est utile. Dans le même temps, le capitalisme libéral, qui vient de triompher de son rival imaginaire soviétique, est soumis à une crise de dégénérescence, voire de décadence aux États-Unis, c'est-à-dire au centre du système occidental.

En l'article qu'il a donné à la revue *L'Expansion,* Michel Albert pose clairement la dialectique nouvelle. Le débat entre le capitalisme libéral et le communisme étant achevé par la défaite du second, la discussion s'instaure entre les deux modèles du capitalisme libéral : le modèle rhénan pouvant être opposé au modèle américain.

Pour comprendre ce problème, il convient, comme dans le cas tout différent de l'Est, d'aller directement au cœur du dispositif, c'est-à-dire à la réalité concrète sans se perdre dans des présentations abstraites, pour partie imaginaires.

La différence entre le modèle japonais et rhénan d'une part, l'américain de l'autre, c'est l'horizon pour lequel les agents économiques, les capitalistes, entendent maximiser leurs profits. L'économie américaine est gérée avec un horizon très court ; on exagère à peine en évoquant les comptes trimestriels et le constant souci des résultats qu'ils indiquent. L'économie allemande et plus encore la japonaise sont gérées en fonction d'objectifs à long terme, disons, pour être simple, des horizons qui sont situés au-delà de l'espérance de vie des décideurs.

La question posée est de savoir pourquoi, dans un régime dont les principes sont homogènes, certains ensembles sont gérés avec des vues différentes. Le pouvoir est aux mains des dirigeants d'entreprise ; pourquoi les responsables des sociétés américaines suivent-ils des politiques très différentes de celles des dirigeants des sociétés allemandes ? Les Français paraissent situés de façon privilégiée pour comprendre la divergence, car on retrouve en France la consistance et l'affrontement des deux comportements. Il faut surtout éviter de condamner, d'abord il faut comprendre.

Le système américain n'est-il pas rationnel ? Les propriétaires des actions – en fait dans la majorité des cas des financiers qui gèrent ces actions pour le compte de personnes privées qui leur ont confié cette gestion par des contrats d'une multitude de formes –, s'efforcent de maximiser la valeur de leurs actifs. Cette valeur dépend de façon classique du taux d'intérêt général (ou du taux de capitalisation moyen) et du bénéfice de chaque société. Il y a en permanence spéculation sur ces deux grandeurs. La spéculation sur le bénéfice n'est pas à court terme (les *price earning* sont différents selon les secteurs et les entreprises), mais elle est révisée chaque jour en fonction des informations disponibles dont la plus consistante est le résultat trimestriel.

Le mécanisme de marché est « huilé », la mobilité est quasi parfaite en fonction des informations disponibles. On prétend que c'est le règne de la finance, ceci signifie seulement que l'impératif du profit est accepté et domine.

Une perversion du système vient de ce que l'information des agents est imparfaite. Cette imperfection est systématique dès lors que les opérateurs ont pris conscience que les marchés sont animés non par une réalité qui serait connue, mais par l'opinion que les opérateurs eux-mêmes ont de la réalité. « Cette entreprise va bien, mais il ne faut pas acheter son titre aujourd'hui, car le marché croit qu'elle va mal. » Et inversement.

On peut soutenir qu'il ne s'agit plus d'un capitalisme de propriétaires dans la mesure où le concept de propriété s'appliquait à la terre et impliquait une continuité, une inertie. La totale liberté des transactions, l'abaissement de leurs coûts, les possibilités d'achats à crédit ont réduit les liens parfois affectifs qui unissaient les propriétaires aux biens concrets qu'ils possédaient. La recherche n'est plus le revenu, mais la plus-value. Mais cette recherche est folle qui peut être totalement déconnectée des réalités concrètes[1].

La perversion est à son comble lorsque l'on joue avec du crédit sur des cours boursiers que l'on fait varier par des rumeurs. Or, il ne peut et il ne doit pas y avoir de hiatus entre le marché des titres et la direction, la politique, la stratégie des sociétés. Cette agitation de Wall Street engendre incontestablement des troubles, mais elle évite l'immobilisme et peut permettre des redressements réels surprenants.

La difficulté profonde est que la gestion financière des actions vit dans un temps beaucoup plus court que la gestion économique, industrielle et commerciale des sociétés. On peut critiquer la gesticulation financière ou discerner qu'elle oblige à des remises en cause permanentes en évitant la sclérose qui menace les sociétés à mesure qu'elles deviennent plus grandes, qu'elles avancent en âge et qu'elles risquent de prendre de la graisse. Les sociétés américaines ont le mérite de ne pas gaspiller les investissements.

Ce que Michel Albert appelle le modèle rhénan est différent sur un point,

1. Jacques Plassard, « Réflexions sur les marchés des biens en capital – Comptabilité et comportement », *Chroniques de la SEDEIS*, n° 2, février 1991, p. 78 et suivantes.

presque sur un seul point. Les propriétaires gardent leurs actions et s'ils cherchent naturellement à s'enrichir, c'est par les développements des sociétés qu'ils possèdent et non par des « spéculations boursières », c'est-à-dire par un nomadisme financier.

Les Français, et notamment Michel Albert, ont une forte préférence pour le modèle rhénan qui me paraît être franchement différent du modèle japonais. Cette préférence n'est pas seulement justifiée par le succès actuel du modèle rhénan en regard de l'américain, mais par la persistance en France d'une culture terrienne. Une propriété, on la garde et on la transmet à ses héritiers. Il n'y a pas opposition entre des habitudes collectives et un souci de réussite individuelle, entre consensus social et profit financier, mais un sens du temps différent pour des petits-fils de paysans, d'industriels ou d'artisans de ce qu'il est pour des descendants de migrants. Corrélativement, la propriété européenne avait et a encore une résonance concrète, la dématérialisation des portefeuilles comporte une déshumanisation du système. Le problème central, c'est toujours la propriété qui, à l'origine, à la base, est et doit demeurer individuelle et qui a une fonction sociale.

Chacun sait en France aujourd'hui les noms des patrons qui s'identifient à leur entreprise dont ils sont l'âme et que parfois ces mortels ne réussissent pas à confier à d'autres assez tôt. Ils sont propriétaires ou sont désignés par des propriétaires connus qui ont des participations significatives. En revanche, il y a des PDG mercenaires qui sont là aujourd'hui et seront ailleurs demain. *« Celui qui est mercenaire, et non pasteur, à qui les brebis n'appartiennent pas, voit venir le loup, laisse les brebis et se sauve. »*

Le mercenaire, c'est celui *« à qui les brebis n'appartiennent pas »*. Certes, il est des managers qui se sont convertis à la fonction de patron, de bon pasteur, et qui ne se sauveront pas devant le loup. Rien n'est plus déterminant pour une société industrielle ou commerciale et l'on discerne bien parmi les hommes ayant les mêmes titres, ayant acquis le pouvoir de la même façon, que certains sont devenus des « propriétaires », tandis que d'autres sont restés des « mercenaires ». Pas de distinctions formelles, mais des différences essentielles.

Mais derrière il y a les actionnaires qui dans les grandes sociétés désignent le responsable. Trois cas de figure :

Le premier est le plus simple. Il y a un propriétaire, ou au moins un majoritaire. La dévolution de la propriété, c'est l'héritage. Tous les héritiers ne sont pas des génies, mais au moins ont-ils été élevés dans le milieu, dans l'affaire. L'histoire donne l'exemple de dynasties bancaires. En outre, eux, leur famille et leurs proches ont intérêt à ce qu'ils s'entourent et, éventuellement, délèguent largement à des hommes efficaces. Ce n'est pas un hasard si le modèle rhénan évoqué par Michel Albert se trouve dans le pays riche où les impôts sur les successions sont les plus faibles depuis au moins quarante ans[1]. Le véritable obstacle à ce régime, c'est la jalousie devant une inégalité dont la justification est non le mérite des héritiers, mais la fonction sociale qu'ils ont à remplir.

1. « Prélèvements obligatoires – Poids et structure », REXECO – Institut de l'Entreprise, *Chroniques de la SEDEIS*, juin 1990, p. 217.

Le second devient théorique, mais il faut l'évoquer pour bien comprendre l'évolution vers le troisième. C'est la démocratie des actionnaires. Des épargnants individuels ont le pouvoir à l'Assemblée générale et selon la procédure de la démocratie politique, ils élisent le patron. Évidemment les actionnaires n'ont pas tous autant de voix. Mais surtout certains sont plus anciens que d'autres et il est légitime qu'ils aient davantage de voix que ceux qui viennent d'arriver. En fait, c'est le patron et son Conseil qui désignent le successeur. C'est le régime des empereurs antonins. Il est rare parce qu'improbable que le désigné soit un mercenaire. Le partant et son conseil veulent que l'œuvre soit poursuivie. Le choix est pour la continuité.

Le changement vient ce ce que le rôle des financiers s'élargit. C'est-à-dire que les épargnants individuels confient la gestion de leur « propriété mobilière » à des spécialistes avec des régimes de gestions collectives. On passe au troisième régime. Les gestionnaires disposent d'un pouvoir considérable et la question est de savoir dans quel esprit ils l'exercent. Sur les bords du Rhin où persistent de grandes fortunes familiales, les gestionnaires collectifs ont une démarche qui est imitée, voire inspirée, par celle des grandes fortunes familiales. Les épargnants, modestes, font confiance à des gestionnaires qui possèdent en propre d'assez grandes fortunes. Les institutions financières sont mariées à l'industrie. Le marivaudage n'est pas proscrit, il est inconcevable.

Le style des gestions collectives outre-Atlantique est devenu différent. On peut suivre quotidiennement le cours des Sicav et passer de l'une à l'autre selon les résultats, les gestionnaires de Sicav veulent garder leurs clientèles.

Il n'y a pas de formules parfaites. La mobilité américaine avait des vertus avant de sombrer dans l'agitation. L'effort conduit pour obtenir une gestion monétaire moins chaotique ne manquera pas en réduisant l'ampleur des vagues « spéculatives » de modifier les attitudes vis-à-vis du temps. La stabilité germanique suppose un système de valeur (au sens de valeur morale) différent de celui qui a cours en France, surtout depuis une décennie, elle s'appuie sur un État discret et sur une politique monétaire qui ressemble dans sa continuité à celle du XIXe siècle.

Le modèle français évolue dans des conditions particulières. Certes, on s'y efforce de régler le mécanisme de la démocratie dans la société anonyme[1]. Mais le plus déterminant est que c'est un État soumis aux vissicitudes et aux contraintes électorales qui distribue le pouvoir effectif dans la majorité des organes de gestion collective du capitalisme, selon un modèle qui ne se trouve ni aux États-Unis, ni au Japon, ni en Allemagne et que personne ne défend ouvertement du moins. D'autre part, par une fiscalité supérieure à celle des autres sur les patrimoines conséquents, le même État chasse la propriété en dehors de ses frontières.

Or, le système français est un champ où s'exerce le pouvoir de capitalismes étrangers des autres modèles.

Le débat entre le modèle américain et le rhénan existe bien. Il est profond et significatif. Mais on discerne, extérieur à ce débat, une dérive vers un système original qui veut conjuguer le régime du marché, donc de la concur-

1. Michel Pébereau, « Stratégie du capital et de l'actionnariat », *Chroniques de la SEDEIS*, nº 2, 15 février 1991, p. 52 et suivantes.

rence, avec celui d'une propriété sinon collective, du moins gérée de façon collective, voire publique : le marché, mais pas l'appropriation privée des moyens de production. Le débat entre national et collectif d'une part, transnational, européen et privé d'autre part, n'est pas clos. Le nationalisme présente des dangers qui ne paraissent pas menaçants aujourd'hui, mais qui persistent de façon latente.

Le système européen devrait s'efforcer de généraliser le modèle rhénan. Mais peut-être la Rhénanie n'estime pas avoir besoin d'exporter un système qui lui assurera une autorité d'autant plus forte que les autres ne sauront pas l'imiter.

Table

RÉALISATION : ATELIER PAO ÉDITIONS DU SEUIL
REPRODUIT ET ACHEVÉ D'IMPRIMER
SUR ROTO-PAGE PAR L'IMPRIMERIE FLOCH À MAYENNE (12-91)
DÉPÔT LÉGAL : SEPTEMBRE 1991. N° 13207-4 (31663)